D0391293

Mort de la globalisation

DU MÊME AUTEUR

ESSAIS :

Les Bâtards de Voltaire. La dictature de la raison en Occident (Payot)
La Civilisation inconsciente (Payot)
Le Compagnon du doute (Payot)
Réflexions d'un frère siamois (Boréal)
Vers l'équilibre (Payot)

ROMANS :

Mort d'un général (Rivages)
Baraka, ou la vie, la gloire et le destin d'Anthony Smith (Rivages)
L'Ennemi du bien (Rivages)
Paradis blues (Rivages)
De si bons Américains (Rivages)

John Saul

Mort de la globalisation

Traduit de l'anglais
par Jean-Luc Fidel

PAYOT

TITRE ORIGINAL :
The Collapse of Globalism
and the Reinvention of the World
(Penguin Books, Toronto, Canada)

106, boulevard Saint-Germain, 75006 Paris.

À

Hugh Probyn
Clarissa Ralston Saul
François Legué
William Ralston Saul
Alex Trench
Anna Trench
Talia Lewis
Myles Glaisek
Theo Lewis

prochaine génération à vivre dans ce monde étrange.

PREMIÈRE PARTIE

Le contexte

« [Une loi empêchant le libre-échange est une] loi qui interfère avec la sagesse de la Divine Providence et substitue la loi de la méchanceté humaine à celle de la nature. »

Richard COBDEN,
discours, 1843

« À quoi te servirait-elle ?
– Elle serait pour moi ce que Dieu était avant que je devienne athée : l'objet même de ma vénération. »

August STRINDBERG,
Les Créanciers, 1888

« Tenter d'appliquer le déterminisme économique à toutes les sociétés humaines relève presque du fantastique. »

Karl POLANYI,
Commentary, 3, n° 2, 1947

« Une idéologie fournit une lentille à travers laquelle voir le monde, un ensemble de croyances auxquelles on adhère si fort qu'il n'est presque pas besoin de confirmation empirique. »

Joseph STIGLITZ,
Quand le capitalisme perd la tête, 2003

CHAPITRE PREMIER

Un serpent au Paradis

La globalisation a surgi dans les années 1970, comme venue de nulle part, déjà à maturité et nimbée d'une aura d'exclusivité. Ses défenseurs et ses croyants soutenaient avec témérité que, vues à travers le prisme d'une certaine école économique, les sociétés du monde entier suivraient des directions nouvelles, liées entre elles, positives. En une vingtaine d'années – les années 1980 et les années 1990 –, cette mission a été convertie en politiques et en lois avec la force de ce qui est réputé inévitable.

Aujourd'hui, au bout de trente ans, nous pouvons contempler les résultats de ce processus. On trouve des réussites remarquables, des échecs embarrassants et une série de « plaies suppurantes ». En d'autres termes, ce qu'il en est n'a rien à voir avec le vrai ou l'inévitable, mais beaucoup avec une théorie économique expérimentale présentée comme un fait darwinien. Une expérience qui a tenté de remodeler simultanément les paysages économique, politique et social.

L'idée même de globalisation est en train de s'estomper. Une bonne part s'en est déjà allée. Il en restera probablement quelque chose. Le terrain est occupé par d'autres idées, d'autres idéologies et d'autres influences concurrentes, qui vont du positif au catastrophique. Dans ce climat de confusion, nous ne pouvons être sûrs de ce qui adviendra demain, même s'il est à peu près certain que nous pourrons influencer ce qu'il en sera.

Les personnalités qui naguère déclaraient que les États-nations devaient se soumettre aux forces économiques clament aujourd'hui qu'on doit les renforcer pour faire face au désordre militaire global. Les prophètes de la globalisation qui répétaient « privatisez, privatisez, privatisez » avouent désormais qu'ils avaient tort, parce que l'État de droit national reprend de l'importance. Les économistes s'affrontent pour savoir s'il faut alléger ou renforcer les contrôles sur les marchés de capitaux. Des États-nations de plus en plus forts, comme l'Inde et le Brésil, mettent au défi les idées reçues de l'économie globale. Et des laboratoires pharmaceutiques transnationaux se retrouvent à louvoyer pour éviter les mouvements de citoyens.

Des dizaines d'exemples comme ceux-là montrent que nous traversons un de ces moments qui séparent deux époques plus claires ou cohérentes. Nous sommes comme dans un vide, mais un vide chaotique, plein de désordre et de tendances contradictoires. Comme un orage entre deux fronts météorologiques. Comme au football ou au hockey, lorsqu'une équipe perd de son allant et que l'action devient furieuse, désordonnée, jusqu'à ce qu'un des deux camps trouve la solution et l'énergie pour maîtriser le jeu.

Ces moments débutent souvent par un déni général. La confusion effraie ceux qui pensaient tenir le cap. Elle désappointe aussi ceux qui critiquaient cette direction. Rien de décisif ni de noble dans la situation. Les options ne sont pas claires.

Et pourtant, une période d'incertitude est aussi une période de choix, par conséquent de possibles. Nous ignorons combien de temps elle durera. Probablement pas longtemps. Et ces choix qui dicteront l'avenir se poseront de façon insidieuse, par à-coups. Certains se sont déjà présentés et, en un sens, on les a déjà effectués, mais sans qu'on ait bien enregistré qu'un pas déterminant avait été accompli.

La forme que prendra ce qui advient fera donc l'objet d'une décision – acte conscient –, sera laissée à divers groupes d'intérêts décidant pour nous, ou bien sera tout simplement abandonnée au hasard et aux circonstances. Elle émergera sûrement d'une combinaison des trois. La justesse de ce qui en sortira dépendra de l'équilibre entre ces mécanismes nécessaires. Le déséquilibre le plus dangereux aura favorisé le hasard et les circonstances au détriment des deux autres. Le plus médiocre jouera en faveur des groupes d'intérêts. L'équilibre le plus juste résultera de décisions publiques conscientes.

Ce livre porte sur notre aptitude à choisir. Et aussi sur le monde vers lequel ces choix pourraient nous mener.

Le fait de croire en la possibilité de changer représente quelque chose de bien précis. Cela signifie que nous croyons en la réalité du choix, que nous croyons qu'il existe bel et bien des choix, que nous avons le pouvoir de choisir dans l'espoir de rendre la société meilleure. Croyons-nous que nos gouvernements doivent inévitablement recourir à des impôts déguisés comme le jeu sous contrôle de l'État ? Ou bien croyons-nous qu'il y a un choix à faire ? Croyons-nous que la dette du tiers-monde, impossible à rembourser, doit être effacée si nous choisissons de le faire ? Au cœur même de l'idée de civilisation en tant que projet commun, il y a la conviction que les citoyens possèdent ce pouvoir de choisir. Et plus les gens croient qu'il existe des choix réels, plus ils veulent voter – acte minimal – et, ce qui est plus important, plus ils veulent s'impliquer dans leur société.

Que signifie la globalisation ? Définir une idée reçue est souvent un piège scolastique. Pire encore, comme le disait il y a un siècle le libéral britannique John Morley,

« donner une définition, c'est proférer une platitude [1] ». Mieux vaut donc aborder le sujet dans son contexte.

Qu'est-ce qui disparaîtra dans la globalisation ? Lorsqu'une grande idée ou une idéologie est toute neuve et que naviguer est facile, même ses défenseurs les plus sérieux font des déclarations outrancières sous son égide. Cette grande vision les aide à imposer les changements précis qu'ils souhaitent. Mais quand les choses se compliquent, la plupart d'entre eux s'en tiennent à des déclarations plus modestes, sans pour autant cesser d'insister sur le caractère central et inévitable de leur vérité. Et beaucoup nieront avec agressivité qu'ils ont affirmé davantage.

Et pourtant, les livres, les thèses, les discours et les articles portant sur le sujet, de pays en pays, sont parfaitement clairs. Pendant un quart de siècle – au moins jusqu'au milieu des années 1990 –, le débat public et économique, ainsi que les politiques qui en ont résulté, ont été dominés par une vision universelle de tout de ce qu'était la globalisation et des raisons pour lesquelles elle était inévitable. Ces textes nous rappellent aussi à quel point les ordinateurs ont fait de l'économie une science encore plus lugubre et à quel point cette approche de l'économie porte moins sur la pensée que sur des statistiques à la valeur incertaine. Ce qui n'a jamais été une science lutte avec difficulté pour rester un domaine d'investigation spéculative.

Nous ignorons quelles parties du système de croyance globaliste disparaîtront et quelles parties demeureront. Le danger serait que l'ensemble du système disparaisse. La dernière chose dont nous ayons besoin, c'est, à titre de principe international, du nationalisme rampant du XIXe siècle combiné de protectionnisme à l'ancienne mode. Mais dès que de grandes forces commencent à agir en période d'incertitude, nous ne pouvons savoir ce qui en sortira. Retournez-vous. Placez-vous dans le contexte d'époques qui ont conduit à de grands renversements. Les gens de ces époques-là ont en général été surpris de voir à quel point il était facile d'oublier vite ce qui était auparavant inévitable ; et ce, que le changement ait été pour le meilleur comme pour le pire.

Si vous regardez autour de vous aujourd'hui, des exemples montrent clairement que la globalisation est une *success story*. Le plus évident est la croissance du commerce. On trouve aussi des exemples d'échecs. Pensez à la Nouvelle-Zélande ou, dans une veine plus comique, à la dérégulation des compagnies aériennes. On découvre encore des plaies suppurantes. La crise liée à la dette du tiers-monde a maintenant trente ans.

Plus important peut-être, d'autres forces plus générales sont à l'œuvre : l'engagement parapolitique de plus en plus grand des jeunes ; la normalisation de la violence internationale en accélération ; la réémergence du nationalisme dans le style du XIXe siècle, qui prend un éventail de formes allant de la simplement prévisible à la plus destructrice ; l'émergence de nouveaux modèles nationaux, dont certains ne sont pas fondés sur la race ; et la réaffirmation ouverte de l'État-nation, même dans l'un des endroits les moins attendus, l'Union européenne.

Ces exemples pris au hasard nous apprennent que les réalités sociales et politiques depuis le début des années 1990 ne se sont pas déroulées comme on l'avait prévu. Ce sont ces réalités différentes qui donnent désormais le ton, à la place des forces économiques dites dominantes ces trente dernières années. Ou plutôt inévitablement dominantes.

On croit de moins en moins que l'économie doit fixer le cap pour toutes les civilisations. J'ai remarqué que le caractère inévitable de l'économie globale laisse de plus en plus les gens indifférents. Dans le petit monde fermé des économistes, des hauts fonctionnaires, des associations de groupes d'intérêt et des essayistes, ce type de discours perdure. Pourquoi pas ? Mais la plupart d'entre nous sont ailleurs. Ainsi va le monde.

Comment vivons-nous cette époque d'entre-deux ? Je l'ai décrite comme un vide – un interrègne entre deux certitudes déraisonnables. Si nous en faisons un bref moment positif d'incertitude où le choix est privilégié, il deviendra alors possible d'accéder à une époque moins idéologique et plus humanitaire. Cette ambition, cette attente ne sont pas déraisonnables. L'histoire est remplie d'interrègnes – militaires, religieux, politiques et souvent économiques.

Le nôtre se caractérise dans une large mesure par un vide de pensée économique, ce qui ajoute un élément d'incertitude encore plus grand parce que l'économie est une affaire romantique, orageuse, assez théâtrale, qui dépend souvent de la suspension volontaire de tout doute chez la plupart d'entre nous. Comme pour les autres modes, ses vérités changent plus souvent que celles de secteurs plus concrets.

Les civilisations, les religions, les langues, les cultures, les nations et même les États-nations durent parfois des siècles. Pour les théories économiques, un quart de siècle, c'est déjà bien. Un demi-siècle est peu courant. Si c'est davantage, on peut être fier.

La plupart de ces vides sont remplis d'un tourbillon de préoccupations, et pas seulement militaires ou économiques ou religieuses. Elles reflètent la complexité de la vie réelle. Certaines ont été utilisées intelligemment, d'autres de façon désastreuse. Et dans certains cas, les gens sont tellement persuadés que l'idéologie dominante est inévitable qu'ils ne voient jamais qu'ils sont dans un vide. Ils ont donc la surprise de se retrouver brusquement en train de pencher dans une autre direction.

Admettre qu'il est nécessaire de changer n'est pas le trait le plus commun aux humains. Et plus nous avons de pouvoir, moins changer nous intéresse, et plus cela nous effraie. Pour autant, les époques trébuchent, peinent, tendent vers leur fin, et puis nous voilà, une fois encore, tâtonnant dans un vide obscur.

Au début du XVIe siècle, il y a eu les années remarquables au cours desquelles les mouvements religieux réformateurs du nord de l'Europe auraient pu déboucher sur *une seule et unique Église*, plus forte et universelle. La tension complexe entre Érasme et Luther illustre que ce choix était possible. Peut-être parce que trop de choses dépendaient du leadership éthique d'Érasme et que celui-ci était tout simplement trop vieux, le positif a tourné au négatif, et la tension a fini en division violente, causant des centaines de milliers de morts. Ou encore, il y a eu les quelques années qui ont suivi la chute de Napoléon où une société européenne plus équitable a semblé possible, du moins jusqu'à ce que l'influence de Metternich sur les structures de pouvoir du continent soit devenue dominante et qu'il enferme chacun dans une situation ressemblant à une paix sans espoir. Ou encore, les quelques années d'après la Première Guerre mondiale, où tout semblait possible. La plupart des États-nations les plus petits, qui voyaient dans le traité de Versailles une chance d'indépendance, ont en réalité dû attendre jusqu'en 1989. Désormais, vingt-cinq d'entre eux, nouvelles nations ou nations nouvellement indépendantes, ont leur première vraie chance d'agir comme des entités indépendantes. Ils sont finalement devenus ce que beaucoup appelleraient un État-nation westphalien, ou d'autres un État-nation du XIXe siècle. Ce que nous savons, c'est que, dans un coin, les globalistes proclament que l'État-nation est un phénomène hérité du passé et qui nous affaiblit, alors que, dans un autre coin, une vingtaine d'États-nations viennent de naître, débordants d'énergie et d'ambition après un siècle de frustration.

John Maynard Keynes faisait partie de la délégation britannique envoyée à Versailles en 1919 et il a démissionné pour protester lorsqu'il a vu les possibilités que recelait ce vide être balayées au cours des négociations. En 1919, il a publié sa première mise en garde explicative. Elle commençait ainsi : « La faculté de s'accoutumer au monde qui l'entoure est une caractéristique prononcée du genre humain. Bien peu d'entre nous se rendent compte à quel point l'organisation économique sur laquelle reposait l'existence de l'Europe occidentale était inhabituelle, instable, complexe, incertaine et temporaire. Nous tenons certains de nos avantages les plus temporaires et les plus singuliers pour naturels et permanents ; nous comptons sur eux et nous dressons nos plans en conséquence[2]. » L'organisation économique à laquelle il faisait référence, c'était la première grande expérience moderne de libre-échange, voire peut-être de globalisation, expérience qui était née de la lutte messianique contre les lois céréalières en Grande-Bretagne et qui s'était répandue ensuite en Europe.

À ce stade, vous entendrez peut-être un chœur de vrais croyants protester que c'était à une autre époque. Or maintenant, c'est maintenant. Et maintenant, nous sommes bien plus intégrés et d'une façon bien plus complexe, parce que la technologie, avant tout, nous lie inévitablement les uns les autres. Et ainsi de suite. Résumons le raisonnement : cette situation libre-échangiste *particulière*-là n'était pas identique à cette situation libre-échangiste *universelle*-ci. Mais les gens du XIXe siècle et du début du XXe ne pensaient pas que leur situation était particulière. Ils pensaient qu'elle était universelle. Ils le croyaient avec autant de conviction et de raffinement que ceux d'aujourd'hui. Ils étaient même bien plus raffinés à propos du monde et de son mode de fonctionnement.

Les vrais croyants qui composent le chœur d'aujourd'hui oublient que le libre-échange européen du XIXe siècle était verrouillé par d'immenses empires qui tenaient le monde d'une manière que nous ne pouvons plus imaginer. Keynes poursuivait en démontrant l'étendue de l'interdépendance économique au sein de l'Europe en 1914. L'Allemagne était le principal client de la Russie, de la Norvège, de la Hollande, de la Belgique, de la Suisse, de l'Italie et de l'Autriche-Hongrie ; le deuxième client de la Grande-Bretagne, de la Suède et du Danemark ; le troisième de la France ; et le premier fournisseur de la Russie, de la Norvège, de la Suède, du Danemark, de la Hollande, de la Suisse, de l'Italie, de l'Autriche-Hongrie, de la Roumanie et de la Bulgarie, ainsi que le deuxième fournisseur de la Grande-Bretagne, de la Belgique et de la France. Ni ces investissements ni ces échanges n'ont empêché ces pays de se massacrer les uns les autres d'une façon sans précédent pendant cinq années.

Le paragraphe le plus troublant du livre de Keynes se situe au début. Il aurait pu, moyennant certaines modifications, être écrit de nos jours :

> Un habitant de Londres pouvait, en dégustant son thé du matin, commander, par téléphone, les produits variés de la terre entière en telle quantité qu'il lui plaisait, et s'attendre à les voir bientôt déposés sur le pas de sa porte ; il pouvait, au même instant et par les mêmes moyens, risquer son bien en investissant dans les ressources naturelles et les nouvelles entreprises de n'importe quelle partie du monde et, sans effort ni souci, obtenir sa part des résultats et des avantages espérés ; ou bien il pouvait décider de confier la sécurité de sa fortune à la bonne foi des habitants de n'importe ville de quelque importance, sur n'importe quel continent, que lui recommandaient sa fantaisie ou ses informations. Il pouvait disposer sur-le-champ, s'il le désirait, de moyens confortables et bon marché pour se rendre dans le pays ou la contrée de son choix, *sans passeport ni aucune autre formalité* ; il pouvait envoyer son domestique à la plus proche succursale d'une banque s'approvisionner en autant de métal précieux qu'il lui semblait le plus approprié, puis se rendre alors dans un pays étranger, sans rien connaître de sa religion, de sa langue ou de ses mœurs, en emportant sur lui des ressources en espèces, et il aurait été fort surpris et se fût considéré comme grandement offensé si on lui avait opposé la moindre difficulté. Mais,

> par-dessus tout, cet état de choses lui paraissait normal, indiscutable, et permanent, sauf dans le sens d'une amélioration, et toute exception faite à ces règles, aberrante, scandaleuse et injustifiée. Les desseins et la politique poursuivis par le militarisme et l'impérialisme, les rivalités raciales et culturelles, les monopoles, les restrictions et les exclusions, qui devaient jouer le rôle du serpent dans ce paradis, ne comptaient pas plus à ses yeux que les distractions offertes par son journal quotidien, et ne semblaient exercer que très peu d'influence sur le cours ordinaire de la vie économique et sociale, dont l'internationalisation était en pratique presque achevée [3].

Au lieu de cela, les partenaires commerciaux et économiques les plus proches et les mieux intégrés sont entrés en guerre les uns contre les autres d'une façon particulièrement vicieuse. Et immédiatement après, ils ont diversement embrassé le communisme, le fascisme, le pire des racismes, ou encore, presque incidemment, le protectionnisme douanier. Ce n'est qu'au sortir de la Seconde Guerre mondiale qu'ils ont davantage pris garde de saisir les chances qui s'offraient, Keynes devenant alors l'un des guides les plus influents et les plus conscients. Et ils ont recherché des structures qui ne soient pas régies par l'économie mais sensibles à elle, pour les soutenir.

Avant 1914, la classe moyenne béate représentait à l'évidence un pourcentage bien plus réduit de la société que ceux qui sont aujourd'hui persuadés de ne pas être béats, mais d'être les bénéficiaires avisés de l'économie globale. Pour revenir à la réalité, ces bénéficiaires avisés devraient songer aux mots que Keynes utilise pour décrire des frontières ouvertes – *sans passeport ni aucune autre formalité*. Ailleurs, il n'est pas rare qu'on demande aux voyageurs de se déshabiller à moitié dans les aéroports. Vu l'évolution constante de la sécurité ces trente dernières années – pas seulement depuis le 11-Septembre –, il est possible que cette tendance s'intensifie. Quelques incidents dans les transports, et elle pourrait aisément se répandre de nouveau en Europe.

Quels que soient le lieu et l'époque, l'histoire des *civilisations* montre que les individus estiment qu'ils comprennent les mécanismes de leur société. Ce sentiment de compréhension implique que chacun d'entre nous a suffisamment de confiance en soi pour vouloir changer notre société afin de la rendre meilleure. Ou du moins que nous avons assez de confiance en nous pour admettre qu'il nous est possible de la changer pour la rendre meilleure. Songez à tous ceux qui ont œuvré pour que l'eau soit propre, pour que l'instruction se diffuse et pour que l'esclavage soit aboli.

Avons-nous tous cette confiance en soi ? Peut-être pas. Mais nous sommes bien plus nombreux que notre société étrangement méritocratique ne le suggère souvent. Cette compréhension peut prendre bien des formes, à bien des niveaux. Elle peut être consciente, inconsciente, ou un peu des deux.

Croire en la réalité du choix est l'une des caractéristiques les plus fondamentales du pouvoir. Assez curieusement, beaucoup d'individus qui pensent être des leaders trouvent cette réalité très exigeant. Ils croient que leur boulot consiste à comprendre le pouvoir et le management, et peut-être à apporter des corrections mineures dans ce qu'ils pensent être le cours des événements. Mais ils tiennent pour assurées les vérités dominantes du jour et sont donc fondamentalement passifs.

Par suite, c'est la réalité qui leur impose un changement. Ou bien on les remplace. Dans les deux cas, la force de telle ou telle civilisation – son aptitude à choisir – s'en trouve affaiblie.

Prenons les choses autrement. Qu'est-ce que la barbarie ?

C'est davantage que de la violence physique. Plus profondément, c'est une atteinte à la confiance en soi individuelle. C'est notre confiance en nous qui nous permet de discerner dans la complexité et l'incertitude de la réalité quelque chose de positif, de façon à ne pas être effrayés par la possibilité de choisir. La barbarie peut être considérée comme une violence infligée à la vision que l'individu a de lui-même comme citoyen. Et cette violence vient de la croyance selon laquelle la vérité s'est révélée par elle-même. Une vérité religieuse, une vérité raciale, une vérité économique. Même une vérité scientifique. L'adjectif ne compte guère.

À la fausse lumière de la vérité, l'histoire s'étiole et semble toucher à sa fin. Le destin, semble-t-il, œuvre implacablement. Et le pouvoir décline ; plus de choix ni de civisme. Au lieu de cela, on privilégie l'exercice raffiné du pouvoir, qu'on peut acquérir et conserver en surfant habilement sur la vague de l'inévitable.

Plus ceux qui recherchent ou occupent le pouvoir surfent sur cette vague avec raffinement et persévérance, plus les individus se sentent aliénés et moins ils s'intéressent à une société dans laquelle les choix réels semblent avoir été marginalisés et où les mécanismes semblent faits pour paraître mystérieux.

Et donc, comme dans les sociétés d'aujourd'hui, nous votons moins et nous nous impliquons moins dans les structures civiques de base.

Qu'est-ce qui peut plus sûrement éloigner les individus du civisme qu'un chœur sans fin de dirigeants et de spécialistes – c'est-à-dire une méritocratie de techniciens et de technocrates – proclamant que les forces de l'économie globale et celles de la technologie sont incontournables et qu'il est inévitable que ces deux forces dictent la façon dont la planète marche et donc chacune de nos sociétés aussi ? Peut-être peut-on maîtriser la progression de ces forces. Même si c'est le cas, ce ne sera que grâce aux interventions précises de spécialistes dont les méthodes ne peuvent que rester obscures aux yeux de la plupart d'entre nous.

Si l'on tient l'économie et la technologie pour les grandes forces inévitables de notre époque, le management est une sorte de système d'appoint qui les fait paraître inévitables. La montée soudaine de l'hyper-respectabilité des *business schools* et leur imbrication avec les grandes entreprises dirigées par des technocrates ont eu pour effet inattendu de nous faire confondre management et leadership. Si diriger se réduit à manager, alors les problèmes ne doivent pas se régler. Ils doivent se gérer. En réalité, il n'y a même plus de problèmes.

Qu'est-ce que cela signifie en termes pratiques ? Prenez l'exemple évident de la crise liée à la dette du tiers-monde. Cela fait bientôt trente ans qu'elle dure. La dette est impossible à rembourser ; elle ne sert à rien, ni pour un marché libre stable ni pour les débiteurs. Des régions tout entières sont handicapées. Ce problème est facile à résoudre depuis un quart de siècle. Nous possédons des siècles d'expérience de situations équivalentes dans le secteur public ou privé.

Qu'est-ce qui s'oppose à une solution ? La croyance en l'inévitabilité d'une théorie économique particulière et en une méthode de management trop complexe. Notre société est pleine de ce genre de situations. Une telle passivité éclairée est une invitation à la montée en puissance d'une forme encore plus barbare de leadership. Une forme où la croyance en la vérité révélée conduira à une dévotion toujours plus étriquée vis-à-vis de types très particuliers d'économies, de guerres et d'identifications raciales. Alors, les expressions les plus communes du civisme seront sans doute la loyauté, l'appartenance et l'acceptation, compensées par les récompenses accordées aux intérêts personnels et la promotion de l'efficacité au service de l'inévitable.

Cette sorte-là de monde ne se sent pas en sécurité et redoute le choix. C'est un monde populiste ou, plus précisément, faussement populiste, un monde de bouffées émotionnelles. C'est la face déplaisante du nationalisme. Ce que j'appellerai le nationalisme négatif.

Il existe cependant de nombreuses autres options. La croyance selon laquelle nous n'avons pas le choix est un fantasme, c'est de la complaisance funeste vis-à-vis de l'abdication. Et ce qui est curieux avec l'inévitable, c'est qu'il a tendance à ne pas durer longtemps. Plus les vrais croyants qui tiennent pour une théorie dominante de la vérité soulignent que son développement est inévitable et donc éternel, plus vite ceux d'entre nous qui ont conservé une certaine distance ont tendance à décider que nous avons le pouvoir de choisir. Et tout bien considéré, nous choisirions plutôt une autre approche.

Les vrais croyants et les gestionnaires raffinés continuent de surfer sur leur vague de façon toujours plus impitoyable et avec un talent remarquable mais de plus en plus absurde, alors qu'un pourcentage toujours plus fort de citoyens reste précautionneusement en retrait. Pour ceux qui sont sur la crête, si soucieux de manœuvrer leurs planches de surf, nous devons ressembler à une troupe peu sympathique, indifférente à leurs efforts, désengagée, étrangement irritable, agacée, aliénée, peu inspirée, cynique.

Certains d'entre nous ont même tourné le dos, trop occupés à payer pour voir, s'étant convaincus que les êtres humains lâchés au niveau global avec leurs seuls intérêts en jeu produiront une dynamique répandant la richesse et renforçant la démocratie. De plus en plus, je rencontre des gens qui ont suivi les nouvelles règles et s'en sont bien tirés eux-mêmes, mais qui semblent désormais perdus, comme s'ils se demandaient : « Est-ce tout ? »

Mais la plupart d'entre nous semblent déconnectés, attendant que la vague retombe. Nous attendons avec l'œil cruel et expérimenté du citoyen qui a perdu tout respect pour ses dirigeants en général, mais ne sait pas comment y remédier et donc attend qu'ils s'autodétruisent.

Si nous regardons en arrière, nous voyons qu'on nous a joué un bon tour, en nous présentant un truisme économique comme un prisme économique à travers lequel il faudrait envisager la civilisation. Mais cela ne change pas la façon dont la réalité marche. Les croyants croient, et le monde avance.

Tout a une fin. Chacune de nos vies en témoigne. Quelque chose d'autre survient – comme un renouveau après une mort. Entre-temps, un espace s'est ouvert pour le temps et l'émotion. Un vide qui jette dans la confusion. Et quelque prévisible que soit chaque fin, elle a tendance à sembler désordonnée parce qu'elle nous paraît inattendue.

Songez à ce moment situé entre l'adolescence et l'âge adulte – époque où la difficulté d'imaginer comment croire au monde et choisir un avenir peut conduire de la tension au suicide. Songez aussi à l'amour, si lumineux et sûr, qui semble souvent s'évaporer. Après un temps, il peut ne jamais réapparaître comme un nouvel amour peut tout aussi bien survenir.

Tout a une fin. C'est la seule certitude. Et la probabilité du renouveau dépend de notre aptitude à nous servir de l'interrègne pour effectuer des choix qui nous aideront à façonner la nouvelle époque dans laquelle nous vivrons.

Pour façonner la société, il nous faut penser aux origines de ce qui se passe aujourd'hui – les origines de la globalisation, sa promesse, sa montée en puissance et son effondrement graduel depuis le début des années 1990. Si nous ne nous penchons pas sur cette apparition, cette ascension, cette hésitation et cette chute magistrales, nous ne pouvons comprendre ce qui nous est arrivé de bon et de mauvais, et où nous en sommes désormais. Il nous faut aussi porter notre attention sur les autres forces qui donnent de plus en plus le ton aujourd'hui, des guerres sporadiques aux ONG et aux États-nations renforcés, de la réapparition des génocides, des oligopoles et des formes cachées d'inflation à l'intérêt concret pour l'éthique, aux formes positives que prend le nationalisme et à l'intérêt nouveau pour le civisme. Dans tout cela, beaucoup de choses sont excitantes. Certaines sont dangereuses. Mais toutes sont bien réelles.

Il n'y a pas de différence fondamentale entre le changement personnel et celui de la société. De toutes leurs forces, les familles tiennent à leurs vérités inévitables et contraignantes. Le passage du temps, qui est si difficile dans la vie des individus, peut être plus facile pour les sociétés. Si nous ne nous abandonnons pas à la colère, au désespoir ou à l'idéologie de la certitude, la société nous permet d'invoquer la force de la communauté. C'est la réalité de cette force d'autrui qui confirme la nôtre.

CHAPITRE II

L'avenir qu'on nous promet : résumé

Si l'on devait synthétiser la multitude de promesses résolues, de suggestions d'espoir, de rêveries enthousiastes et de croyances profondes qui ont été exprimées depuis les années 1970 par les dirigeants politiques, les universitaires, les éditorialistes sérieux, les chefs d'entreprises et leurs porte-parole, dont une myriade de *think-tank* indépendants, on découvrirait que la promesse liée à la globalisation était celle-ci :

Le pouvoir des États-nations est en voie de réduction.

Ces États tels que nous les connaissons pourraient même mourir.

Dans l'avenir, le pouvoir échoira aux marchés globaux.

Dès lors, c'est l'économie, et non la politique ou les armées, qui façonnera les événements humains.

Libérés du cadre étroit des intérêts nationaux et des régulations inhibitrices, ces marchés globaux créeront petit à petit des équilibres économiques internationaux.

Ainsi résoudrons-nous finalement l'éternel problème des cycles à la hausse et à la baisse.

Ces marchés libéreront des vagues d'échanges. Et ces vagues, à leur tour, produiront une vaste marée de croissance économique.

À son tour, cette onde de marée élèvera le niveau de tous les bateaux, y compris ceux des pauvres, que ce soit en Occident ou dans les pays en voie de développement.

La prospérité qui en résultera permettra aux individus qui sont foulés au pied de passer de la dictature à la démocratie.

Bien sûr, ces démocraties ne jouiront pas du pouvoir absolu des anciens États-nations. Nous verrons donc se racornir le nationalisme, le racisme et la violence politique irresponsables.

Sur le front économique, la taille des nouveaux marchés exigera des entreprises toujours plus grandes. Et la taille de ces dernières les élèvera au-dessus des risques de faillite. Ce sera une autre source de stabilité internationale.

Ces multinationales seront tout près de détenir le leadership de la civilisation par les marchés. Elles deviendront presque des États virtuels. Et leur domination envahissante les rendra insensibles aux préjugés politiques locaux.

Tout cela créera les conditions d'une saine gouvernance, et nous verrons émerger des gouvernements libérés de l'endettement. Le marché ne tolère pas moins.

Ces comptes publics stables, à leur tour, stabiliseront nos sociétés.

Bref, libérés des chaînes de l'entêtement des hommes, nous pourrons vaquer à nos intérêts individuels pour tendre vers une vie de prospérité et de bonheur général.

Les cycles de l'histoire auront été brisés.

L'histoire sera bel et bien morte.

CHAPITRE III

Voici comment cela va se passer, disaient-ils

Ce qui a fait l'originalité du mouvement globaliste, ce n'est pas son internationalisme ni l'internationalisation de l'économie qu'il a soutenue. De cela, l'histoire est remplie. De l'empire sumérien aux Nations unies, nous avons connu toutes les formes de dispositif politique, militaire et religieux. Et les accords commerciaux, voire les systèmes internationaux d'intégration de la production, ont toujours existé. Rome en a usé pendant des siècles sur un territoire si vaste qu'il comprenait la plus grande partie de l'Europe ainsi que le monde musulman actuel, sauf sa partie asiatique.

La dernière fois que nous avons tenté le libre-échange – du milieu du XIXe siècle à la Première Guerre mondiale –, nous sommes parvenus à combiner un abaissement des barrières douanières en Europe avec l'extension de ces mêmes pays européens à travers le monde. Les empires britannique, français, hollandais, italien, belge, allemand, russe et austro-hongrois, plus le nouvel empire américain venu les rejoindre à la fin du XIXe siècle, ont pu appliquer leurs méthodes politiques, juridiques, sociales et économiques au monde tout entier. Ces dernières ont apporté avec elles un dédale de régulations complexes. Comme le soulignait Keynes, les matières premières, les produits manufacturés et les biens circulaient dans toutes les directions.

L'originalité remarquable de la globalisation est donc à rechercher ailleurs : dans son postulat selon lequel toutes les civilisations à partir de maintenant seront régies par le commerce. Cette prémisse a été formulée avec une pureté ou une simplicité qui va bien au-delà des idées économiques plus nuancées de penseurs comme Montesquieu, Adam Smith et même Karl Marx. Les autres constituants de l'activité humaine – de la politique au social et à la culture – étaient perçus principalement à travers le prisme de l'économie ; une fois libérée de la plupart des interférences gouvernementales, celle-ci découvrirait ses équilibres naturels. C'est la discipline inhérente aux marchés libérés qui façonnerait directement – selon les plus optimistes – et indirectement – selon les plus modérés – les événements économiques clés, lesquels à leur tour dicteraient le reste.

L'avantage que présentait cette idée très nouvelle de pouvoir exercé par les marchés était évident : c'est lui qui nous permettrait de tirer pleinement avantage des progrès techniques et théoriques de ces cent dernières années. Cela aurait pour résultat une croissance de la richesse et du bien-être général par multiplication des acteurs, des situations et des facteurs.

Un tel système n'avait pas vraiment de précédent, sauf peut-être la petite dictature républicaine de Venise. Mais même là, si le prisme était bien le commerce, le gouvernement maintenait de strictes régulations économiques directement liées au fonctionnement de la société. L'expression de cette civilisation était aussi particulièrement révélatrice. On encourageait, on prisait, on admirait la musique, la peinture, la sculpture et l'architecture. Les écrits, les idées et le débat étaient découragés et limités. La république commerciale voyait dans la liberté de parole une expression de déloyauté, donc un danger.

Jamais un penseur sérieux, sur quelque continent que ce soit, n'a suggéré que le commerce pouvait à lui seul diriger la civilisation et que, si on lui accordait la prééminence, il serait donc capable de se diriger lui-même. Les conservateurs modernes comme Michael Oakeshott considéraient la concurrence sans régulation comme une chimère et Karl Polanyi, l'un des économistes modernes les plus originaux, affirmait : « L'idée de marché s'ajustant de lui-même est pure utopie [1]. »

Quel problème la définition de la globalisation pose-t-elle ? On peut la décrire d'un point de vue technique précis, revenir au contexte ou aller encore plus loin en envisageant le contexte et les conséquences. Il n'est guère avisé d'insister sur un seul de ces points sans prendre en compte les autres.

S'il fallait résumer les idées liées à la globalisation que j'ai présentées au chapitre précédent, voici ce que cela donnerait : c'est une forme inévitable d'internationalisme dans laquelle la civilisation se trouve réformée dans la perspective du pouvoir économique. Ici, le pouvoir ne provient pas du peuple, mais de la force innée de l'économie, c'est-à-dire du marché.

On a énoncé des centaines – des milliers même – d'autres définitions, d'autres promesses et menaces. La plus technique stipule simplement que la réduction du coût des transports et des communications conduira à une intégration internationale de la production et de la consommation. Mais l'intention a toujours été plus ambitieuse que cela. Alfred Eckes, l'ex-président de la commission américaine sur le commerce international, expert pourtant empreint d'un grand calme et de *gravitas*, décrit cette intention comme un « processus à la faveur duquel la technologie, l'économie, les affaires, la communication et même la politique dissolvent les barrières du temps et de l'espace qui séparaient jadis les peuples [2] ».

Anthony Giddens, l'universitaire qui a exercé tant d'influence sur Tony Blair, estime que la globalisation transforme toutes les parties de la société, de la politique et de l'économie[3]. L'économiste Jagdish Bhagwati détermine la portée selon lui de l'intégration économique internationale sans traiter des effets plus vastes, qui n'en existent pas moins, croit-il. Anne Krueger, numéro 2 du Fonds monétaire international, termine ainsi sa définition de la globalisation : « menant à l'intégration plus étroite du monde, y compris de l'économie – mais pas seulement ». D'autres parlent de « compétence des États en réduction ». Thomas Friedman, l'éditorialiste du *New York Times*, constate « l'intégration inexorable des marchés, des États-nations et des technologies à un degré jamais vu auparavant ». Daniel Yergin, commentateur favorable au marché, soutient que les gouvernements ont perdu le contrôle des piliers de leur économie nationale et, ce faisant, leur capacité « à promouvoir le développement économique, à protéger la souveraineté et à défendre l'identité nationale ». Il ne se soucie guère de mentionner leur capacité à favoriser et à financer le bien public. Peut-être ne croit-il tout simplement pas que, dans un monde global, les gouvernements pourront financer le bien public. Ou bien ne voit-il dans le bien public qu'une annexe du développement économique. Les hommes d'affaires devenus critiques de la globalisation, comme George Soros, disent qu'elle se résume à la création de marchés financiers globaux sans contrôle, à la croissance des multinationales et à leur « domination de plus en plus grande sur les économies nationales ». Un grand expert japonais, Kenichi Ohmae, déclare : « Les États-nations sont des dinosaures qui attendent la mort. » D'autres, peut-être hantés par les critiques de plus en plus nombreuses adressées à ces projections non économiques, protestent désormais en affirmant que prétendre que « l'intégration économique plus profonde affaiblira les gouvernements nationaux est une formule avancée principalement par les adversaires de l'ordre international libéral ». On ne peut manquer de remarquer la naïveté politique qui affleure lorsque les économistes traitent du monde dans son intégralité. N'importe quel amateur peut pianoter sur un clavier d'ordinateur pour savoir qui a dit quoi sur la globalisation. Plus étrange encore, la plupart des économistes se hâtent de taxer d'amateurisme tout commentaire sur la globalisation qui viendrait d'en dehors de leur corporation professionnelle. Et pourtant, ils n'hésitent pas une seconde à projeter leurs propres théories techniques et leurs statistiques sur tous les aspects de la civilisation et les moindres détails de notre vie.

Martin Wolf, l'un des économistes les plus intelligents et les plus fins qui se puissent entendre en public, aime à limiter ses arguments en faveur de la globalisation à l'économie, précisément parce qu'« ils sont le moteur de presque tout le reste [4] ». En d'autres termes, on peut souhaiter privilégier tel ou tel aspect de la globalisation, mais au final le raisonnement en revient toujours à voir la civilisation dans son ensemble à travers un prisme économique.

La teneur générale de ces dizaines de définitions est que « la finance internationale est devenue si interdépendante et si imbriquée avec le commerce et l'industrie que [...] la puissance politique et militaire est en réalité inopérante [5] ». Mais cela a été écrit en 1911, juste avant que la puissance politique et militaire ne vienne détruire l'ordre économique régnant.

Si diverses que puissent être ces opinions, elles produisent une image assez claire de la promesse liée à la globalisation, que ce soit dans ses détails techniques ou dans ses effets larges sur chacun de nous. Ces thèmes ont été répétés, élaborés, étudiés et par-dessus tout utilisés à des fins politiques par des milliers de spécialistes, de gestionnaires et de dirigeants dans toutes les langues possibles au cours du dernier quart de siècle.

Qui plus est, une bonne part de cette promesse s'est réalisée. Les statistiques, comme les définitions, sont parfaitement claires à cet égard.

Depuis 1950, le commerce mondial a été multiplié – selon les chiffres utilisés – entre 12 et 22 fois. Les investissements directs à l'étranger dans le monde entier ont été multipliés par 15 depuis 1970. Quant aux investissements étrangers directs dans les pays en voie de développement, ils l'ont été par 20. La circulation quotidienne sur les marchés des changes était de 15 milliards de dollars en 1973. Elle est aujourd'hui de plus d'1,5 million de milliards. La production de technologie a été multipliée par 6 et les échanges internationaux de technologie par 9. En 1956, il était possible d'avoir simultanément 89 conversations téléphoniques transatlantiques par câble. Aujourd'hui, par satellite et par fibre optique, il y en a un million, sans compter les fax et les mails [6].

Tout cela – et plus encore – est remarquable.

Pourquoi alors tant d'aspects de la globalisation et de sa promesse s'évanouissent-ils ? Ce n'est pas simplement une question d'échecs et de forces contradictoires imprévues. La mesure la plus révélatrice est les succès du système lui-même. Pourquoi ? Parce qu'il semble de plus en plus que même les promesses remplies n'ont pas l'effet attendu. Quelques questions le montreront.

Prenez l'explosion révolutionnaire des marchés monétaires. La plus grande partie des mouvements de change sont spéculatifs et ne concernent pas des investissements ou de la création de richesse. Les montants impliqués sont 40 à 60 fois ceux des échanges réels. Les tenants sérieux de la globalisation comme Jagdish Bhagwati, les critiques partiels comme l'économiste Joseph Stiglitz et un nombre de plus en plus grand d'autres sont horrifiés par ce qu'ils considèrent comme un détournement du mouvement du libre-échange pour soutenir les marchés de capitaux libres. Quant aux investissements que ces marchés de capitaux peuvent réaliser dans les pays en voie de développement, la question fondamentale doit toujours être : à quoi servent-ils ? Le krach de 1997 en Asie a concerné 100 milliards de dollars investis brusquement de l'étranger, puis tout aussi brusquement retirés au bout d'une année. Ces pays détenaient depuis longtemps assez de capitaux locaux pour couvrir leurs besoins d'investissements. Leurs économies ont été artificiellement gonflées puis dégonflées – cycle à la hausse et à la baisse classique, mais imposé de l'extérieur.

La question que tout le monde pose est : ces marchés libres créent-ils de la croissance ? Sinon, que font-ils donc ? Leur effet ne peut être neutre.

On discute plus rarement la déconnexion entre la croissance spectaculaire du commerce et le développement modeste de la richesse. Peut-être le commerce d'aujourd'hui n'est-il pas le même phénomène économique que celui de la théorie classique. Peut-être ne peut-il produire la richesse attendue.

Peut-être le pourcentage élevé d'échanges nouveaux, qui sont simplement des mouvements internes aux multinationales, ne crée-t-il pas de la richesse du type de celle que produit le commerce transfrontalier entre entreprises indépendantes. Dans la première, il est question de chargements et de taxes. Dans l'autre, d'acheter et de vendre. Si les multinationales ont acquis certaines caractéristiques des empires, peut-être le vieil effet des colonies, qui coûtaient plus qu'elles ne valaient, joue-t-il aussi.

N'est-il pas possible qu'une obsession excessive pour le commerce – le mouvement des biens et des parties de biens – ne distraie de la création de richesse ? N'est-il pas possible que les échanges issus d'un fragile équilibre économique et social réduisent actuellement la création de richesse ?

N'est-il pas possible qu'une fraction notable de la croissance de nos échanges tienne non à un renouveau du capitalisme, mais à son déclin dans la consommation ? Maints grands historiens modernes de l'économie identifient la consommation non pas à la création de richesse et au développement de la société, mais à l'inflation et au déclin du civisme. Pourquoi ? Parce qu'il y a un surplus constant de biens qui ne sont liés ni à des investissements de structure ni à de la valeur économique, et encore moins à de la valeur pour la société. En retour, cela rend absurdes les idées de concurrence, d'avantage comparatif, d'offre et de demande.

Mesurer la réussite au produit national brut est une vision suspecte de la vie. Si on y tient quand même, on découvre que la croissance du PNB par habitant ces trente dernières années a été assez modeste – moins de la moitié de celle du quart de siècle qui a précédé la globalisation [7]. Elle a été particulièrement peu marquée dans les démocraties occidentales, désastreuse en Amérique latine et en Afrique, et remarquable dans de grandes parties de l'Asie.

Les échanges – avec ou sans les marchés de capitaux – sont censés servir l'économie. Ils n'en sont pas la fin. Ils sont un moyen. S'ils ne servent pas, ils peuvent devenir une distraction contreproductive. Ils peuvent même devenir une forme inhabituelle d'inflation, que nous ne sommes pas habitués à identifier, et encore moins à mesurer. Et nous agissons comme si quelque chose qui se produit ne se produisait pas.

Klaus Schwab, le fondateur de la réunion annuelle de P-DG qui a lieu à Davos, en Suisse, écho prévisible de la pensée dominante, met désormais en garde contre la « fragilité » de la globalisation. Selon lui, elle conduirait à « la première récession mondiale vraiment synchronisée et au risque d'implosion économique [8] ». Aujourd'hui, Alfred Eckes cite le Keynes des années 1930 : « L'âge de l'internationalisme économique n'a pas particulièrement réussi à éviter la guerre. » L'interprétation de Keynes par Eckes est que « le libre-échange, combiné avec la mobilité des capitaux, avait davantage de chances de provoquer la guerre que de préserver la paix ».

Dans le même temps, un nombre de plus en plus élevé de personnalités hautement respectées hors des démocraties occidentales tournent le dos aux interprétations théoriquement scientifiques de la réussite globale en termes de statistiques commerciales et de PNB cumulé. Ce qu'ils voient, ce sont des personnes bien réelles dont le niveau de vie effectif doit chuter pour qu'elles donnent l'impression de s'élever dans les statistiques à l'occidentale. Comment cela s'explique-t-il ? Par exemple, il se peut que ces gens aient vécu une existence échappant à ces calculs – une existence rurale peut-être. Ils ont donc techniquement un revenu égal à zéro. Et puis, les voilà qui gagnent un bidonville démuni où l'eau sale, l'absence d'évacuation et l'aliénation sont la norme. Mais en un tel endroit, même un dollar de revenu peut entrer dans les statistiques. Et donc, les systèmes de mesure occidentaux affichent qu'ils ont franchi un pas en avant et une étape vers le haut.

L'examen de cette sorte de réalité fait ressortir que les généralisations sur le libre-échange et même sur le protectionnisme ne sont pas particulièrement utiles. Chacune prend de multiples formes. Chacune a ses usages, dans des circonstances et pour une durée spécifiques.

Le prince Hassan de Jordanie en appelle aujourd'hui à une redéfinition de « la richesse en termes de bien-être humain plutôt que de richesse monétaire[9] ». La Malaisie a développé un modèle de croissance équitable. Les Bhoutanais, dans leur style obstiné et pourtant ironique, élaborent ce qu'ils appellent le BNB – le bonheur national brut. Et la Chine se préoccupe désormais plus de la qualité de vie que du PNB. Pourquoi ?

La facilité consiste à répondre qu'aucun de ces États-nations ne considère qu'il est aux avant-postes de la théorie économique occidentale. Chacun estime qu'il constitue un centre, un centre ayant des besoins pressants. Et ces besoins n'ont rien à voir avec la globalisation et tout à voir avec le renforcement d'un État-nation particulier en se concentrant, comme dans le cas de la Chine, sur le niveau explosif de pauvreté, mais d'une manière plus équilibrée et localement adaptée. Cette modernisation des marchés débouchera très probablement sur plus de conviction à l'égard de l'appartenance nationale commune et l'exportation plus confiante de ce qu'ils pensent être leur modèle national. Ou encore, pour reprendre la façon dont l'écrivain et désormais ministre des Affaires étrangères indien K. Natwar Singh décrit la vision qu'a son pays de ses réformes économiques : « Nous sommes trop grands pour être menés à la baguette, trop fiers pour être des suiveurs et trop indépendants pour être des clients [10]. »

L'Aga Khan, chef spirituel et militant pour le développement, est à l'écoute des populations sur un spectre géographique plus large que celui de pratiquement toutes les autres figures internationales. C'est un fin observateur de ce qui se produit réellement dans le monde. Et quand on lui demande de décrire ce qu'il perçoit, il ne se soucie guère de la *success story* économique de la globalisation, dont la théorie stipule qu'elle a des retombées positives et que la richesse finira par toucher aussi les pauvres. Il parle plutôt d'« un monde dans lequel les dissensions et les conflits s'accroissent » et il voit dans « l'échec de la démocratie » notre plus grand problème : « Près de 40 % des États membres de l'ONU sont des démocraties en échec. » C'est le principal risque auquel nous sommes confrontés et les conditions préalables pour le traiter sont, premièrement, « une société civile saine » et, deuxièmement, « le pluralisme [11] ».

Si tout cela vous paraît relever d'un point de vue anti-occidental, écoutez Vaclav Havel, l'écrivain et dirigeant politique tchèque, héros de la démocratie moderne, farouche partisan du marché, appelant l'Europe à agir « de façon à devenir une inspiration pour les autres parties du monde afin de contrer les dangers de la globalisation ». Comment ? « Je ne comprends pourquoi la divinité la plus importante est l'augmentation du produit national brut. Il n'est pas question de PNB. Il est question de qualité de la vie, et c'est tout autre chose [12]. »

Une fois quittée la serre où vivent les théoriciens de l'économie occidentaux et leurs partisans, le monde semble assez différent – absolument plus l'objet transparent de mesures centrées sur le marché.

L'idéologie globaliste est-elle un échec complet ? Pas du tout. C'est seulement que lorsque des gens normaux considèrent notre situation, ils ne voient pas une relation équilibrée entre la promesse et le résultat. Et ils ne voient pas d'issue réussie plus générale, en bonne partie parce qu'une part de plus en plus grande de la richesse prétendue est contrebalancée par des fonds en baisse bien réelle pour le bien commun et par une instabilité plus grande dans la vie des individus. Une bonne partie de cette instabilité est d'origine économique. Le déséquilibre entre une croissance spectaculaire de la richesse sur le papier, une croissance marginale de la richesse réelle, et une baisse des moyens publics et sociaux suggèrent une nouvelle forme d'inflation – une vaporisation d'argent par obsession excessive pour l'économie de la consommation et toute une gamme d'activités de marchés imaginaires, comme le révèlent les marchés monétaires et le monde des fusions-acquisitions.

Au milieu de ce sentiment grandissant de malaise vis-à-vis de l'évolution de la conjoncture, des personnes avisées comme Samy Cohen, du Centre de recherche international français (CERI), nous rappellent que « le retrait de l'État n'est ni général ni irréversible », même au sein de l'Europe [13]. Et l'une des raisons expliquant cette illusion d'irréversibilité générale est que le mouvement en faveur de la globalisation a produit au niveau global une myriade d'accords internationaux centrés sur le marché, mais pas un seul accord dans les autres domaines d'interactions entre les hommes – conditions de travail, fiscalité, travail des enfants, santé, etc. Ce déséquilibre profond, même si le mouvement réussit, selon ses propres termes, ne peut que provoquer des formes inattendues de désordre.

CHAPITRE IV

Ce qu'on a oublié de nous dire

Les êtres humains ont tendance à penser qu'ils vivent au sein d'une civilisation. Et ils estiment qu'elle est centrée sur un destin commun, souvent appelé bien public. On peut retrouver cette identification dans l'épopée de Gilgamesh, écrite plus de mille ans avant Homère et l'Ancien Testament. Ou chez Confucius. Ou encore dans le Coran. Dans la civilisation occidentale, cette idée a évolué sans interruption depuis le XIIe siècle. Quand on y regarde attentivement, on découvre que le débat a toujours visé à rechercher un équilibre entre les obligations de la société et les droits individuels. Nous sommes sans cesse renvoyés à la relation naturelle qui les unit – à ce que j'appelle l'individualisme responsable. Et le cœur de cette idée de la civilisation réside dans la certitude que l'individualisme responsable implique l'existence de choix réels pour façonner notre destin.

Si, à Sienne, vous pénétrez dans l'ancienne salle du conseil du Palazzo Communale – l'hôtel de ville –, vous trouvez cette conviction illustrée sur une fresque des débuts du XIVe siècle qui mesure plus de quarante mètres de long. Le sujet en est le bon gouvernement. Ce fut le premier cycle non religieux à être peint en Occident. On pourrait dire qu'Ambrogio Lorenzetti a produit la première expression visuelle moderne du gouvernement responsable fondé sur les citoyens. Tout le long d'un mur, on aperçoit des scènes urbaines montrant les résultats du bon gouvernement : la paix, l'amitié, la culture, les arts, le bien-être général et la prospérité des affaires ; en face, on découvre les résultats du mauvais gouvernement : des images de déclin urbain, de peur, de violence, de souffrance. La seule activité prospère, c'est la fabrication d'armes.

Sur le mur central, on voit, côté gauche, une représentation de la façon dont une civilisation fonctionne réellement. Une femme de grande taille, la Sagesse, flotte au-dessus d'une autre, plus grande encore, la Justice. Les deux bras de l'échelle de la Justice montent de sa tête, équilibrés par l'influence de la Sagesse. Suspendu à chacun des bras de l'échelle, un plateau de cuivre porte une petite figure qui répand la justice. Et de ces plateaux, à leur tour, pendent deux cordes, que seule une troisième femme, elle aussi de grande taille, peut saisir – la Concorde. Elle les entortille, avant de passer ce cordon complexe entre les mains des vingt-quatre magistrats qui dirigent la ville. Ils sont de plus petite taille. À leur tour, ils passent le cordon vers la droite, à une imposante figure masculine, Ben Comun, le bien commun. Enfin, de chaque côté de lui sont assis six femmes – la Paix, la Grandeur, la Prudence, la Magnanimité, la Tempérance et, une fois encore, la Justice. Ce sont les éléments qui font fonctionner le bien commun. Le système de soutien humaniste.

Revenons sur la gauche, au premier personnage : la Justice. On remarque que la petite figure qui se trouve sur l'un des plateaux tend un objet appelé *staia* – boisseau – à deux minuscules personnages. Ce sont des marchands. La *staia* était un instrument de *juste mesure*, c'est-à-dire de régulation.

Ainsi la sagesse permet-elle à la justice de produire la concorde par le biais de l'équilibre. Et le bien commun qui en résulte est préservé par le jeu des six qualités humanistes. Tout le processus de civilisation est mû par la justice, et parmi les nombreux bénéficiaires se trouvent ceux qui font tourner les rouages de l'économie.

Tout cela, nous l'avons toujours su, mais nous aimons parfois l'oublier. Nous oublions par exemple, comme le soulignaient les livres du marchand du Prato, à la Renaissance, que « même le type de couvercle pour [ses] cuves était réglementé [1] ». Malgré ou à cause de cette réglementation, la Renaissance a été une grande période de croissance économique et d'échanges internationaux.

Avec son habituel mordant, George Steiner dit que nous nous fatiguons parfois de l'histoire, état émotionnel auquel il destine un étrange mot allemand : *Geschtsmüde* [2]. L'histoire est toujours là, troublante et cyclique. Nous sommes restés dans le même cycle politique international de croissance depuis le XIIe siècle. Et il a en bonne partie des racines qui ne sont pas occidentales. Si on devait faire un instantané de ce processus au XVIIIe siècle, on découvrirait que les trois plus grands empires internationaux étaient alors la Perse, l'empire ottoman et l'empire mongol – tous trois musulmans. Le quatrième était probablement la Chine. Et trois au moins d'entre eux étaient à l'avant-garde des expérimentations en matière d'administration publique moderne.

Ce cycle politique international a toujours œuvré à structurer l'économie internationale. En 1815, au Congrès de Vienne, qui a mis formellement un terme à l'ère napoléonienne, on aurait trouvé des aristocrates inspirés par l'esprit des Lumières occupés à installer « la régulation de l'intérêt supérieur et permanent [3] », lequel impliquait de faire en sorte que toutes les voies navigables européennes touchant plus d'un pays deviennent des zones d'échange permanentes et intégrées. C'est-à-dire, dans les faits, un continent sans frontière d'États-nations.

La question ces dernières décennies a été de savoir si une théorie particulière du marché, sous l'effet d'une révolution technologique, pourrait inverser ce grand cycle historique. Selon le philosophe John Gray, notre rêve de déterminisme économique sera encore plus court que la période de libre-échange qui s'est achevée en 1914 ; avec ou sans la globalisation, l'internationalisation de nos civilisations continuera grâce à la technologie [4].

Les structures actuelles commencent à ressembler aux complexités du haut Moyen Âge, et pas simplement en Europe [5]. Certaines personnes parlent avec admiration de la flexibilité de la tournure d'esprit à l'époque médiévale. Il n'existait pas de centres. Tout était centre. Transposée dans le contexte d'aujourd'hui, une telle situation crée les conditions parfaites pour renouveler les pouvoirs des citoyens. D'autres s'appuient sur le Moyen Âge pour mettre en garde contre le désordre inspiré par la peur qui surviendra si nous versons dans un internationalisme dicté par des intérêts étroits, à l'opposé de ce que les hommes qui vivent dans des civilisations ont réellement en commun.

Si l'incapacité à gérer l'histoire est le signe inquiétant d'une idéologie transitoire, un autre en est le degré d'inévitabilité avec lequel cette idéologie est présentée. Les Occidentaux, en particulier, semblent avoir une faiblesse pour la croyance absolue mais soudaine dans des propositions assez improbables.

D'après le traité de 1815, signé au congrès de Vienne, la ville de Cracovie était déclarée « pour toujours Libre, Indépendante et strictement Neutre, sous la Protection de l'Autriche, de la Russie et de la Prusse [6] ». *Pour toujours*, c'est long.

Nous nous sommes aussi persuadés de l'inévitabilité de la destruction de quelque 90 % de la population aborigène des Amériques en trois cents ans. À titre d'exemple pas du tout atypique, la population indigène dans ce qui constitue désormais les États-Unis est tombée de cinq millions à deux cent cinquante mille à la fin du XIXe siècle. Comme si, selon les termes de l'écrivain suédois Sven Lindqvist, le génocide était devenu « le produit dérivé inévitable du progrès [7] ».

Pendant exactement les mêmes décennies traversées par l'élan moral élevé pour abroger les lois céréalières en faveur du libre-échange – c'est-à-dire pour ouvrir les marchés britanniques au grain étranger bon marché afin de nourrir la nouvelle classe ouvrière –, la Grande-Bretagne s'est persuadée que la Chine devait accepter le libre commerce de l'opium afin de régulariser l'inévitabilité de leurs relations commerciales. Sans les ventes d'opium, il y aurait en effet eu déséquilibre de la balance commerciale. Londres est entré deux fois en guerre pour le prouver. Le survivant des camps de la mort Primo Levi déplorait, après la Seconde Guerre mondiale et l'Holocauste : « Doit-on demander à l'homme de pensée de croire sans penser ? N'était-il pas plein de dégoût face à tous les dogmes, toutes les affirmations sans preuves, tous les impératifs [8] ? »

Cette petite sélection peut présenter un portrait assez violent de l'inévitabilité idéologique, alors que ce qui est en question aujourd'hui, c'est purement et simplement le déterminisme économique et ses porte-parole assez obscurs dans les départements d'économie et les institutions bureaucratiques du commerce international, qui essaient seulement de faire de leur mieux. Mais ces exemples violents s'apparentent à un canari dans une mine de charbon, ils nous rendent conscients de ce que nous avons introduit dans le boyau des inévitabilités. Et là, nous ne pouvons savoir ce qui en sortira.

Une bonne partie de ce qui est décrété inévitable résulte d'initiatives langagières. George Bush senior a introduit une expression toute simple dans ses discours présidentiels – « des marchés libres et des hommes libres » – qui a rapidement été reprise par d'autres. Les hommes de pensée ne semblent pas avoir noté que le monde venait d'être mis la tête en bas. Ce ne sont pas les marchés libres qui ont produit les hommes libres.

L'histoire des sociétés démocratiques montre tout le contraire.

En 2004, Gregory Mankiw, le président de la Commission des conseillers économiques à la Maison-Blanche, a émis des commentaires plutôt empreints de passivité sur les pertes d'emplois et il s'est retrouvé la cible de critiques très larges. Plus tard, il s'est plaint devant un parterre de collègues économistes que « les économistes et les non-économistes parlent des langages très différents [9] ». Il voulait dire que, jamais plus, il ne parlerait à des non-experts de cette manière franche et ouverte.

Il aurait pu imiter l'esclave médecin de Platon. D'un côté, il y a le médecin des hommes libres qui « recherche l'origine et la nature de la maladie ; il entre en communauté avec le patient et ses amis ». C'est ce que M. Mankiw continuera de faire avec ses collègues. Le médecin esclave, de l'autre côté, « donne un ordre fondé sur une croyance empirique ayant l'allure d'un savoir exact ». Pourquoi ? Parce que l'esclave n'a pas de raison : « Il peut avoir une croyance vraie, mais il ne peut connaître la vérité de sa croyance. » Il est sujet aux forces de l'inévitabilité : « L'ordre lui est imposé par un supérieur bienveillant. » « Ils n'ont pas de *logos* ; ils ne connaissent pas le Bien et ne peuvent connaître le leur ni celui de l'État [10]. » Ils parlent un langage très différent.

L'aura d'inévitabilité qui entoure la globalisation a été si forte que même les *professionnels* quelque peu en révolte contre cette idéologie prise en bloc se sentent sans cesse obligés de commencer leur critique par des approbations. Par exemple, les deux prix Nobel d'économie Joseph Stiglitz (« Nous ne pouvons revenir sur la globalisation ; elle est là pour durer. La question est : comment la faire marcher ») et Amartya Sen (« La solution dont nous ne disposons pas consisterait à stopper la globalisation du commerce et de l'économie [11] »).

La vérité historique sur n'importe quel changement est qu'on ne peut le comprendre si on admet la force inévitable qui en a produit le besoin. Du reste, cette théorie de l'inévitabilité n'est-elle pas ni plus ni moins que de l'utilitarisme à court terme ? La croissance remarquable des échanges est-elle une expression de l'inévitabilité globale ou simplement relève-t-elle d'un avantage de coût à court terme ? Si c'est le cas, elle peut facilement croître, changer de forme ou s'effondrer pour les raisons les plus banales. Un quart à la moitié des échanges actuels concerne des groupes multinationaux qui déplacent des éléments à l'intérieur de chacune de leurs structures internationales. Pourquoi ? Parce que les transports sont bon marché, tout comme le travail. Si vous augmentez les coûts de transport par le biais du prix du pétrole et améliorez les salaires, même un peu – par exemple, en Chine et en Inde –, la plupart des avantages de coût s'envolent. Cette production disparaît-elle alors ? Pas nécessairement. Elle peut se restructurer sur une base nationale ou régionale. Après tout, des salaires meilleurs signifient un grand marché local. Il n'est pas nécessaire que la production soit globale pour connaître le succès. Il n'y a pas de destinée globale noble à déplacer des objets inanimés sur de vastes distances.

Prenez encore la façon dont les budgets nationaux ont été inévitablement contraints à la discipline fiscale ces vingt-cinq dernières années par les exigences des marchés internationaux. Ces quatre dernières années, les États-Unis, qui sont à l'origine de cette théorie de l'équilibre fiscal inévitable, se sont jetés dans les déficits les plus profonds jamais vus en n'importe quel pays au cours de toute l'histoire. Et ce, pour des raisons domestiques – c'est-à-dire nationales. D'une manière générale, lorsqu'un pays mène pour des raisons nationales, une politique qui peut avoir un impact négatif sur d'autres pays, cela peut être considéré comme un acte nationaliste.

Notre désir de croire en l'inévitabilité des choses peut se résumer par le syndrome du soleil qui ne se couche jamais. Le problème, c'est qu'il se couche toujours.

La nature éphémère de la globalisation vient en partie de l'innocence – ou de la naïveté – intellectuelle qui l'entoure. Quoi de plus naïf que de croire en une approche assez abstraite de la vie humaine fondée sur l'attente d'un pouvoir économique, lui-même reposant sur une seule et unique théorie de l'économie, très singulière ? Et quoi de plus innocent que de tabler sur un monde qui resterait assis, à regarder cette théorie faire son chemin sans marquer de halte ni de limite au temps nécessaire à la réussite de ses présupposés ? Plus naïf encore : que tout le monde espère que la richesse induite, la discipline ou l'inévitabilité de cette approche réussissent à reformuler tous les autres aspects de notre vie.

Sur notre planète, les diverses civilisations ont expérimenté une myriade d'autres types d'internationalisme. Natwar Singh : « L'histoire est quelque chose d'organique, une phase de la densité territoriale de l'homme aussi essentielle pour lui que l'est la mémoire pour l'identité personnelle [12]. » Nous sommes par conséquent parfaitement capables de remarquer que si certaines choses marchent, d'autres non. Nous constatons une activité économique remarquable, et pourtant des difficultés dans la création et la répartition de la richesse. Nous notons le retour des oligopoles, et même des monopoles, et pourtant, ils sont le produit de ce qu'on appelle la modernisation. Nous découvrons quelque chose d'inhabituel et de gênant – la montée des oligopoles à l'échelon international. Nous assistons au glissement politique et militaire vers la violence et le désordre international ; pire encore, vers le retour des génocides. Grâce à notre vaste expérience de l'internationalisme, nous savons que la violence persistante prend toujours le pas sur les systèmes économiques. Et les systèmes de pouvoir qui ne peuvent comprendre les causes de la violence pour la gérer sont voués à la faillite.

Peut-être le défaut originel de la globalisation réside-t-il dans sa surévaluation de la réussite du libre-échange au XIXe siècle, ainsi que dans celle du déterminisme de la technologie et de la supériorité des systèmes de gestion rationnelle. La certitude marquant tout ce changement inévitable nous a distraits de la lenteur avec laquelle les civilisations évoluent. Le génocide récent au Congo nous rappelle qu'ils – comme nous – ont encore à gérer l'interférence violente et génocidaire du roi Léopold, il y a un siècle. La Grande-Bretagne doit encore digérer le fait d'avoir perdu le leadership mondial. La Chine pense et se sent encore comme l'Empire du Milieu – c'est-à-dire comme le centre du monde. Le Canada, qui est désormais la troisième plus ancienne démocratie continue au monde et, de même, la deuxième plus ancienne fédération, est encore affectivement et existentiellement hantée par son insécurité coloniale ; de même, l'Australie reste gênée par la tension entre ses origines culturelles européennes, sa réalité aborigène et sa géographie asiatique ; de même encore, les jeunes Allemands nés quarante ans après la fin du nazisme luttent encore avec l'idée de qui ils pourraient être. Les Algériens tentent toujours de se reconstituer après la perte en 1848 du grand dirigeant qui leur allait si bien, Abd el-Kader ; et les Américains sont toujours marqués et hantés par les implications de leurs origines sociales et économiques, dépendantes de l'esclavage. La liste est sans fin.

Les êtres humains changent lentement, et les sociétés encore plus. Ni les uns ni les autres ne sont clients d'une théorie économique en particulier. Surtout lorsque cette théorie, présentée comme une force de modernisation inévitable et sans jugement de valeur, a été si infectée dès le début par une certaine tendance politique bien connue : le néoconservatisme, le néolibéralisme ou le rationalisme économique.

Il n'y avait pas – il n'y a pas – de lien nécessaire ni même naturel entre les idées d'économie internationale et une idéologie qui dénigre le rôle du gouvernement dans le développement du bien public. Il n'y a pas de raisons pour que, par exemple, l'Organisation mondiale du commerce (OMC) devienne la cible de ceux qu'inquiètent les atteintes aux droits des citoyens. Rien ne pourrait être plus utile au commerce mondial qu'une Cour d'arbitrage international. Mais du moment qu'elle est associée à une série donnée d'idées, l'institution ne peut manquer de devenir une cible. Quelle idées ? Que la civilisation doit être regardée à travers le prisme de l'économie ; que le commerce international doit lier les mains des gouvernements ; que les détenteurs de la propriété intellectuelle peuvent se servir de l'OMC pour se protéger de la compétition nationale plus ouverte ; que tout cela doit se dérouler en l'absence d'autres cours internationales d'arbitrage traitant des droits de l'homme et du travail individuels.

Comment cette situation va-t-elle évoluer ? On en trouve une indication dans le discours de réception du prix Nobel de l'économiste Milton Friedman. C'était en 1976. « Une économie rigide très statique assigne une place fixe à chacun, alors qu'une économie dynamique très progressiste, qui offre des opportunités toujours changeantes et encourage la flexibilité, peut avoir un fort taux naturel de chômage [13]. » C'est de la logique enfantine, inutilement binaire, purement manichéenne. Pourquoi admettre qu'on ne puisse parvenir à un taux d'emploi élevé que par de la *rigidité* ? Qui a dit que l'insécurité et le désordre économiques permanents sont *progressistes* ? Pourquoi stabilité et flexibilité n'iraient-ils pas ensemble ?

Les présupposés de Friedman ont été transposés dans le mouvement pour la globalisation. L'économie globale en est venue à être présentée comme un outil pour affaiblir le gouvernement, décourager la taxation des entreprises et de la frange élevée des possédants, pour contraindre à la dérégulation et, assez curieusement, pour renforcer la technocratie dans les grands groupes du secteur privé au détriment des capitalistes et des entrepreneurs réels. Cette prédilection pour le grand au dépens du petit impliquait que le mouvement pour la globalisation prônerait activement et assez naturellement la limitation de la compétition réelle.

Cette déformation de l'économie internationale a été largement facilitée par le conformisme remarquable des départements d'économie de par le monde. Et elle a pour beaucoup été le résultat des débats économiques internationaux noyés par les travaux financés, dans le monde entier, par des fondations néoconservatrices en grande partie américaines détenant deux milliards d'actifs et par des *think tanks* néoconservateurs qui dépensent 140 millions de dollars par an [14]. Cela a été et reste partout une mine d'or pour les professeurs d'économie. Aucune autre approche de la pensée économique ne bénéficie de financements équivalents ou ne serait-ce que substantiels. Cette situation s'apparente à un régime à parti unique – ce dont rêvaient les marxistes.

Avant même que l'on ne s'en aperçoive, les gouvernements nationaux étaient en train d'oublier ou pressentaient qu'ils devaient feindre d'oublier la bonne vieille blague de Thomas d'Aquin : l'impôt est peut-être du vol, mais ce n'est pas un péché, parce qu'augmenter les impôts relève du « souverain en accord avec les exigences de la justice afin de promouvoir le bien-être général ».

De même, il semble qu'on ait oublié que l'économie dépend de la civilisation. Des interprétations récentes, tel le libéralisme embarqué du penseur John Ruggie, qui a mis en lumière le rôle de l'économie moderne au sein des relations sociales, ont été laissées de côté [15].

Bien vite, cependant, cet oubli prétendu a été oublié. Un indicateur de notre aptitude à nous souvenir a été la réaction de l'économiste John Williamson, l'auteur du « consensus de Washington », face à la manière dont certaines personnes ont utilisé sa description en dix points, en 1989, de ce que les banquiers occidentaux exigeaient des pays d'Amérique latine endettés. Elle est vite devenue les dix commandements du mouvement globaliste néoconservateur. Tout d'abord, cela l'a amusé, puis cela l'a agacé, ensuite il a voulu s'expliquer et protester ; enfin il a déclaré clairement qu'il n'avait aucune sympathie néoconservatrice et désapprouvait maints aspects de la globalisation dans les faits – par exemple, l'ouverture des marchés de capitaux[16]. En 2002, il a encore tenté de clarifier ses intentions : « Je n'ai bien sûr jamais pensé que mes propos impliquaient la libéralisation des comptes, le monétarisme, l'économie à flux tendus ou un État minimal (en exonérant l'État de pourvoir au bien-être et de redistribuer les revenus), ce que je crois être la quintessence des idées néolibérales. » On ne peut s'empêcher d'être désolé pour cet homme, emporté par une idéologie internationale. Mais son désaveu nous montre bien où nous emmène la globalisation. Début 2004, l'éditeur de *Newsweek*, Fareed Zakaria, écrivait : « Dans presque tous les pays aujourd'hui, le principal débat est centré sur les questions liées à la globalisation – la croissance, l'éradication de la pauvreté, la prévention des maladies, l'éducation, l'urbanisation, la préservation de l'identité[17]. » Il a raison. Sauf que la plupart de ces problèmes ne concernent pas directement des questions liées à la globalisation. Ce sont des questions internationales, régionales et relevant de l'État-nation.

Mais pourquoi une idéologie ne pourrait-elle pas simplement modifier des éléments de sa propre définition ?

Parce que chaque idéologie a une croyance de base qui façonne ses constituants. La perception centrale de la globalisation veut que la civilisation soit regardée à travers le prisme de l'économie, et d'elle seule. Si on ajoute la prévention des maladies, l'urbanisation ou la préservation de l'identité à une vision d'inspiration économique de l'existence humaine, on rend seulement plus confus le fonctionnement du monde. La difficulté n'est pas dans l'internationalisme ou dans le commerce international. Elle est dans la conception qu'a la globalisation de la manière dont l'un et l'autre se déploient.

C'est Tocqueville qui disait en 1835 : « Peut-on croire que la démocratie qui a renversé le système féodal et vaincu des rois cédera devant des boutiquiers et des capitalistes [18] ? » Aujourd'hui, elle est en passe de céder devant les technocrates du secteur privé, les spécialistes des marchés monétaires, l'école dominante en économie et, bien sûr, les commentateurs qui endossent le rôle de courtisans en adoration.

CHAPITRE V

Brève histoire de l'économie érigée en religion

Jusqu'au milieu du XIXe siècle, peu d'indices montraient que l'économie pourrait se transformer en source de vérité civilisationnelle. Ce n'est que lorsqu'on a déclaré que Dieu était mort que divers dirigeants, professions et secteurs se sont risqués à se présenter pour prendre sa succession.

Même alors, le marché semblait un candidat peu probable, immergé comme il l'avait toujours été dans les besoins utilitaires à court terme. La faiblesse du marché est en effet, quand il s'agit de questions importantes, de posséder une mémoire un peu plus longue que celle d'un chien, mais un peu plus courte que celle d'un chat. Mais c'est aussi sa grande force – il est capable de se relever à chaque chute, de redevenir enthousiaste, de tourner en rond sans être gêné par les répétitions, même les répétitions d'erreurs. Cette volonté acharnée, presque irréfléchie, de s'évertuer à essayer est admirable.

Quelle est la mémoire du marché boursier ? À peu près celle d'un chien ?

Et celle du marché monétaire ? Quelle était la question ?

Le grand économiste Joseph Schumpeter insistait donc sur la nécessité de saisir les faits historiques, d'avoir un sens historique ou une *expérience* historique. Sans quoi, on ne pourrait pas même concevoir la façon dont marchent des économies tout entières, sans compter les sociétés. Mais ce sens historique n'est pas une fonction naturelle du marché. Et ce n'est très certainement pas une fonction de la micro-économie ou même de la macro-économie actuelle. Ceux qui les pratiquent sont noyés sous les faits qui les empêchent de se souvenir.

À la place du contexte, l'économie a donc versé dans une forme de vérité insistante, religieuse. Pour leur défense, les économistes les plus sérieux, quelles que soient leurs croyances, quand on les met en face des conclusions qu'on a tirées de leurs travaux en matière de politique publique, répliquent que leur position est plus nuancée. Toutefois, leur incapacité à expliquer ces limitations et ces nuances d'une manière responsable et publique n'est pas un signe de la complexité de l'économie. C'est un signe de leur mauvaise volonté à faire l'effort nécessaire pour être nuancés d'une manière claire et publique. Pire encore, c'est un signe de leur mauvaise volonté à se mettre d'accord entre eux d'une façon accessible, constructive et publique.

Margaret Thatcher disait que « rien n'est plus insidieux qu'un consensus à la mode ». Et « il y a sûrement quelque chose de logiquement suspect dans une solution qui est toujours correcte quel que soit le problème [1] ».

Rien n'est plus confortable qu'un consensus qui fournit une réponse à tous les problèmes. C'est comme si le déterminisme historique de Karl Marx avait été directement métamorphosé dans le cerveau des globalistes, en particulier des néolibéraux.

À Athènes, dont l'Occident revendique intensément la filiation, le marché était considéré comme essentiel, mais pas fondamental pour le citoyen ou pour la civilisation. Ceux qui pratiquaient le commerce n'étaient même pas citoyens, même s'ils devaient payer des impôts. Par la suite, au cours de la période posthellénistique, les capitalistes pouvaient être citoyens, mais leur rôle était mineur dans la conception et la marche de la société. À Rome – autre source populaire de paternité historique pour l'Occident et système plutôt réussi –, le marché était sans doute plus attaché à l'entreprise publique que privée. Mais là encore, il n'était pas central à la conception que la civilisation avait d'elle-même. Les affaires étaient une matière utilitaire, et non idéologique. Ni les affaires ni le commerce ne portaient sur la vérité. Le même type d'attitudes et de structures se rencontrerait dans le monde bouddhiste et confucéen. La civilisation musulmane – partie intégrante de l'Occident aristotélicien, gréco-romain, méditerranéen – a sorti l'Europe de son sommeil au cours des derniers siècles du premier millénaire. Les musulmans ont soigneusement réglementé la production manufacturière, le commerce et les impôts. Mais ils s'intéressaient surtout à l'urbanisme, aux obligations sociales, à la science, aux mathématiques, à la philosophie et à la littérature. Dans l'Europe du Moyen Âge, comme le soulignait l'historien de l'économie R. H. Tawney, « à chaque coin de rue, il y avait des limites, des restrictions, des avertissements empêchant les intérêts économiques d'interférer avec les affaires sérieuses [2] ». Ces avertissements étaient très spécifiques. « Le travail – qui est le lot commun de l'humanité – est nécessaire et honorable ; le commerce est nécessaire mais périlleux pour l'âme ; la finance, à défaut d'être immorale, est au mieux sordide et au pire mauvaise pour la réputation. » Le haut Moyen Âge et la Renaissance étaient riches en guildes professionnelles et en systèmes commerciaux complexes. Ceux-ci couvraient toute l'Europe, mais ils couraient aussi de l'Europe à l'Afrique, de la Chine à l'Europe, et avant longtemps ils ont traversé l'Atlantique vers les Amériques. Mais rien n'indiquait qu'ils représentaient le noyau de la civilisation, une idéologie ou une vérité.

Beaucoup de choses ont été dites, généralement en négatif, sur les systèmes commerciaux contrôlés – à savoir le mercantilisme des deux ou trois siècles suivants. Mais la plupart de ces commentaires provenaient de libre-échangistes réécrivant l'histoire pour représenter leur idée de la vérité. Considérée sans passion, la grande bataille entre les mercantilistes et les libre-échangistes n'a guère été disputée. La plupart des pays utilisaient les deux systèmes et le font encore. Les termes dont on se sert nous distraient de ce qui intéressait les pays : leur capacité à construire leurs propres industries et leur propre économie. Les sociétés ont donc mêlé et équilibré les deux systèmes. Résultat : une confusion délibérée de monopoles étatiques et d'entreprises commerciales internationales, ayant souvent le monopole. Les industries d'État étaient souvent confondues avec les industries privées. Le protectionnisme était bien vu là où il pouvait acheter du temps pour renforcer les industries locales ; l'ouverture des frontières était bien vue là où elle était utile. Divers impôts et autres incitations ont été développés pour aider à créer et à renforcer des industries spécifiques. Ce qui était constamment en discussion, c'était en réalité la façon d'équilibrer le mélange. Rien de plus éloigné d'une méthodologie idéologique et de la conviction de détenir une vérité économique.

S'il y avait une leçon à tirer de cette époque, elle concernerait l'Espagne. Attiré par l'or et l'argent d'Amérique latine à partir du XVIe siècle, les Espagnols ont pris le magot – de l'argent – pour de la richesse, c'est-à-dire pour une forme de réalité, et ils ont ainsi ruiné leur propre économie. Parce qu'ils avaient l'argent, ce qui est normalement le résultat du fait de fabriquer et de vendre quelque chose, ils n'ont pas pensé qu'ils devaient se préoccuper du versant productif de l'économie. Une fois que le magot a été dépensé, il ne restait plus rien. Ils avaient à tort vu un effet de la divine providence dans la facilité avec laquelle tant d'argent était tombé entre leurs mains. Voilà un exemple ancien des dangers liés au fait de confondre l'économie et les systèmes de croyance. L'Espagne n'a pas compris que le seul objet de l'argent, c'est de servir de lubrifiant ou de liant pour la réalité. Aujourd'hui, cette puérilité impériale espagnole semble très moderne. Elle est presque parallèle à notre croyance dans le fait qu'au cours d'une ère technologique et globale les marchés monétaires sont devenus en eux-mêmes et par eux-mêmes une forme de commerce et donc une source de création de richesse – bref, que l'argent est finalement devenu réel.

Aux XVIIe et XVIIIe siècles, la plupart des autres pays et empires ont utilisé l'argent avec plus de soin que l'Espagne. Leur désir était de produire des biens, lesquels dégageraient en retour de la richesse. Pendant très longtemps, les Hollandais ont mêlé mercantilisme, soutiens complexes aux industries locales et libre-échange, tout comme les Britanniques. Ces derniers ont utilisé avec prudence le protectionnisme au début de la Révolution industrielle pour créer et faire marcher leur économie nouvelle sans interférences pendant qu'elle était fragile. Ils n'ont même pas envisagé le libre-échange avant d'être bien entrés dans le XIXe siècle. Mais alors, après soixante-quinze ans de protectionnisme, ils avaient une telle avance sur les autres qu'ils n'ont pu que triompher en ouvrant leurs frontières aux produits non manufacturés des étrangers, tout en les persuadant d'ouvrir les leurs aux biens manufacturés britanniques. Pendant toute cette période, les Français ont été bien plus mercantilistes et soucieux de protéger leurs industries locales. Ils sont restés à la traîne dans certains domaines, ont pris de l'avance dans d'autres, ont consolidé leur agriculture, leurs services publics, leur enseignement public, leurs systèmes de communication – en particulier les routes et les chemins de fer –, ont fait l'expérience du libre-échange pendant une décennie et sont entrés dans la Première Guerre mondiale en position de principale puissance alliée. La route particulière qu'ils ont choisie ne peut guère être considérée comme un désastre pour eux. Après tout, à ce jour, ils demeurent l'une des deux puissances dominantes en Europe.

Au XVIIIe siècle, une polémique merveilleusement hypocrite a concerné le commerce du textile anglais et indien. On a souvent dit qu'elle portait sur l'ouverture des marchés et le libre-échange, mais elle a toujours concerné des intérêts particuliers concurrents. Elle a continué au XIXe siècle lorsque, même au pinacle de l'ardeur moralisatrice libre-échangiste, les marchands de Manchester – croyants parmi les croyants – ne voyaient aucune contradiction dans le fait de ne toujours pas laisser de chance commerciale à l'Inde.

En 1981, à Bombay, avec un manque de mémoire historique presque touchant, Margaret Thatcher a fait une conférence aux Indiens sur le libre-échange : « Je voudrais seulement dire un mot du commerce international, parce qu'en un sens, l'une des grandes contributions que nous, Britanniques, tentons d'apporter à la prospérité internationale est de garder nos marchés ouverts et de convaincre les autres pays de faire de même. » Il est amusant de penser au public assis là, avec des sourires ironiques vieux de deux cent cinquante ans[3].

L'argumentaire de Mme Thatcher était un produit typique de la croyance religieuse économique qui est apparue au milieu du XIXe siècle. Mais il rappelait aussi que le nombre d'idées économiques est limité. Elles ne cessent donc de revenir.

Chaque retour, s'il est finement mené, ne dure qu'aussi longtemps qu'il est utile et vient se mêler à la nouvelle mode, consolidant ainsi les progrès accomplis. Malheureusement, la plupart ne sont pas menés finement. Ils créent donc un déséquilibre économique et social. Et ils s'éternisent, survivent au bon accueil qu'ils ont reçu et, ce faisant, nuisent à ce qu'ils apportent, voire annulent tout ce qu'ils ont accompli, le bon comme le mauvais.

Dans le cas du libre-échange moderne, ce processus a commencé par une confusion de croyances religieuses – à la fois protestantes et économiques – chez les chefs de file du mouvement, Richard Cobden et John Bright. Lors de leur première grande victoire – l'abrogation des lois céréalières en 1846 –, neuf mille personnes se sont rassemblées dans le Free Trade Hall de Manchester pour écouter Cobden. « Ayant le sentiment que j'ai du caractère sacré de ce principe, je dis que jamais je n'accepterai qu'on y touche[4]. » La nature sacrée du libre-échange : que voulait-il donc dire ?

Cobden, 1843, à la Chambre des Communes : « Notre objet est de vous conformer à la vérité. »

Bright, 1845, à la Chambre : « [Je parle au nom des gens] dans le cœur desquels coulent les principes du libre-échange qui deviennent, à la vérité, une affaire religieuse. »

Cobden, en 1846, expliqua que le principe consistant à acheter à bas prix et à vendre cher n'était pas de l'égoïsme, mais qu'il s'agissait de « donner sa pleine mesure à la doctrine chrétienne du "faire à tous les hommes ce que tu aimerais qu'ils te fassent" ».

Cobden, 1845 : « Je crois que nous vivons une ère qui, en importance, n'a pas eu socialement d'équivalent ces 1 800 dernières années. » « Nous avons un principe désormais établi qui est éternel par sa vérité et universel par son application, et qui doit être appliqué dans toutes les nations et à toutes les époques, pas simplement au commerce, mais à chaque tarif dans le monde. »

Cobden, 1843 : « [Une loi empêchant le libre-échange est une] loi qui interfère avec la sagesse de la Divine Providence et substitue la loi de la méchanceté humaine à celle de la nature[5]. »

Telles sont les fondations profondes, désormais en grande partie inconscientes, du mouvement libre-échangiste d'aujourd'hui. Si l'on voulait être méchant, on citerait simplement l'observation cynique de Flaubert : « Quand le peuple ne croira plus à l'Immaculée

Conception, il croira aux tables tournantes[6]. » Il y a là une ressemblance avec la déclaration *ex cathedra* du dix-septième concile œcuménique de 1447 : ceux qui ne sont pas dans la foi – qu'ils soient juifs, hérétiques, schismatiques ou païens – « ne peuvent avoir part à la vie éternelle, mais connaîtront "le feu sans fin préparé pour le diable et ses anges" » (Matt. 25 :41)[7].

Bien sûr, le mouvement libre-échangiste était beaucoup plus qu'une croyance religieuse. Dans les bonnes circonstances, le libre-échange a fonctionné. En 1846, la Grande-Bretagne bénéficiait de conditions favorables, et elle en a profité. Si Gladstone a survécu si longtemps comme Premier ministre, c'est parce que sa croyance religieuse et ses convictions économiques austères étaient limitées par son intuition politique. Il était aussi persuadé que le libre-échange abaissait le prix des biens, répandait la richesse et aidait à développer l'instruction publique. Les libre-échangistes du XIXe siècle prônaient l'élévation des salaires, contraste intéressant avec aujourd'hui. Ils voulaient des infrastructures fortes comme des bureaux de poste publics, des compagnies de chemin de fer étroitement réglementées, etc. Sans infrastructures publiques efficaces et sans services privés réglementés durement, ils estimaient qu'ils ne pourraient faire des affaires efficacement.

Le mouvement s'est diffusé en France en 1860, produisant pendant une décennie des résultats corrects. L'Allemagne y a réagi de façon mitigée. Les villes commerciales comme Hambourg l'ont adopté, mais Bismarck était occupé à édifier une infrastructure industrielle nationale, à l'instar des Britanniques avant que ceux-ci en viennent eux-mêmes au libre-échange. Cela fait, le nouvel empire allemand a instauré des relations, en général bilatérales, avec la plus grande partie de l'Europe. Comme l'Union européenne aujourd'hui, ce système a fonctionné à grande et à petite échelle[8]. La Première Guerre mondiale a été le pas de trop qui a fait tout s'écrouler.

L'approche religieuse due aux Britanniques comportait un autre avantage inattendu. L'éthique protestante entourant le libre-échange a eu pour effet, même dans les pays catholiques, d'encourager l'épargne – l'exact opposé du consumérisme actuel. Cela a eu pour résultat de renforcer la base de création de richesse.

Beaucoup de philosophes ont soutenu ce mouvement – Montesquieu le premier parmi eux, mais aussi Hume et Kant[9]. Ils étaient persuadés que le libre-échange apporterait la prospérité et la paix. Hume manifesta des « sympathies bienveillantes » à l'égard du commerce international ; Kant écrivit que la « puissance de l'argent » est une force de « médiation » pour la paix ; Montesquieu croyait que « où il y a du commerce, il y a des mœurs douces ».

Malheureusement, ils avaient tort. Parallèlement à la croissance du commerce international dérégulé et détaxé dans la seconde moitié du XIXe siècle, il y a eu montée de la guerre ; des guerres sur le continent européen, des guerres de par le monde, toutes culminant dans une catastrophique guerre mondiale. C'est étrangement semblable à l'évolution du dernier quart de siècle.

Avec ces guerres s'est produite une autre montée en puissance – celle du nationalisme. Certaines des implications ont été positives – la démocratie, par exemple, et les régulations conçues pour favoriser le bien public. Ni l'une ni les autres n'avaient d'importance dans le programme libre-échangiste. En Grande-Bretagne, le mouvement chartiste pour la démocratie est apparu exactement à la même époque que la Ligue libre-échangiste pour l'abrogation des lois céréalières. Les chartistes voulaient précisément les règles démocratiques que les démocraties occidentales ont toutes aujourd'hui. Les libre-échangistes ne les soutenaient pas. Les chartistes ont petit à petit été marginalisés, ce qui les a conduits à la violence. Beaucoup ont été arrêtés, jugés et déportés. Quant aux réglementations industrielles, les libre-échangistes – particulièrement Cobden et Bright – étaient contre les syndicats et des lois régulant les conditions de travail. Ils étaient favorables à des salaires élevés et à des usines bien tenues, pourvu que les propriétaires puissent en décider eux-mêmes. Les travailleurs mécontents n'avaient qu'à émigrer [10]. Il y a là un parallèle intéressant avec la question des conditions de travail dans les pays en voie de développement. Aujourd'hui, ces travailleurs jouent exactement le rôle occupé par la classe ouvrière occidentale au XIXe siècle et au début du XXe. Alors, comme aujourd'hui, l'argument classique était que toute tentative pour réguler le marché du travail nuirait au marché et aux travailleurs. L'emploi était leur chance de s'améliorer. Si on autorisait des bienfaiteurs à interférer, le marché irait ailleurs.

La conversion graduelle de la théorie datant de l'ère du machinisme à celle du management, mieux connue sous le nom de taylorisme ou de fordisme, est liée à ces attitudes nées au XIXe siècle. Ce qu'elle avait en vue, c'était la confusion intentionnelle entre les hommes et les machines.

Quand on rapproche tout cela, on découvre pourquoi les libre-échangistes, égarés par la conviction religieuse qu'ils suivaient la seule route possible vers le progrès, n'ont pas vu combien les politiques sociales et les régulations auraient pu aider leur cause, n'ont pas pressenti la formidable force politique de la classe ouvrière et ont à peine remarqué la montée du populisme, du socialisme, du communisme, du faux populisme, du fascisme, balayant tout derrière eux. Ils n'ont même pas aperçu la montée et la formalisation simultanée du racisme moderne [11]. L'accumulation de ces forces n'a pu que cueillir le libre-échange en plein dynamisme et le briser sur les rochers du nationalisme.

Avec la guerre, le nationalisme et le management, quatrième montée parallèle : celle des empires. Les marchés internationaux libres et intégrés étaient supposés faire disparaître les empires. Au lieu de cela, les uns sont devenus les serviteurs des autres. Lesquels de qui : ce n'est pas clair. Mais il a bientôt été évident que les empires constituaient des canaux organisés pour drainer les ressources naturelles vers les centres industriels. À l'instigation des Britanniques, cette approche s'est répandue pour former ce qu'on a appelé des empires informels – empires reposant sur des traités commerciaux, des débouchés spéciaux, des protections [12]. C'était la dernière chose à laquelle les économistes libre-échangistes s'attendaient. Tous, à commencer par Schumpeter, étaient sûrs que « les principes de l'économie libre-échangiste […] ne laissaient pas de place à l'impérialisme [13] », de même que leurs successeurs, ce dernier quart de siècle, étaient persuadés que la globalisation affaiblirait les États-nations et favoriserait des relations internationales impartiales.

Un point est rarement mentionné dans le contexte de Cobden et du grand mouvement pour le libre-échange. Pendant le XVIIIe siècle, les Britanniques, suivis par les Français et les Américains, voulaient acheter des produits chinois de grande qualité – thé, soie, porcelaine. L'Occident ne pouvait les produire ou ne pouvait en tout cas atteindre le niveau d'excellence des Chinois. Le problème était que les Chinois ne voulaient aucun produit occidental. Pas de troc possible, l'Occident devait payer cash. Les Britanniques ont utilisé l'argent issu du commerce avec l'Espagne. Or, en 1781, il n'y avait plus d'argent ; donc, Warren Hastings, le premier gouverneur-général de l'Inde, a envoyé vendre de l'opium indien en Chine pour payer les importations chinoises. Cela a conduit aux deux guerres de l'opium, au cours desquelles l'Occident – prétendant entrer en guerre par suite du traitement réservé à ses marchands – a combattu la Chine pour la forcer à importer de l'opium, rendant ainsi ses citoyens dépendants. En 1830, ce commerce était sans doute le principal négoce de biens de consommation courante dans le monde [14]. La Chambre des Communes, si enthousiaste quant aux vertus morales du libre-échange, a voté contre des motions proscrivant le commerce de l'opium en 1870, 1875, 1886 et 1889. Ce commerce s'est interrompu en 1913, alors que la première expérience libre-échangiste tirait à sa fin.

Sans prendre de gants, la Grande-Bretagne en particulier et l'Occident en général se sont demandé si le principe moral du commerce équilibré prenait le pas sur le bien-être des populations. Et ils ont répondu oui.

Cette question se pose à toutes les époques ; même si on refuse de la soulever aux bons moments, l'histoire le fera, elle, lorsque le moment viendra de décrire nos actions aux générations futures. Dans quel contexte une question pertinente pour le commerce de l'opium pourrait-elle être posée aujourd'hui ? *Quid* des produits pharmaceutiques essentiels pour combattre le sida, la malaria et la tuberculose dans les pays en voie de développement et de la façon dont leurs prix sont artificiellement maintenus élevés par les clauses liées au commerce des droits de propriété intellectuelle dans le cadre de l'OMC ? *Quid* de l'agriculture industrielle occidentale et de ses effets sur les sociétés fragiles ? Ou encore des effets destructeurs des marchés financiers dérégulés sur les économies plus faibles ?

En 1900, le bilan du libre-échange était de moins en moins clair. Les États-Unis, en combinant tarifs douaniers et politique nationale, connaissaient une croissance plus rapide que la Grande-Bretagne, dans le cadre du libre-échange. L'Allemagne, en combinant tarifs douaniers, politique nationale et accords bilatéraux, bénéficiait d'une croissance plus élevée que la Grande-Bretagne [15]. D'ex-colonies comme le Canada mettaient en place leur infrastructure industrielle, grâce à une politique nationale – combinant tarifs douaniers et autres systèmes de soutien. Sans ces politiques, elles se seraient retrouvées prises dans le piège du producteur de biens de consommation courante. Et elles se sont indignées de la dernière tentative de la part de la Grande-Bretagne, au début du XXe siècle, pour rassembler l'empire afin d'en faire une unité économique de libre-échange conçue pour envoyer des matières premières dans un sens et des produits manufacturés dans l'autre. Les Canadiens ont incité les Dominions à dire non. Dans le même temps, Washington considérait le système international dérégulé comme vieillot. Teddy Roosevelt estimait que le libre-échange avait produit partout une croissance qui n'était pas équitable. Il ne croyait pas en sa vertu morale de vérité. Il pensait que le temps était venu d'essayer de rééquilibrer le partage des profits [16].

Ce qu'on découvre dans toutes ces structures, ce sont deux types différents de conviction. La première est l'internationalisme économique, exprimé très clairement par le libre-échange. C'est une croyance formelle, mais sa clarté minimaliste a un petit côté protestant, et même pentecôtiste. Voilà une cause que les hommes bons et honnêtes peuvent embrasser et prêcher.

La seconde plus diffuse, dérive peut-être de la première. Elle porte sur ce qui va sans dire. La conviction que, chez les gens raffinés et cultivés, certaines choses vont de soi. Pas besoin de les prêcher. Dans le contexte de l'internationalisme économique, les gouvernements seront plus restreints ; moins de régulations locales ; moins de régulations générales ; moins de particularités formelles liées aux conditions locales. Voilà qui serait signe de raffinement, en liaison non pas d'abord avec une croyance, mais simplement avec les pratiques administratives. Va pour la croyance, mais il faut faire marcher l'Église.

Imaginez combien il a dû être difficile, tout d'abord en 1914, puis au cours des années 1920 si troublées jusqu'à l'effondrement global de 1929, pour un groupe de croyants fervents et bien organisés tels que les libre-échangistes d'admettre leurs défaites multiples. Comment ont-ils pu accepter comme une *révélation* qu'ils ne parlaient pas au nom d'une force divine ?

Dans un processus de désintoxication harmonieuse, la première étape consisterait à regarder dans le miroir les décennies précédentes et à se poser des questions sur les résultats contradictoires de l'expérience qui a été menée. Les Nord-Américains, obsédés par l'effondrement de 1929, oublient à quel point le mal a frappé ailleurs dans le monde. Au cours des années 1920, on a connu l'inflation, la déflation, l'effondrement de l'emploi, pour beaucoup à gros coût humain afin de créer une apparence d'ordre, seulement pour le voir s'effondrer à nouveau dans les années 1930. Qu'est-ce que cela signifiait ? Ces questions n'étaient pas posées. Pas plus qu'on ne tenait un raisonnement sensé commençant par une question simple : les théories économiques ne fonctionnent-elles pas mieux lorsque les approches sont multiples, et parfois contradictoires, reflétant ainsi la complexité dans laquelle nous vivons réellement ?

En place du doute et de la quête spirituelle, c'est le contraire qui s'est produit.

De par le monde, les libre-échangistes ont choisi de ne regarder dans aucun miroir. Ils ont plutôt commencé à diaboliser une seule et unique loi du Congrès américain, supposée être la source de tous les maux. En déplaçant la responsabilité de l'effondrement des années 1930, ils ont aussi supprimé tout souvenir des effondrements de 1914 et 1929, gardant intacte leur croyance.

Voici ce qui est arrivé. Aux lendemains de la crise de 1929, une loi sur les droits de douanes a été votée par le Congrès des États-Unis. On l'a appelée loi Smoot-Hawley, d'après ses deux soutiens, le sénateur Reed Smoot et le représentant Willis C. Hawley. La loi a élevé les droits de douanes. Les adversaires du président Coolidge ont commencé à prétendre qu'elle avait transformé un petit choc en dépression et qu'il aurait dû y mettre son veto. Ce chœur motivé par des raisons politiques a été repris par les séides du libre-échange et a pris l'allure des accusations portées contre les hérésies. Smoot-Hawley, prétendaient-ils – et prétendent-ils encore –, avait élevé les droits de douanes à des hauteurs historiques, provoquant tout d'abord des protestations dans le monde et puis des mesures de rétorsion ; elle avait donc plongé chacun de nous dans la catastrophe du protectionnisme. Le présupposé tacite était que c'était cela, et non le marché dérégulé, qui avait causé la Grande Dépression.

Ces quelques dernières années, des gens plus posés, comme Alfred Eckes, ont examiné attentivement ces événements [17]. Et ils ont découvert que les droits de douanes n'avaient pas été élevés à des hauteurs historiques. En fait, deux tiers des importations américaines n'avaient pas été touchées. Il y a eu peu de protestations internationales et encore moins de mesures de rétorsion. Eckes n'a pas trouvé de preuves convaincantes montrant que Smoot-Hawley avait causé le krach des marchés boursiers et aggravé la Dépression.

Ces révélations auront du mal à modifier le discours dominant. Dès qu'il s'agit de se prononcer sérieusement sur les causes de la Dépression, on ressort la vilenie de Smoot-Hawley. Et dans un monde où les personnalités publiques lisent des discours qu'ils n'ont pas préparés et auxquels ils n'ont guère réfléchi, Smoot-Hawley sort tout cru des dossiers Internet sur le commerce des *speechwriters* ; voilà quelque chose qui donnera à leur patron l'air d'être informé. C'est devenu l'équivalent d'une citation d'Adam Smith pour défendre le type de civilisation uniquement préoccupée de son intérêt et en laquelle Smith ne croyait pas en réalité. Comment les empêcher de calomnier le pauvre homme ? Comment en finir avec un croquemitaine commode tel que Smoot-Hawley ?

Certains, comme Susan Strange, accusent les libre-échangistes de créer à dessein « le mythe selon lequel c'est le protectionnisme qui a créé la Grande Dépression [18] ». Eckes dit quant à lui qu'« ils ont réussi à transformer une taupinière en montagne ». Du moins ont-ils détourné l'attention de la fin catastrophique de la période de dérégulation, d'abord en 1914, puis en 1929. Et ce faisant, ils se sont détournés de la nécessité de poser certaines questions simples quant à la période où ils étaient au pouvoir.

Voilà le contexte dans lequel j'ai lu le discours de réception du prix Nobel d'économie d'August von Hayek [19]. On était en 1974. L'ère keynésienne connaissait des difficultés toujours plus grandes – difficultés qui auraient dû provoquer un examen sérieux de ce qui allait bien et de ce qui allait mal. Au lieu de cela, le père du nouveau pentecôtisme international bavardait, comme s'il traitait d'une vérité acquise, de « la supériorité de l'ordre du marché ». « Quand il n'est pas supprimé par les pouvoirs du gouvernement, il remplace régulièrement d'autres types d'ordre. » C'était le nouveau langage religieux. Celui du spécialiste – dépassionné, bardé d'arguments qui semblaient fondés sur les faits. Jésuitique, et pourtant susceptible d'une interprétation populaire. Comme une version désincarnée des « soldats chrétiens en marche ». Les faits de Dieu balayaient les païens. On y reconnaîtra l'assurance absolue qu'avait Cobden de posséder la vérité, que les forces de l'inévitabilité sont en marche.

Notez bien le présupposé pernicieux de ce raisonnement. Seul le gouvernement peut stopper le marché mais, parce que le marché est le plus fort (supériorité naturelle ? morale ? intellectuelle ? ou simplement supériorité inévitable du divin ?), les actions du gouvernement seraient dans tous les cas irresponsables. Rappelez-vous que Cobden résume l'économie internationale à la moralité : une loi qui s'y oppose est « une loi qui interfère avec la sagesse de la Divine Providence et substitue la loi de la méchanceté des hommes à celle de la nature ».

Dans le discours de Hayek, on ne trouve aucune indication du fait que le précédent quart de siècle a produit des taux de croissance historiques ou des degrés inouïs d'égalité. Au lieu de cela, on trouve une conviction absolue qui conduira vingt ans plus tard Francis Fukuyama à reformuler ainsi cette certitude de détenir la vérité : « Il existe un processus fondamental à l'œuvre qui dicte *une structure d'évolution commune* à toutes les sociétés[20]. »

Le philosophe George Steiner estime qu'aujourd'hui, « le fondamentalisme, cette longe aveugle qui mène à la simplification, au confort infantile de la discipline imposée, est immensément en marche[21] ». Ce qui est différent désormais, c'est la manière dont les spécialistes se servent de leurs versions des faits pour soutenir ces longes aveugles. Si nous sommes confrontés à un type de fondamentalisme religieux, alors ces faits sont l'équivalent moderne de la scolastique. Je voudrais en donner un seul exemple.

En octobre 2000, le Bureau national américain de recherches économiques a publié un communiqué de presse pour révéler une nouvelle fracassante :

LA CROISSANCE ÉCONOMIQUE
RÉDUIT LA PAUVRETÉ GLOBALE

Une nouvelle étude a montré que le nombre de personnes vivant avec un dollar par jour était descendu à trois cent cinquante millions. Le communiqué de presse soulignait que ces chiffres, établis grâce aux toutes dernières techniques, ruinaient l'argument antiglobalisation des « universitaires, journalistes et organisations multilatérales de tous bords [...] selon lequel la pauvreté et l'inégalité montent [22] ». La période couverte par cette étude était précisément celle de la globalisation.

Le chercheur qui mena cette étude, Xavier Sala-i-Martin, démontra grâce à ses travaux que le nombre de personnes vivant avec moins d'un dollar par jour avait dramatiquement chuté. De même pour le nombre de personnes vivant avec moins de deux dollars par jour. Ce compte rendu et ses chiffres entrèrent immédiatement dans le catéchisme quotidien de ceux qui s'expriment en faveur de la globalisation. Comme le montrait la publication, c'était le but.

Quelle merveille si c'était vrai ! J'ai tout de suite sauté sur cette longue étude et je l'ai lue attentivement [23]. Les bonnes nouvelles concernaient la Chine et l'Inde, et les parties les plus déprimantes l'Afrique, mais même là « toutes les nouvelles [...] ne sont pas mauvaises ». Dans treize pays, le pourcentage des pauvres à un dollar était en diminution. Il en était de même pour le taux de pauvres à deux dollars.

Je n'ai pu manquer de remarquer que cinq de ces treize pays figuraient aussi sur une liste bien différente – la *short list* des pays souffrant le plus du sida, maladie qui détruit les systèmes sociaux et économiques précisément parce qu'elle frappe les personnes en début de carrière. Plus étonnant encore, le pays vedette de la prospérité africaine selon Sala-i-Martin – le Botswana – avait fait passer son taux de pauvres à un dollar de 35 à 1 % et son taux de pauvres à deux dollars de 60 à 9 %. Le Bostwana est aussi numéro un sur la liste d'urgence pour le sida, avec quelque 40 % de séropositifs dans sa population âgée de 15 à 49 ans. Comment est-il devenu une vedette statistique internationale dans le même temps ? Sala-i-Martin ne l'explique pas, mais la réponse est simple. Le Botswana possède une très grosse mine de diamants, une population très peu nombreuse et, à cause du sida, en baisse pour se partager la richesse, et un bon gouvernement raisonnable. Rien de tout cela n'a à voir avec la théorie post-1971 de l'économie globale.

Le Rwanda figure aussi sur la liste des pays pleins d'espoir selon Sala-i-Martin. Frappé par le sida, il a connu un terrible génocide – environ huit cent mille morts – et un effondrement social précisément durant la période où Sala-i-Martin a découvert des chiffres attestant d'une réussite économique.

Que signifient ces *success stories* ? Tant de gens étaient morts que les survivants, par le simple fait de survivre et d'hériter les propriétés des victimes, sont devenus riches. Cela veut-il dire que ses faits justifient des présupposés de base sur la valeur d'une théorie économique particulière ? Peut-être ses statistiques africaines sont-elles une aberration statistique, alors que les autres sont pertinentes. Ou pas. M. Sala-i-Martin a prétendu que le nombre de gens vivant avec moins d'un dollar par jour est tombé à trois cent cinquante millions en 1998. Et pourtant, en 2004, la Banque mondiale a calculé qu'1,1 milliard de gens vivaient encore avec moins d'un dollar par jour.

J'ai demandé à deux experts de l'Afrique internationalement connus et très expérimentés dans les négociations économiques globales ce qu'ils pensaient du compte rendu de Sala-i-Martin. Ils auraient plutôt tendance à avoir une vision optimiste de la globalisation. Ils m'ont dit que les chiffres de Sala-i-Martin étaient biaisés par la Chine et l'Inde – deux exemples non de pays moins mus par une politique nationale par suite de la globalisation, mais de pays se servant des marchés internationaux pour renforcer leurs assises et leur statut interne d'États-nations. Quant à ses chiffres internationaux, ils étaient doublement biaisés parce qu'il s'était servi de statistiques nationales qui pouvaient être sujettes à des interférences politiques, chiffres moins précis que la méthode Household Survey, plus terre à terre. Même ceux-ci sont incomplets et souvent imprécis, d'ailleurs.

Surtout, ils estimaient que tout le compte rendu était complètement absurde. Pour autant, il a apporté une autre pierre à l'édifice de la certitude économique globale. L'économiste Paul Krugman : « Toute personne qui a vu comment on construit désormais les statistiques économiques sait qu'elles constituent en fait un sous-genre de la science-fiction[24]. » Mais alors à quoi servent-elles, sinon aux affirmations idéologiques ? Margaret Thatcher disait qu'elle trouvait que « une grande partie des écrits économiques, bien que respectables d'un point de vue universitaire, semblent à l'homme politique peu pertinents pour les problèmes qu'il a à résoudre ».

Mais alors, qu'est-ce que la respectabilité universitaire ? Un consensus à la mode ? Du conformisme ?

La Banque mondiale dit que le nombre de gens qui vivent avec un dollar par jour est passé, ces vingt dernières années, de 1,5 à 1,1 milliard, mais ceux qui vivent avec deux dollars par jour sont passés de 1 à 1,6 milliard. Le total des personnes qui vivent en état de pauvreté a donc augmenté de 2,5 à 2,7 milliards sous la globalisation. L'évolution de la catégorie à un dollar à la catégorie à deux pourrait signifier une amélioration marginale ou bien rien du tout ou encore une aggravation de la pauvreté. Une personne sensée dirait qu'il n'y a pas de signes clairs de progrès et qu'il pourrait même y avoir dégradation, sauf en Inde et en Chine. Et même là, le clivage entre les riches et les pauvres est devenu si fort qu'il a détruit le dernier gouvernement indien et devient l'obsession numéro 1 du gouvernement chinois.

La question fondamentale est : les propositions statistiques comme celles portant sur les personnes qui vivent avec un dollar par jour reflètent-elles la réalité que les personnes bien réelles connaissent ? Peut-être est-ce la raison pour laquelle des personnalités comme l'Aga Khan ont peu de temps à perdre avec les mesures du PNB et proposent désormais de considérer la qualité de vie des gens.

Après tout, il se peut que ceux qui disposent de trois dollars par jour mènent une vie de pur désespoir dans un bidonville sauvage de Lagos, une vie bien pire que celle à un dollar par jour dans un bidonville stable comme Klong Toey à Bangkok, où il existe une structure sociale.

Notre obsession pour une certaine forme de mesure austère et abstraite est étroitement liée à l'idée selon laquelle la civilisation est régie par l'économie. Cette sorte de pouvoir comporte une bizarre contradiction : une certitude active que ces économies peuvent se mesurer avec une grande précision face à une certitude passive qu'elles ne peuvent être façonnées que de façon marginale. Activisme dans les détails, passivité en général.

D'où vient cette idée, sinon d'une technocratie de gestionnaires et d'économistes qui ressemblent à un ancien clergé, mais se croient très modernes, grâce à la masse de détails dont ils s'entourent ?

DEUXIÈME PARTIE

La montée

« Tous nos pays ont connu les affres de la récession et de l'inflation plus gravement qu'à n'importe quel moment depuis la Seconde Guerre mondiale. L'ère de l'après-guerre dans les relations internationales est terminée. »

Henry KISSINGER,
allocution au Pittsburgh World Affairs Council, 1975

« Le cléricalisme est une maladie qui affecte toutes les organisations. »

Andrea RICCARDI,
membre fondateur, Sant'Egidio, 2004

CHAPITRE VI

1971

Il serait simpliste de lier l'arrivée du globalisme à l'échec du keynésianisme. Et il serait faux d'y voir une simple réaction aux multiples crises des années 1970. D'autres changements profonds ont ouvert la voie.

Non que ces crises aient été imaginaires. Comme dans un cauchemar, elles sont venues en vrac, les unes après les autres, ne laissant aucun espace pour respirer, aucun temps pour reconstruire de la stabilité. Elles ont secoué la confiance en soi de quiconque se trouvait en position de pouvoir, ce qui en retour a démoralisé les citoyens. John Kirton, le directeur du Groupe de recherche du G8, évoquait six chocs fondateurs qui ont forcé l'Occident à se réorganiser au niveau le plus élevé en créant le G7 [1].

Ils ont commencé avec la décision prise par Richard Nixon de résoudre les problèmes financiers américains en détruisant le système monétaire de Bretton Woods. Bretton Woods était un élément clé du puzzle international d'après la Seconde Guerre mondiale. Il était censé préserver la stabilité en liant les autres monnaies au dollar américain à des taux de change fixes. Et soudain, le 15 août 1975, Washington a laissé le dollar flotter ; le système était mort. Les autres puissances occidentales n'ont eu d'autre choix que de tenter de s'ajuster à un acte unilatéral.

Cette dévaluation monétaire d'un nouveau style s'est accompagnée d'un deuxième acte unilatéral – dans les faits, l'augmentation des tarifs douaniers américains. Il est difficile de savoir combien de crises, parmi les dizaines qui ont suivi, auraient éclaté de toute façon et combien ont été le résultat du déplacement de ces deux grosses pièces, qui ont déclenché une série complexe de réactions en chaîne.

La deuxième crise fondatrice a été l'échec des négociations du GATT (Accord général sur le commerce et les tarifs douaniers), en 1973. Beaucoup de gens étaient persuadés que la seule voie pour sortir de leurs troubles économiques était une croissance du commerce, de sorte que l'échec du Tokyo Round a été une grande déception. Il a été suivi par la guerre de Kippour la même année, qui a directement conduit à l'embargo sur le pétrole et à une première montée brutale des prix du pétrole. En 1974, l'Inde a fait exploser une bombe nucléaire. Soudain, la plus dangereuse des armes n'était plus seulement sous le contrôle d'un petit club.

Jusqu'où irait le monde nucléaire ? Les risques étaient bien plus éloignés, voire bien plus vagues que ceux créés par les nouveaux problèmes économiques, mais les armes nucléaires provoquent automatiquement une peur immense, qui peut tout assombrir – peur de l'inconnu, peur du trouble-fête.

Comme pour encourager cette peur, les partis communistes de style ancien ou nouveau étaient devenus si populaires en Europe du Sud qu'ils étaient tout près d'accéder au pouvoir politique et n'attendaient que d'être invités à participer à des gouvernements de coalition. C'est alors, en 1975, que les États-Unis ont quitté le Viêt-nam, en vaincus – leur première défaite depuis 1814.

Ces six crises fondatrices, flanquées d'une myriade d'autres, ont suscité la croyance générale en Occident et de par le monde que le système d'après-guerre s'était écroulé, que la puissance américaine s'effondrait et était confrontée à une concurrence de plus en plus grande de la part de l'Europe et du Japon. Et qu'une bonne partie des pays en voie de développement – qui, dix à vingt ans plutôt seulement, étaient de simples possessions coloniales – évoluait de façon imprévisible.

C'est de ces crises qu'est venue une terrifiante combinaison d'inflation et de dépression. On l'a appelée stagflation. Tout cela ensemble a produit un sentiment d'impuissance au sein des élites, et elles l'ont instinctivement et même ouvertement communiqué à leurs concitoyens.

CHAPITRE VII

Le vide

Tout était-il si noir ? Pas réellement. Une multitude d'évolutions positives ont eu lieu à la même époque. Deux des ambitions fondamentales de la démocratie occidentale – l'instruction pour tous et l'égalité en matière de santé – ont fait des pas en avant historiques, surtout grâce aux systèmes publics. Les vieux préjugés et les barrières raciales sont tombés sur tous les fronts. Les femmes ont pénétré les bastions masculins et se sont répandues dans le secteur public et privé apportant une énergie et des approches nouvelles. Les personnes qui avaient été marginalisées pour des raisons très diverses ont de plus en plus été intégrées à des degrés divers. Le débat public dans les démocraties occidentales – et, à ce stade, dans la majorité des colonies récemment libérées – a rarement, voire jamais, été si ouvert et si vaste.

Malgré la façon abrupte dont les puissances coloniales avaient à la fois libéré et abandonné leurs empires, beaucoup de ces nations nouvelles ont fait l'expérience d'approches neuves de la gouvernance. Beaucoup de ces expériences allaient bientôt mal tourner. Mais l'Occident oublie désormais soigneusement à quel point cet échec a été imposé de l'extérieur par le biais des théories occidentales du développement des années 1960 aux années 1980. Même les origines des *success stories* d'aujourd'hui sont désormais mal vues. Par exemple, l'œil utilitariste d'aujourd'hui regarde avec désapprobation les trente ans de planification centralisée de l'Inde. Chacun sait bien qu'elle n'a pas été efficace. On peut aisément soutenir que l'Inde en a été freinée. Et les Indiens seront les premiers à dire qu'il reste certaines lourdeurs bureaucratiques. Toutefois, ce que les critiques occidentaux oublient, c'est le fait que cette approche obstinément stable a permis aux Indiens de reprendre leur souffle après le désordre et la violence de l'indépendance. Combinée avec la politique internationale complexe de non-alignement de Delhi, cette période a donné aux Indiens le temps de réfléchir à leurs grandes ambitions au lieu d'être soumis à des ambitions formulées pour eux et projetées par l'Occident. Ils ont donc développé une certaine logique interne sur laquelle ils s'appuient encore, alors que les parties de l'ex-monde colonial qui se sont jetées sur les techniques de planification occidentales – dans lesquelles j'inclus les techniques soviétiques – sont aujourd'hui en grande partie en ruine.

Nonobstant ces évolutions positives, l'atmosphère générale dans les années 1970, alors que, l'une après l'autre, les crises frappaient, était au malaise et à la peur du désordre dans les élites occidentales, qu'elles aient été politiques, administratives, intellectuelles ou économiques. Parfois, cela tournait à un sentiment de peur paralysante.

Leurs sociétés étaient entrées dans un vide – dans une période confuse entre deux ères. Personne ne semblait capable de s'élever au-dessus des événements pour débrouiller les événements ou décider des directions nouvelles à prendre. C'est sans doute Henry Kissinger, alors dans ses dernières années de secrétaire d'État, qui a vu le plus clair : « L'ère de l'après-guerre dans les relations internationales est terminée. Cette transformation n'est pas marquée par un seul et unique bouleversement. [...] C'est le cumul des évolutions en une génération qui a profondément altéré le monde [1]. »

La plupart des hommes politiques et des fonctionnaires chevronnés étaient effrayés par une telle clarté de vue. La position admise consistait à insister sur l'urgente nécessité de gérer la situation. Telle était la nouvelle approche technocratique face aux crises, approche qui a eu des avantages à court terme et des inconvénients à long terme. Elle impliquait que ceux qui étaient au pouvoir étaient découragés de l'exercer.

S'ils s'étaient référés au précédent vide – celui de la fin des années 1940 –, ils auraient découvert une conception du pouvoir qui impliquait à la fois de prendre des risques et de rechercher du sens à une époque d'incertitude. L'exemple le plus évident fut le plan Marshall, bien que ce soit aujourd'hui une mode intellectuelle que de minimiser les intentions du général en démontrant à quel point les origines de son plan étaient confuses. Il n'avait pas d'abord été élaboré avec soin pour ensuite être géré correctement. Son intention résultait donc du hasard.

Mais la forme de pouvoir exercée par George Marshall vaut rarement pour l'analyse technocratique contemporaine. Elle n'était pas conçue pour cela. Le principal but du secrétaire d'État Marshall et d'autres n'était pas de gérer le désordre. Il était de découvrir une nouvelle réalité qui chasserait le désordre. Lui et d'autres étaient convaincus que l'Europe avait besoin d'accomplir un bond. Son programme injecterait 1,3 milliard (de dollars de l'époque) dans seize pays entre 1948 et 1951. En juin 1947, quand il a prononcé son célèbre discours de Harvard qui allait mettre en branle son projet, il n'existait pas de plan. Le discours avait été concocté à la dernière minute à partir d'une intuition non synthétisée de ce qu'exigeait la réalité. Ses conseillers et lui-même s'étaient débrouillés pour saisir le sens de l'histoire, de sorte que l'avenir qu'il imaginait en paroles à Harvard devienne l'avenir réel. On pourrait soutenir qu'il avait trouvé la voie – une voie – pour sortir du vide.

Ne voyez pas là une apologie du dirigeant comme héros solitaire. Son discours n'est pas sorti de nulle part. Marshall était assailli de centaines, de milliers de questions, de possibilités, de risques naissants. Une fois la voie formulée, ces éléments qui, un moment auparavant, paraissaient disparates ont semblé se rassembler sous l'idée qu'il imaginait. Et soudain, « le plan Marshall a poussé comme un champignon pour devenir un programme comportant tant d'objectifs explicites, de buts et de motifs qu'il serait absurde de vouloir dresser la liste des raisons qui sont à son origine. Ses contradictions suffiraient à rendre ahuri quiconque cherche de la rationalité[2] ». Là était le génie. Il n'aurait pas pu venir d'une équipe de gestionnaires, encore moins d'un *think tank* ou de consultants.

Ce qui me ramène à l'évolution sous-jacente à la suprématie du management – évolution qui n'a pas été à l'origine de la réaction de l'Occident aux crises des années 1970. C'est l'expansion constante et la montée d'une nouvelle classe technocratique dans chaque secteur de civilisation, public et privé, qui a façonné cette réaction. C'était l'une des conclusions pratiques tirées des deux guerres mondiales. Il fallait une forme nouvelle de management pour mener des opérations toujours plus grandes – qu'elles aient concerné la santé publique ou des usines privées.

Et pourtant, il n'y a pas eu débat quant à la nature centrale du management. Après tout, le management devait être fondé sur le présupposé selon lequel de grandes forces étaient à l'œuvre. Au mieux, ces forces sont représentées par le pouvoir. Et il n'est pas indispensable que celui-ci soit rendu concret par le biais du management. De l'autre côté, le pouvoir n'était pas censé perdre sa capacité à façonner ou à modifier ces forces. Si on confond leadership et management, on perd l'idée de choix – choix que les citoyens expriment par la voix de leurs dirigeants. Petit à petit, on trouve à la place du leadership le présupposé de plus en plus marqué que les grandes forces à l'œuvre sont d'origine mystérieuse. Qu'elles sont inévitables. Qu'on ne peut les façonner.

Les crises du début des années 1970 ont coïncidé avec cette confusion profonde entre leadership et management. Elle est encore là, nourrie par l'étonnante inflation du nombre et de la taille des *business schools* et par la vision que les études supérieures, hyperspécialisées, composent une multitude de silos isolés les uns des autres. Cette idée est centrale au présupposé que les grandes forces ne peuvent pas être façonnées par les élites. En termes pratiques, c'est l'une des raisons pour lesquelles les dirigeants qui, sur de grandes questions politiques, veulent exercer leur pouvoir (c'est-à-dire penser, choisir, décider), ont tant de mal à être soutenus par les conseils de leur technocratie.

La séquence de crises des années 1970 a coïncidé avec l'arrivée au sommet de l'échelle politique de la première génération de technocrates de ce type – Harold Wilson au Royaume-Uni, Valéry Giscard d'Estaing en France, Helmut Schmidt en Allemagne, et même Henry Kissinger, dans son style inhabituel. Ce que cela signifiait en Europe n'est que trop clair. Même avant la fin de la dernière guerre mondiale, des gens comme Albert Camus disaient : « La France et l'Europe ont aujourd'hui une nouvelle civilisation à créer ou à faire périr[3]. » Soixante ans plus tard, le penseur espagnol Victor Pérez-Diaz se lamentait sur le fait qu'en l'absence de « culture politique européenne favorisant une citoyenneté active », l'Europe politique unie se dérobait. « L'espace public européen et le *demos* européen », deux clés de la « *civitas* européenne » restent insaisissables.

Pourquoi ? Parce que l'Union a été fondée sur des structures administratives, professionnelles, politiques et économiques. Rien n'a été fait pour l'idée de citoyenneté, encore moins de civilisation. Quand les crises ont commencé, l'Union, emmenée par ses jeunes dirigeants technocratiques, a donc été poussée toujours plus avant dans le sens du management et toujours plus loin du leadership. Et de la civilisation.

Comme cela arrive souvent, c'est le langage qui révèle la confusion. Par exemple, la première génération de dirigeants technocratiques a été incapable d'admettre que le monde basculait dans une dépression. Ils étaient si peu aptes à penser et à agir au niveau du problème qui se posait qu'ils ne pouvaient même pas prononcer le mot. Au lieu d'agir, ils ont réagi en se concentrant sur le management de ce qu'ils tenaient à appeler une récession. Mais il y a eu récession après récession. Tout au long des années 1970, une autre puis une autre, puis une autre encore. Une crise de l'énergie, suivie par l'inflation, le chômage, une perte de vitesse économique, l'endettement, davantage d'inflation, davantage de chômage, et ainsi de suite. Une suite de récessions, mais jamais de dépression. S'il y avait eu dépression, il y aurait aussi eu un grand échec des dirigeants, ainsi qu'un besoin urgent d'initiatives fortes de leur part. Au contraire, une récession était quelque chose avec quoi les gestionnaires pouvaient se débrouiller, parce que les grandes forces en jeu n'étaient pas censées échapper à tout contrôle. Même Kissinger ne pouvait presque pas prononcer le mot : « Tous nos pays ont connu les affres d'une récession et d'une inflation plus gravement qu'à n'importe quel moment depuis la Seconde Guerre mondiale. »

Il s'était préparé toute sa vie à une telle crise. Kissinger était inspiré par l'étude de la façon dont, dans le vide laissé par la défaite de Napoléon en 1815, une voie avait été découverte par l'homme d'État autrichien Metternich et le secrétaire britannique aux Affaires étrangères Castlereagh, qui avaient créé l'équilibre des forces sur tout le continent, qu'on a appelé le Concert européen. C'étaient tous deux des hommes brillants, mais Metternich était le parfait homme des systèmes ; « il identifiait politique et intrigue et [s'efforça] de remplacer la force de caractère par l'astuce ». « La performance de Metternich a été si habile qu'on a oublié qu'elle était fondée sur le talent diplomatique et qu'elle a laissé les problèmes fondamentaux sans solution. » Castlereagh, le parfait humaniste, recherchait au contraire « une paix équilibrée » ; il voyait dans la paix « un acte moral » et développa une politique qui, comme celle de Marshall, « ne résidait pas dans les *faits*, mais dans leur interprétation ». Il était homme d'État à « reconnaître les relations réelles entre les forces » et à admettre « la prééminence de l'intégration sur la rétribution ». Kissinger semblait vouloir s'identifier à Castlereagh, mais le destin a fait de lui une réincarnation de Metternich [4].

La peur qu'ont nos élites contemporaines d'admettre une réalité ingérable comme la dépression, tout en travaillant sous l'inspiration consciente ou inconsciente de Metternich, montre à quel point le style nouveau de pouvoir peut être autoritaire quand il est question de corrections technocratiques et timide, craintif même, quand il est confronté à la force d'une réalité sociale et humaine échappant à tout contrôle. Leur conception de l'efficacité consistait entièrement à rationaliser la pensée plutôt qu'à traiter de la nature idiosyncrasique de la société. Ces élites voulaient deux choses : une certaine approche abstraite minimisant les problèmes importants difficiles à gérer et le droit de bricoler les détails des systèmes administratifs. Joseph Stiglitz décrirait longtemps après ce à quoi leurs méthodes conduisaient déjà : « Les institutions sont devenues le reflet de l'état d'esprit de ceux auxquels elles doivent des comptes. Le gouverneur de banque central typique commence sa journée en s'inquiétant des statistiques de l'inflation, pas de celles de la pauvreté ; le ministre du Commerce se fait du souci pour les chiffres des exportations, pas pour les indices de pollution[5]. »

En d'autres termes, les dirigeants du nouveau style se sont presque passivement fait avoir par le mouvement néolibéral renaissant et sa dévotion pour les grandes solutions fondées sur la dérégulation des structures. Les technocrates étaient mal préparés à un débat public franc et ouvert. Ils étaient prisonniers de leur management, renfermés sur eux-mêmes et toujours moins capables de parler intelligemment aux citoyens.

On pourrait dire qu'ils n'avaient jamais de vision globale. Ils bricolaient ou opéraient des coupes sombres. Comme le bricolage n'a pas marché, ils ont de plus en plus admis la logique des idéologues tout nouveaux tout beaux qui occupaient l'horizon : taillader était le seul salut. Dans les termes du vicomte de Castlereagh ou du général Marshall, ils n'ont pas réussi à être des dirigeants parce qu'ils n'ont pas su faire preuve d'imagination. En termes contemporains, ils ont involontairement renforcé les critiques à l'égard des programmes publics. Au lieu de réfléchir à leur propre échec, ils ont de plus en plus admis le raisonnement assez simpliste selon lequel les programmes publics étaient inefficaces s'ils n'étaient pas soumis à la liberté des marchés. Les marchés globaux, libres, ne pouvaient que mieux faire le boulot.

Par ailleurs, même Hayek, aussi âgé fût-il dans les années 1970, avait une vision claire de ce dont on avait besoin : « L'influence qui compte surtout pour l'économiste est une influence sur les gens ordinaires : les politiques, les journalistes, les fonctionnaires et le public en général[6]. » La période de vide progressant, les seules paroles claires exprimées haut et fort étaient celles des globalistes, qui étaient souvent des libre-échangistes du XIXe siècle revus et corrigés, des utilitaristes et de plus en plus ce qu'on a appelé des néoconservateurs ou néolibéraux.

Ceux qui détenaient le pouvoir étaient tout simplement trop occupés à bricoler à la manière d'obscurs spécialistes pour nous parler. En tout cas, ils se considéraient comme trop raffinés pour nous parler d'une façon ouverte et intelligente. Les idéologues ne l'étaient pas, eux. Les différences étaient grandes entre ceux qui s'exprimaient, entre le raffinement intellectuel et moral d'un Hayek ou les réflexions rigoureuses d'un Samuel Brittain et les simplifications assez brutales d'un Milton Friedman ou d'un idéologue comme Robert Nozick, pour ne prendre que quatre exemples. Les différences étaient grandes aussi entre chacun des néolibéraux ou le groupe qu'ils formaient, et les simples libre-échangistes. Mais ce qui les liait tous, c'était l'idée d'un équilibre global possible plus ou moins naturel grâce à la libération des forces du marché. Cela impliquait en retour un affaiblissement des gouvernements, donc des États-nations. Et ce qui les liait en retour aux technocrates au pouvoir qui ne communiquaient pas, c'était leur utilitarisme commun.

Ce que le public a vu, c'est un débat suranné entre globalistes exubérants, optimistes, amusants, débridés et gestionnaires libéraux sinistres, renfermés, technocratiques et obscurs. Cela a produit le sentiment public vague que gouverner était de plus en plus un échec. Sur cette base, certaines parties de l'Occident sont passées du vide à une ère nouvelle. Bien que plus lentement dans une bonne partie de l'Europe, cette idée a commencé à prendre le pas. Et que ce soit dans le public ou le privé, la clé du leadership serait l'économie. Ce qui, *sotto voce*, voulait dire l'intérêt. Issue curieuse, parce que les libres-échangistes pensaient le contraire à l'origine. Quand Cobden disait qu'on ne pouvait se fier à aucune « classe pour légiférer dans son intérêt, parce qu'en général elle se trompe sur son intérêt [7] », il faisait écho à la croyance centrale d'Adam Smith en l'aptitude de l'individu à sympathiser avec autrui et donc le besoin d'organiser une société sur cette identification à autrui. La montée de la respectabilité de l'intérêt a été suivie par une forte montée de la corruption dans le public et dans le privé dans toutes les démocraties. Il n'y a rien eu de tel depuis la totale liberté financière de la fin du XIXe siècle.

Le lien naturel entre les globalistes – même néolibéraux – et la technocratie moderne va bien au-delà du simple utilitarisme. Songez à la façon dont la technocratie européenne a réussi à gérer l'intégration de l'Union sur une base équitablement égalitaire et englobante. Et pourtant, rien n'illustre mieux le problème que leurs soixante ans d'incapacité à traiter la façon dont les Européens vivront réellement ensemble. Ils ne peuvent affronter une question aussi large et non utilitaire que la culture européenne, avec sa multitude de niveaux et de relations possibles.

Songez au cas curieux du héros libéral américain John Rawls, dont la théorie de la société comme tissu de contrats a en fait renforcé l'argument utilitaire auquel il s'opposait. En fournissant un argument non réaliste et néanmoins éthique à l'utilitarisme moderne uniquement préoccupé de l'intérêt, il a conféré de la crédibilité aux arguments libertariens [8].

L'échec intellectuel, éthique et politique des élites qui disaient croire en un utilitarisme universaliste ; leur peur de s'élever au-dessus des crises pour indiquer une nouvelle direction ; leur incapacité à réformer les structures de management toujours plus vastes en fonction de leur finalité au lieu de simplement défendre leurs structures techniques – tout cela participe de ce qui nous a fait sortir du vide pour nous placer dans le sens d'un globalisme très influencé par les présupposés et les méthodes utilitaristes.

Assez curieusement, ces premières étapes ont été riches en thèmes qui nous semblent aujourd'hui familiers. Pourquoi ? Parce que désormais on les ressasse alors que la globalisation reflue. La dévaluation du dollar américain qui a précipité de si nombreux changements en 1971 a été répétée en 2004, cette fois avec un plus grand raffinement. La technocratie a appris à prétendre qu'elle ne fait pas ce qu'elle fait. Avec la situation en Irak, les risques d'économie de guerre réapparaissent, comme dans les années 1970. Une fois encore, le prix de l'énergie monte, même si le contexte est cette fois bien plus complexe et large. En 1973, on disait beaucoup que les sociétés occidentales étaient minées par les multinationales qui exportaient des emplois, ce que nous appelons désormais les *délocalisations* [9]. On parlait aussi beaucoup du désordre dans le système monétaire international. Et alors comme aujourd'hui, on croyait que la faiblesse économique des États-Unis impliquait qu'ils ne pourraient préserver leur prééminence que par des moyens militaires et diplomatiques.

Robert Jackson suggéra alors que nous sommes confrontés au choix entre trois façons d'organiser nos sociétés et le monde : une approche *réaliste*, une approche *fonctionnaliste* et une approche *rationaliste*. La réaliste consiste dans le jeu entre les États-nations qui recherchent des équilibres internationaux. La fonctionnaliste se comprend d'elle-même. C'est la route prise par l'ère globaliste. La rationaliste est une version plus large de la fonctionnaliste – elle implique une approche juridique, individualiste censée mener d'une certaine manière chacun dans la même direction. La prose de John Rawls est une bonne illustration de l'école rationaliste et des raisons qui font qu'elle dégénère tout simplement en fonctionnalisme.

Ce qui surprend, c'est à quel point la direction qui a été adoptée semble claire quand on regarde en arrière. Elle ne l'était certainement pas autant à l'époque.

CHAPITRE VIII

Le fou du roi

Tout comme les pièces du répertoire classique, avec leurs rois, leurs vierges, l'amour et la trahison, doivent avoir leur fou, la globalisation a Davos. Le fait que ce serait son rôle n'était pas d'emblée clair. En janvier 1971, le premier rassemblement qui a eu lieu dans cette petite ville des Alpes suisses constituait une tentative sérieuse pour galvaniser la technocratie économique européenne afin qu'elle concurrence davantage les États-Unis. On célébrait le vingt-cinquième anniversaire du Centre d'études industrielles et la réunion tournait autour d'une triple vision de la vie – les nations mourraient et méritaient de mourir ; les affaires étaient aux mains des gestionnaires, et non des capitalistes ; les affaires devaient mener la société. Comme les cent soixante pages des actes de la conférence le disaient : « Par opposition à la décrépitude bien visible de la plupart des États européens, l'industrie et le commerce ont dû s'adapter plus vite aux réalités nouvelles, en partie parce qu'ils sont plus proches de la vie et ne peuvent longtemps se décharger de leurs erreurs sur le dos des autres [...]. Normalement, c'est la fonction de ceux qui ont la responsabilité de la politique que de prendre l'initiative, mais en l'occurrence, c'est l'industrie et le commerce qui ont l'avantage[1]. » Cette forme d'hyperbole ne deviendrait que plus extrême encore à mesure que l'organisation tomberait aux mains d'un jeune professeur de management, Klaus Schwab, qui commencerait à inviter la technocratie économique internationale.

Cette première réunion a élaboré un plan en trente points pour les P-DG européens. C'était un plan intéressant, très développé sur la façon d'aborder les questions sociales et l'Europe de l'Est. Surtout, ce rassemblement a comporté une part notable de prévisions. Le Symposium européen du management, qui allait bientôt devenir le Forum économique mondial ou Davos, fut la première organisation à détecter au début des années 1970 de quel côté du vide la civilisation occidentale allait pencher. Il s'est tenu sept mois avant que Nixon ne démantèle Bretton Woods. Et d'emblée, il a proposé de voir la société à travers le prisme économique et l'économie à travers le prisme des gestionnaires des grands groupes, plutôt que par les yeux des capitalistes.

Le noyau fondateur était incarné par ses membres venus des entreprises, ce qui a facilité l'utilisation des réunions comme exercices de relations publiques pour les thèmes sur lesquels les membres dirigeants voulaient attirer l'attention telle ou telle année. Tout cela a toujours été évident pour qui voulait bien y regarder, ce qui a rendu la présence de plus en plus forte d'élus politiques importants d'autant plus particulière, et même fascinante.

M. Schwab avait réussi à créer la version moderne d'une cour, avec toutes les caractéristiques de la vie de palais – absence de pouvoir, mais espoir d'influence ; comportements de courtisan, qu'on appelle désormais lobbying ou réseaux ; ducs puissants et princes humiliés par la nécessité apparente de faire leur cour au roi ou à ceux qui en sont proches, lesquels avaient en l'occurrence pris une forme plus abstraite. Le roi de Davos était un concept : la société vue à travers le prisme de l'économie. Les courtisés étaient les gestionnaires de grandes entreprises. Les princes humiliés étaient les dirigeants élus.

Si on replace cela dans son contexte historique, on peut tout d'abord rire de la prétention égocentrique de M. Schwab à l'originalité et à l'influence. Il rappelle ces prétentieux fermiers-généraux devenus ducs juste avant la Révolution française.

On pourrait aussi être intrigué, agacé même, par tant de pouvoir rassemblé en un lieu aux ambitions aussi étroites et peu intéressantes, un lieu sans citoyenneté. Mais ce serait bien naïf. Les intentions étaient dès le départ très claires [2]. Le but de Davos était et est toujours de promouvoir la politique favorable à ceux qui détiennent le pouvoir. Ils expliqueraient eux-mêmes qu'il s'agit de promouvoir un système global dérégulé et commandé par les affaires. C'est un système lobbyiste organisé et concentré. Et depuis que la plupart des démocraties occidentales ont normalisé le lobbyisme en l'important dans leur système managérial, grâce aux communiqués et aux déclarations, il n'est guère possible de prétendre que c'est techniquement non éthique. Davos est tout simplement une expression globale de la normalisation du comportement non éthique.

Le seul fait troublant dans ce rassemblement était que tant d'élus se sentent obligés d'adhérer à la logique de cette organisation afin d'y devenir des courtisans. C'est l'une des choses curieuses dans l'atmosphère que crée une cour. Il y a toujours abondance de miroirs, mais les courtisans ne peuvent pas réellement y apercevoir leur reflet. À Versailles, les ducs aussi ont essayé de se persuader que fréquenter la cour n'était pas censé les humilier. Mais si.

CHAPITRE IX

Enthousiasmes romantiques : anthologie

Repenser le monde à travers un prisme économique : une révolution d'une telle ampleur exigeait davantage que le fait que ce soit le commerce qui bâtisse ses structures. Des dizaines de théories et d'expérience ont été lancées pour soutenir cette révolution.

Nouvelle-Zélande : la boîte de Petri, le cheval de Troie

La Nouvelle-Zélande est une petite démocratie très centralisée. Jusqu'au milieu des années 1990, elle a respecté le système traditionnel : celui qui obtient le plus de voix peut exercer un pouvoir presque indiscutable. Les gouvernements avaient donc la capacité de prendre des risques politiques clairs. Au début du XXe siècle, la Nouvelle-Zélande avait donc, avant les autres pays, légiféré sur les droits des femmes et expérimenté des programmes publics.

Au début des années 1980, les problèmes économiques internationaux touchant le monde entier ainsi que des dépenses trop enthousiastes de la part du gouvernement de Wellington ont produit une crise financière. Les travaillistes ont gagné les élections et, de façon plutôt inattendue, le ministre des Finances du nouveau gouvernement a réagi de manière assez active à cette crise en menant une politique économique de rationalisation – c'est-à-dire néoconservatrice –, ce dont il n'avait pas du tout été question pendant la campagne électorale. Elle comprenait toute une gamme de libéralisations commerciales et financières, une vaste dérégulation, la vente d'entreprises nationalisées, majoritairement à des étrangers, de sérieuses réductions d'impôts, le déplacement de la charge de l'impôt du haut vers le bas. Et ainsi de suite.

Il est difficile de savoir si la crise était aussi grave que Roger Douglas, le ministre, l'a prétendu. Certains estiment que les bureaucrates du ministère des Finances – eux-mêmes convertis au néoconservatisme – avaient d'avance décidé quelles mesures recommander. À leur grande surprise, ils se sont retrouvés face à un vrai croyant comme ministre. Ensemble, ils se sont précipités, Douglas s'écriant qu'*il n'y avait pas d'autre solution*, paniquant les gens, dont le reste du cabinet, très peu de ministres sachant de quoi il retournait. L'idée était de créer un fait accompli avant que qui que ce soit puisse débrouiller ce qui se passait.

L'un des fonctionnaires du Trésor, Roger Kerr, a démissionné afin de prendre en charge un lobby, le Business Roundtable. Il est devenu la voix publique, l'organisateur et la source indirecte de financements pour l'idéologie réformiste.

Pas de doute, la crise économique était bien réelle. La question était simplement : *une telle panique était-elle indispensable* et *n'existait-il pas d'autres solutions* ? Douglas, Kerr et leurs alliés étaient si sûrs d'eux et si actifs que les non-croyants n'ont jamais eu le temps de déterminer quelles auraient pu être les autres possibilités. Les membres des deux principaux partis politiques étaient constamment en réaction. Comme le dit l'historien Michael King, « quand ils en ont conclu que le coût social de la politique menée était trop élevé, il était trop tard : cette politique était indéboulonnable[1] ».

Elle comprenait le Public Finance Act, qui imposait d'appliquer les méthodes du secteur privé aux comptes publics. Le State Sector Act impliquait de gérer les ministères comme si chacun était une entreprise privée indépendante, avec un P-DG recruté sur contrat de performance. La recherche publique fonctionnait surtout sur une base commerciale. Quarante entreprises publiques ont été vendues. Certains ont dit que l'approche fiscale globale à l'œuvre ressemblait à un programme de rétablissement préconisé par le Fonds monétaire international (FMI).

D'un coup, la Nouvelle-Zélande est devenue la mascotte de la globalisation et du néoconservatisme. Dans les quinze ans qui ont suivi, on a fortement prétendu que ce modèle avait réussi. Certes, la crise financière immédiate avait reculé. Les normes des marchés internationaux ont été appliquées sur tous les fronts. En 1996, la Nouvelle-Zélande a été classée troisième pour sa compétitivité par le Forum économique mondial. L'inflation était vaincue.

D'un autre côté, la pauvreté a progressé – un choc dans un pays de classes moyennes. La dette internationale aussi. 20 % de la population active adulte dépendait d'allocations. Les salaires réels ont chuté. À la fin du siècle, le salaire moyen des jeunes était passé de 14 700 dollars à 8 100[2].

Roger Douglas et son successeur le plus ardent, Ruth Richardson, voyaient loin. Ils estimaient qu'une partie seulement de leur tâche était accomplie.

Revenant sur ces quinze années, l'économiste néo-zélandais Brian Easton les résumait ainsi : un choix artificiel entre la tempête menaçante de 1984 et la façon dont Douglas et Richardson « nous ont presque fracassés sur les rochers de Scylla » avec leurs solutions absolues[3]. Mais le Business Roundtable continue à répéter que les réformes visaient le long terme et « non les détails pratiques particuliers mais le schéma global. Seul un schéma intelligent et cohérent et son amélioration continue permettront à la Nouvelle-Zélande de devenir une économie caractérisée par une forte productivité, des revenus élevés et des emplois nombreux ».

Comme le dit un fan international comme *The Economist*, « plus on permet aux réformes en Nouvelle-Zélande de porter leurs fruits longtemps, plus il sera difficile aux autres d'ignorer leur message ».

La dérégulation : une forme de liberté

Les réglementations ont toujours été l'instrument des sociétés qui veulent dépasser la violence brutale et le clanisme. Elles étaient donc centrales pour le développement de la démocratie et ont joué un rôle de plus en plus complexe après la révolution industrielle. Quelques décennies durant lesquelles on a fait l'expérience de ce que voulaient dire des propriétaires d'usines libres de toute règle et des financiers sauvages ont démontré aux citoyens et aux dirigeants politiques que les chefs de file des marchés, si on les laissait à eux-mêmes, agiraient en moyenne de façon néfaste. Les réglementations économiques modernes ont été développées pour aider ces leaders des marchés à agir correctement, tout en faisant du profit. On espérait que la stabilité qui en résulterait sauverait la société des pires cycles à la hausse et à la baisse caractérisant toute économie non régulée.

Mais quel degré de régulation était nécessaire ? Et sous quelle forme ?

Jusqu'en 1971, une communauté d'hommes et de femmes d'affaires frustrés s'était formée qui allait au-delà de ceux qui n'avaient jamais accepté les principes du bien public sous sa forme organisée. À cela s'ajoutait un vaste ensemble de citoyens dérangés ou choqués par les effets de telle ou telle régulation.

Ce n'était guère surprenant. Le désordre et la souffrance de la Grande Dépression avaient convaincu les gens que les civilisations avancées exigeaient davantage de régulations plus strictes. La taille et la complexité mêmes de la guerre mondiale avaient déjà constitué un enseignement montrant à quel point les démocraties devaient s'organiser et se gérer. L'extension sans précédent après-guerre des services publics, des mesures égalitaires et de la croissance économique avaient confirmé ce besoin. Le progrès et la régulation marchaient main dans la main, comme ils l'avaient fait au sein de toute civilisation réussissant à long terme au cours de l'histoire.

On en était venu à croire que les monopoles et les combinats étaient inacceptables. On exigeait plus d'honnêteté, de justice, d'équité dans la façon dont marchait la société. Les régulations étaient censées favoriser cela.

Dans la réalité au jour le jour, année par année, au sein de laquelle nous vivons tous, ces régulations ont remplacé la manière dont les démocraties se réforment : beaucoup selon les besoins, toujours un peu à la fois, ici ou là, en fonction des tendances politiques, des nécessités et des crises. Si on tentait rétrospectivement d'en prendre une vue globale, le résultat ressemblerait à un empilage désordonné – au pire une montagne opaque et au mieux un brillant patchwork, un tissu de règles et de régulations. Qu'elle marche bien ou non, qu'elle soit utile ou non, cette trame ne peut manquer de gêner.

Sous de bonnes vieilles dictatures, nous aurions pu tout revoir d'un coup pour en faire un système net et bien en ordre, rationalisé et efficace. Après tout, c'est théoriquement ce que Napoléon a accompli avec le système judiciaire français. Il a veillé tard, a dicté les règles nouvelles à un scribe et il les a ensuite imposées. Bien avant la révolution industrielle, l'efficacité vient au premier plan dans les promesses d'un dictateur réformiste. César était clair à cet égard lorsqu'il se préparait à renverser la République romaine.

Puisque cela ne semble pas être la façon de faire démocratique, les citoyens doivent se débattre avec les réformes. C'est particulièrement difficile lorsqu'ils tentent de réformer les réformes précédentes qui étaient les leurs ou celles d'autres personnes, chacune ayant été mise en place pour renforcer le bien public. Même si cela réussit, le patchwork risque de devenir encore plus disparate.

Le problème particulier des démocraties occidentales depuis les années 1970 est que les technocrates très spécialisés qui ont été mis en place pour faire fonctionner le patchwork n'ont pu éviter, même par inadvertance, de rendre plus difficiles les améliorations. Une fois en place, ils sont devenus les défenseurs naturels des systèmes dont ils étaient des experts.

L'étonnant, c'est de voir à quel point cette montagne opaque a bien fonctionné, même sans réformes. Mme Thatcher elle-même se vantait en 1981 que le revenu moyen par habitant dans les économies industrialisées occidentales avait été multiplié par deux et demi entre 1950 et 1980. C'était beaucoup « dû aux performances du miracle économique du Japon, de l'Allemagne et de la France ». Ces trois pays constituaient les exemples phares de démocraties très régulées. Quelques minutes plus tard, toutefois, elle attaquait ouvertement « les économies planifiées et contrôlées [4] ».

Il y avait des certitudes chez les idéologues, mais de la confusion dans l'esprit de la plupart des gens qui y réfléchissaient. Les citoyens d'une vingtaine de démocraties occidentales avaient bâti un système qui avait produit des miracles. Et il fonctionnait encore, même si cela avait demandé un gros effort. Et pourtant, il avait désespérément besoin d'une réforme. D'un dégraissage. Et pourtant, le système dont chacun a bénéficié et auquel chacun doit beaucoup ne pouvait manquer d'être dirigé – géré – sur une base au jour le jour par des leaders technocratiques, ce qui représentait le principal obstacle à sa réforme.

Dans un contexte aussi contradictoire, le globalisme s'est présenté comme la solution. En plaçant les relations économiques à un niveau plus large – un niveau international –, il détruirait les obstacles nationaux à la réforme. En se concentrant sur la régulation du secteur privé et en pratiquant la politique de la terre brûlée, le globalisme promettait qu'une grande force impossible à arrêter, empreinte d'abord de l'énergie liée au marché, puis d'énergie humaine, serait libérée. Les voyages aériens, le camionnage, les transports de toutes sortes, les réglementations en matière d'énergie, d'emploi, de finance figuraient parmi les nombreux secteurs affectés. Ce serait adapté aux différents continents. Mais des forces seraient libérées. Partout, les sociétés devraient suivre, libérant cette énergie dans chaque domaine.

Le seul problème, c'est que cette approche n'englobait aucune reconnaissance des succès de la période régulatrice qui avait précédé. On ne voyait pas que cette période avait elle aussi été précédée par une ère de dérégulation au cours de laquelle les tragédies humaines, les extrêmes dans la pauvreté et la richesse, les cycles destructeurs à la hausse et à la baisse et la montée du radicalisme politique étaient la norme.

Le mouvement pour la dérégulation croyait pousser la société en avant sur une terre plate afin de traiter des vrais problèmes. La prudence aurait exigé de se souvenir que la terre est ronde. Si on supprime une étape de l'organisation humaine pour corriger ses erreurs, progresse-t-on vers l'avant ou bien revient-on aux problèmes de l'étape précédente ?

Les privatisations : libérer nos énergies

Voici le frère siamois de la régulation/dérégulation. En 1970, les gouvernements de par le monde possédaient chacun un bon pourcentage de l'économie de leur nation. Ils avaient créé des entreprises dans les secteurs où le privé ne voulait pas aller. Ils en avaient créé d'autres en étant à la pointe du développement. Ils avaient repris des industries abandonnées par le marché au lieu de les laisser disparaître. Ils en avaient nationalisé certaines qu'ils croyaient d'intérêt national.

Étaient-ils allés trop loin ? Y avait-il déséquilibre ? Les gouvernements devaient-ils tout posséder ? Ou devaient-ils aborder de nouveaux domaines quand le bien public l'exigeait pour en sortir dès que la situation était stabilisée ?

Les gouvernements ont toujours possédé directement ou indirectement un pourcentage important de l'économie. Traditionnellement, la plupart des gouvernements possédaient tout le secteur de l'armement. Pendant la révolution industrielle, ils ont eu tendance à prendre le contrôle des systèmes de communication – télégraphe, postes, routes, ports, systèmes d'évacuation, eau –, parce que les milieux d'affaires ne se fiaient pas à leur secteur pour gérer ces monopoles naturels de façon équitable et efficace. Les hommes d'affaires avisés ont donc fait pression pour que les communications soient publiques et que les services soient sous monopole.

Incertains quant à la façon de ménager l'équilibre entre public et privé, les gouvernements ont souvent tenté d'instaurer des situations privées mais étroitement régulées pour tirer le meilleur parti des deux mondes. La plus grande voie de chemin de fer au monde – le Canadian Pacific Railway – a été construite dans les années 1870 et 1880 par le gouvernement grâce à un marché privé soigneusement choisi et formé. On a attribué au CPR des privilèges et des obligations. Cependant, cette sorte de monopole est vite devenue la cible de la vindicte populaire et il a fallu une nouvelle couche de régulations pour contrôler par exemple le fret. C'était en théorie l'époque du libre-échange, par opposition aux politiques spécifiques de développement national. Ces initiatives nationales impliquaient davantage de combinaisons public-privé intentionnellement monopolistiques ou oligopolistiques. La situation s'apparentait à celle de l'ère mercantiliste, avec ses grandes corporations commerciales.

C'est la première partie du XXe siècle qui a été la vraie période cruciale, lorsque les monopoles privés exploitaient la société de façon flagrante. Le gouverneur de l'État de New York d'alors, Franklin Roosevelt, s'intéressa aux producteurs d'électricité. En 1929, seize monopoles nationaux contrôlaient 92 % de la production privée d'électricité. Leurs prix étaient bien plus élevés que ceux des autorités publiques de pays voisins comme le Canada [5]. Dans diverses contrées d'Europe, les contrevenants étaient les propriétaires de mines de charbon, les chemins de fer, les aciéries ou encore des dizaines d'autres industries.

Même les conservateurs étaient d'accord sur la solution. Michael Oakeshott : « Les entreprises dans lesquelles on ne peut faire fonctionner la concurrence, comme l'agence qui les contrôle, doivent être transférées au public. »

Comme pour la dérégulation, l'atmosphère entourant les privatisations des années 1980 et 1990 a été très différente. Certaines entreprises publiques étaient mises au rancard. D'autres – comme l'eau et l'énergie – marchaient souvent si bien qu'on pouvait y voir une inutile distraction pour des gouvernements ayant beaucoup à faire par ailleurs.

Il n'y a pas eu de vraie analyse sur ce qui devait être privatisé et pourquoi. Il s'agissait simplement de transférer la propriété économique générale du public au privé afin de dynamiser une situation stagnante, hantée par la crise. Certaines de ces ventes avaient déjà fait perdre beaucoup d'argent. Un grand nombre de ces entreprises assuraient des revenus à long terme garantis. Quelques-unes avaient été privatisées en situation de concurrence naturelle ou de concurrence maîtrisée par de strictes régulations. Beaucoup – comme l'eau – étaient des monopoles naturels quels qu'aient été les actionnaires.

Un conseiller ministériel de la révolution globaliste néo-zélandaise est devenu ministre des Finances dans l'atmosphère très différente du début du XXIe siècle. Comme le dit aujourd'hui Michael Cullen, « il n'y a pas de raison de supposer que parce que quelque chose possède autre chose à titre privé, cela va être mieux dirigé »[6]. Si un monopole naturel est privatisé, seules des règles draconiennes peuvent préserver des prix équitables. Il est important de se souvenir que, dans de nombreux cas où des monopoles naturels ont été privatisés à un moment donné – l'eau par exemple –, ils sont devenus des centres institutionnels de corruption politique.

Mais il y avait autre chose derrière l'enthousiasme pour les privatisations. Le secteur privé sortait de trois décennies de croissance pendant lesquelles il avait été lourdement régulé et imposé sans effet négatif. Et soudain, dans les années 1970, la croissance s'est évaporée. Un nouveau départ s'imposait. L'encadrement dominant les entreprises était de plus en plus technocratique, gestionnaire plutôt que créatif ou prêt à prendre des risques. Des gens comme Schumpeter avaient depuis longtemps noté cette tendance. Ce n'en était plus une. Désormais, c'était la réalité dominante. Le secteur public recelait toute une gamme de secteurs sûrs, qui ne demandaient pas grand-chose de plus qu'un bon management, privé ou public, et qui garantissait des royalties à long terme. Dans ce scénario, la privatisation ne consistait pas du tout à libérer le marché pour qu'il devienne concurrentiel. Ou à introduire les dures contraintes du marché dans des entreprises publiques paresseuses. Au contraire. Il s'agissait de passer du libre marché capitaliste au découpage de coupons – style de vie plus passif très adapté aux gestionnaires.

Quelle que soit la force qui y a poussé – et sans nul doute, les impulsions étaient mêlées –, environ quarante entreprises ont été vendues en Grande-Bretagne, quarante en Nouvelle-Zélande, et en nombre équivalent en bien d'autres pays. L'énergie, les communications électroniques, les chemins de fer, les routes, l'eau, les postes. La valeur totale de vente a été de quelque 600 milliards de dollars. On débat encore pour savoir si de nombreuses entreprises n'ont pas été sous-évaluées et, le cas échéant, si cela l'a été par incompétence honnête ou pour aider intentionnellement des amis.

L'autre question simple porte sur la valeur à long terme. L'État – c'est-à-dire les citoyens – a mis des décennies à bâtir ces industries, et dans certains cas avec grand succès. Leur valeur réelle résidait dans le retour sur investissement à long terme. La privatisation signifie au contraire que l'État est payé en une fois, là où il ne peut investir avec le même espoir de succès. Les citoyens ont donc perdu le bénéfice d'un capital à long terme intéressant pour leur État-nation.

Cependant, alors, le thème dominant était la libération des énergies grâce à une économie plus souple, plus agile. Les exigences du marché dicteraient qui irait au rancard. Les paresseux seraient mis au régime. Les prix de l'énergie, de l'eau, des voyages et des communications chuteraient. Et ainsi de suite.

Les marchés monétaires dérégulés : un nouveau type d'échange réel

Peut-être le rêve romantique le plus original, le plus étrange ou le plus ironique du mouvement en faveur de la globalisation a-t-il concerné la normalisation des marchés de capitaux. C'était un secteur qui avait joué un rôle identique durant 2 500 ans d'histoire économique. C'est-à-dire depuis Solon, qui avait sauvé Athènes des emprunteurs, lesquels avaient handicapé leur société par un tissu de dettes impossibles à rembourser. Solon, le grand poète de la cité, a disposé de douze mois de pouvoir pour résoudre ce problème. Il a « brisé les chaînes »

– annulé les dettes – et apporté à la cité une liberté créative qui a produit Athènes, dont l'Occident démocratique prétend descendre.

Les millénaires qui ont suivi ont été riches en crises semblables et en semblables annulations de dettes, sous l'effet de la guerre, d'un effondrement économique ou d'une dévaluation massive. La seconde moitié du XIXᵉ siècle a été particulièrement excitante. La génération de banquiers de l'époque du libre-échange et de l'empire colonial a souvent bien vu comment la spéculation globale pouvait marcher. Ils ont « fait fortune en finançant la guerre [7] » au lieu de l'y perdre, parce qu'ils se sont alliés avec ceux qui étaient destinés à gagner. Karl Polanyi voyait en eux « l'agence permanente la plus élastique qui soit ». Lorsque John Maynard Keynes et l'Américain Harry White ont mis au point Bretton Woods, ils avaient bien en tête cette histoire. Leur expérience des années 1930 était plus claire encore. Ils voulaient protéger la démocratie « de l'impact gênant des flux de capitaux obéissant à des raisons politiques » ou par le désir dans l'élite d'échapper au « fardeau de la législation sociale ».

Rien de tout cela n'a tempéré l'enthousiasme des globalistes. Depuis les années 1970, ils voyaient dans les technologies nouvelles de communication, les raffinements financiers nouveaux et l'approche plus managériale du capitalisme une occasion – la première – de convertir l'argent en biens réels d'échange. Tout se passait comme si, pour parler comme John Ruggie, les marchés internationaux de capitaux avaient « été débarrassés de leur rôle de serviteurs du commerce international [8] ». L'argent, sous quelque forme que ce soit, était désormais un actif en soi. Il y avait des actifs tangibles, comme le commerce classique, et « intangibles », comme l'argent. Mais c'étaient tous des actifs. David Hume avait écrit que l'argent « n'est pas un rouage du commerce. C'est le lubrifiant qui rend le mouvement des rouages plus doux et facile ». Ce n'était plus vrai. Adam Smith et David Hume étaient détrônés.

Était-ce un vrai changement de caractère ? Plus exactement, l'argent pouvait-il changer de caractère ? L'économie globale nouvelle pouvait-elle modifier le caractère de l'argent ? L'échec historique de l'alchimie pouvait-il être inversé et l'argent changé d'une substance en une autre ? Le marché a décidé d'agir comme si c'était possible.

Dans les années 1970, six fois plus de monnaie que de biens réels a été échangé. C'était une multiplication de lubrifiant mis dans les rouages qui n'avait rien d'atypique. Et puis, la monnaie a commencé à sortir de plus en plus vite. Après 1980, tout se passait comme si le marché monétaire fonctionnait avec de l'eau et que, victime d'une crue subite, il explosait. En 1995, il équivalait à cinquante fois les échanges réels et continuait à croître. Ce n'était plus un serviteur. Il avait sa vie propre, excitante.

Tout au long de cette période, un chœur grec a mis en garde contre le désastre qui pointait. On montrait du doigt les niveaux sans précédents de spéculation. De spéculation improductive. Inflationniste. Mais la vérité globale du globalisme martelait que c'était l'argent qui était le nouveau bien réel, tout chaud.

Partout, on s'est mis à discuter de cette situation nouvelle. Mais les pays voulaient qu'il en soit ainsi, parce qu'ils voulaient bénéficier de ce nouveau marché international[9]. Les entreprises internationales voulaient qu'il en soit ainsi. Les néolibéraux déclaraient qu'il en allait ainsi. Ils voulaient que les gouvernements démocratiques respectent correctement la discipline des marchés financiers internationaux. Vu le record sur plusieurs millénaires de ces marchés, il n'était pas surprenant que l'effet produit soit souvent le contraire. Déjà au début des années 1980, on a pu voir le déficit commercial américain passer de 9 à 100 milliards de dollars, alors que le dollar s'est déprécié de 60 % en valeur réelle[10]. En d'autres termes, ce qui était désormais nécessaire, ce n'était pas seulement un bon management financier national, mais un management financier international strict, parce que les marchés monétaires développaient une logique intangible qui les concernait eux seuls et aucune réalité où que ce soit. La valeur de la monnaie n'était plus une récompense ou une punition.

Au début des années 1990, cette expérimentation consistant à prétendre que l'irréel était réel avait acquis encore plus d'élan. Les gens les mieux payés de Wall Street étaient impliqués dans la spéculation monétaire par le biais du capital-risque ou de fonds de placement. George Soros, à la mi-route de son chemin de Damas, venait en tête de liste et évoquait ainsi la vie du spéculateur monétaire : « Lorsqu'on se prend pour une sorte de dieu, pour le créateur de toutes choses, c'est une espèce de maladie ; mais je m'y sens à l'aise maintenant que j'ai commencé à en sortir[11]. »

Les crises du marché monétaire ont bientôt ébranlé la confiance même des dérégulateurs les plus convaincus et plus souvent que n'importe quel autre secteur. Et pourtant, les organisations internationales qui en étaient responsables ont été lentes à réagir. En 1992, le rapport annuel de la Banque des règlements internationaux, en pleine tempête financière en Europe, affirmait qu'« il faut que la dérégulation progresse rapidement ». Rares étaient les mises en garde.

Face aux évidences, un unique argument technique semblait maintenir les croyants dans la course – *il n'y avait pas d'autre solution*. Pourquoi ? Parce que les technologies de la communication reliaient les marchés dans le monde entier vingt-quatre heures sur vingt-quatre. Aucune nation, aucune institution ne pouvait donc empêcher le marché d'agir comme il pensait le devoir.

La dérégulation aérienne : la réussite ne suffit pas

Il nous faut parfois admettre que les plus romantiques de nos rêves paraîtront comiques aux autres. Après quarante ans de croissance et de réussite constantes, les compagnies aériennes ont décidé qu'elles voulaient davantage. Davantage de quoi ? Juste davantage.

Voici un cas où la globalisation et la dérégulation ont clairement commencé aux États-Unis, avec l'Airline Deregulation Act de 1978. Par suite, même le Bureau de l'aviation civile a progressivement été éliminé. Il faut se rappeler aujourd'hui que les règlements d'origine datant de 1938 avaient été mis en place parce que les soixante compagnies alors existantes étaient menacées de faillite. À ses débuts modestes, il semblait que ce secteur d'activité n'était pas adapté à un marché ouvert.

Cependant, à l'époque plus développée des années 1970, on était persuadé que tout avait changé. D'ailleurs, « quarante ans de régulation étroite s'étaient traduites par une industrie inefficace, vainement planifiée[12] ». L'idée qu'être *planifié* était une faiblesse nous enseigne que le principal rêve de la nouvelle école n'était pas de servir le public, mais de dégager de plus grands profits. « L'espoir très clair de ceux qui défendaient la dérégulation économique totale était que le secteur se transformerait en un marché très efficace, très compétitif et très orienté sur les consommateurs. » Le consommateur, selon cette théorie, n'était pas la même chose que le client ou le passager.

Détail curieux : cette activité n'a jamais cessé de croître. Les kilomètres voyagés ont augmenté de presque cent fois depuis 1950. Les transports aériens ont connu la croissance avant la dérégulation. Ils la connaissent après. Et dans le monde tout entier.

Le seul changement est que, jusqu'aux années 1970, cette croissance a dégagé des profits prévisibles.

Le gigantisme des entreprises : avoir la plus grosse

Si le monde devenait un seul grand marché, les entreprises devaient être aussi grosses que possible ; sinon, elles ne pourraient flotter ou faire des vagues sur cet océan dépourvu de côtes. C'était aussi simple que cela.

C'est un argument mercantiliste, hostile à la liberté des marchés, qui se reconnaît immédiatement. Il nous ramène aux grandes compagnies commerciales des XVIIe et XVIIIe siècles : la Compagnie des Indes orientales, la Compagnie de la baie d'Hudson, la Compagnie française de l'Orient et de la Chine, la Compagnie des Indes orientales hollandaises. Il est directement lié à l'argument en faveur des oligopoles et des monopoles. Ce n'est pas non plus un argument conservateur. Michael Oakeshott : « Même si les économies tant vantées réalisées grâce aux gigantesques combinaisons financières étaient réelles, une bonne politique voudrait qu'on sacrifie avec sagesse ces économies à la préservation de davantage de liberté et d'égalité économique [13]. »

L'obsession moderne pour la taille est managériale, et non capitaliste. Les technocrates, s'ils ont le choix, recherchent le pouvoir par la structure et son extension plutôt que par le développement direct ou la vente de biens. Pour un gestionnaire, la réussite se mesure à la taille de la structure et est confirmée par des bonus.

Lorsque les structures deviennent plus grosses, leur plus grand problème est la lenteur, le manque de créativité, l'aversion pour les risques, la stagnation au sommet. La façon la plus commode de dynamiser une telle structure consiste à en acheter une autre. C'est le traitement de choc managérial. Cogner deux organisations ensemble.

Il en est résulté le nouveau monde des fusions-acquisitions, dans lequel, en réalité, on ne fait rien, mais on se contente de déplacer de grands éléments, ce qui se traduit par l'émission effective de nouvelles formes d'argent pour financer le tout. En 2000, la valeur totale annuelle dans le monde des fusions-acquisitions était de 3,5 millions de milliards. C'étaient 3,5 millions de milliards de dettes, souvent attribuées à l'entreprise prise sous contrôle. L'année suivante a mal fini et le chiffre est tombé à deux millions de milliards. Un tiers concernait des rapprochements par-delà les frontières ; on pourrait donc dire que c'est du globalisme.

Un aspect fascinant du gigantisme est le mariage qu'il réalise entre les financiers les plus superficiels – en quête de « cibles », de « mégadeals », de « poules aux œufs d'or », de « gros coups » – et les gestionnaires d'entreprises les plus sérieux, qui n'aiment guère faire du commerce, parce que c'est indigne de leur professionnalisme. Dans leur monde, la taille remplace le risque et l'innovation. Ce qui rapproche les spéculateurs et les gestionnaires, c'est leur présupposé commun qu'être gros dispense d'avoir à penser.

Les multinationales : l'État virtuel

Cette vision nouvelle du pouvoir a été le plus sérieux des rêves globalistes, intimement lié à celui du gigantisme. La force du globalisme, par le biais d'accords commerciaux, de la dérégulation et de la privatisation, affaiblirait sérieusement l'aptitude des États-nations à agir de façon politiquement indépendante. Le vide de pouvoir qui s'ensuivrait serait rempli par l'alternative moderne évidente : l'entreprise multinationale. Plus riche qu'une majorité d'États-nations sur la planète, libres des obligations géographiques et sociales caractérisant ces vieux États, dépassant les exigences gênantes du nationalisme, libérée dans les faits des innombrables demandes sentimentales des citoyens, la multinationale pourrait organiser les affaires du monde sur un mode plus rationnel et efficace. Quant aux citoyens pris individuellement, ils se libéreraient de ces limites sentimentales encouragées par le cadre de vie national et profiteraient ainsi de ce nouveau régime multinational davantage régi par l'intérêt pratique.

Cela paraît un peu bêbête quand on le formule de cette manière. Mais les grands gestionnaires internationaux s'expriment ainsi depuis les années 1970. Davos déborde de ce message depuis le début.

Même aujourd'hui, cette histoire est celle que les professeurs de gestion racontent à leurs élèves. La multinationale est « le plus grand moteur à apprendre dans l'histoire du monde ». « Concurrente de l'autorité de l'État-nation », devenue « le moteur de la productivité », c'est l'avenir. « Qu'on le veuille ou non, l'entreprise multinationale est un acteur politique [14]. » La moitié de la double critique du capitalisme global par George Soros est consacrée aux marchés financiers globaux, et l'autre à « la domination grandissante des économies nationales » par les multinationales et à « la pénétration des valeurs du marché dans des domaines où elles n'ont traditionnellement rien à faire ».

Si on regarde les chiffres depuis les années 1970, ils justifient à eux seuls ce raisonnement. Ils n'en sont que plus convaincants aujourd'hui. Le revenu annuel brut de Wal-Mart, deux cent cinquante milliards de dollars, écrase celui de la plupart des États-nations modestes ou en voie de développement. Jagdish Bhagwati, ardent défenseur de la globalisation, ne s'inquiète pourtant guère de « la possibilité que les multinationales aient, par des pressions au service de leur intérêt, aidé à poser des règles en matière de commerce mondial, de propriété intellectuelle, d'aides et autres régimes qui pourraient nuire aux intérêts des pays pauvres [15] ».

Dans une veine assez différente, Hedley Bull voyait le retour d'« un équivalent moderne et séculier du type d'organisation politique universelle qui existait dans la chrétienté occidentale au Moyen Âge ». À cette époque, aucune structure n'était souveraine ou indépendante au sens du XIXe siècle. Il existait toutes sortes d'autorités qui se recoupaient – autorités religieuses, baronnies, duchés, royaumes, professions (guildes), systèmes commerciaux, foires commerciales internationales. Le sentiment d'exclusivité était rare. Or l'idée d'autorités qui se recoupent et ne sont pas exclusives est sans doute de retour, et souvent pour le meilleur. L'Europe en est le parfait exemple – c'est un continent dominé par des autorités qui se recoupent.

Toutefois, Bull entrevoyait aussi quelque chose de plus sombre dans le retour du modèle médiéval : un mélange de désintégration grandissante des États établis, de retour de la violence non étatique – qui est étroitement et souvent improprement décrite aujourd'hui comme du terrorisme – et de montée des organisations multinationales. On pourrait sans doute soutenir qu'aujourd'hui, les organisations multinationales les plus importantes sont les entreprises gigantesques. Et les seuls règlements et tribunaux internationaux efficaces qui ont été mis en place au niveau global ont été conçus principalement pour arbitrer leur autorité lorsqu'elles se recoupent.

Ce raisonnement implique en partie le retour de l'idée médiévale d'allégeance et de fiefs transfrontaliers. L'écrivain américain Lewis Lapham : « Les hiérarchies consanguines du capitalisme international imitent les accords féodaux anciens. » On pourrait aussi dire que le système actuel ressemble au *clientélisme* romain antique. S'il est vrai, comme le soutien la théorie globaliste dominante, que les individus sont surtout inspirés par leur intérêt et que les civilisations le sont aussi tout en étant menées par des multinationales qui ont un pouvoir sans responsabilité, alors la vision romaine de la *clientela* aurait du sens. Mais selon les termes du bas Moyen Âge, tout cela serait une aberration de l'idée de responsabilité croisée. Les multinationales d'aujourd'hui sont comme des guildes, mais sans responsabilité, conçues pour réduire le citoyen au client.

Peut-être tout cela est-il prématuré. La grande majorité des multinationales sont des créatures de l'Occident. Le reste du monde voit en elles des instruments de l'Occident. Elles sont physiquement centrées quelque part. Le gros de leurs dirigeants vient d'un seul endroit – un État-nation ou une région. Leur culture d'entreprise reflète leur pays d'origine. Et leurs employés de par le monde vivent en réalité ailleurs. Jusqu'à quel point abdiqueront-ils leur loyauté pour entrer pleinement dans une structure virtuelle qui ne leur offre même pas la garantie de l'emploi ?

L'argument de Mussolini en 1935 est plus convaincant : « Le supercapitalisme trouve son inspiration et sa justification dans une utopie, l'utopie de la consommation sans limite[16]. » Ce qui est convaincant, c'est sa compréhension du fait que les situations dans lesquelles la civilisation est réduite à une perspective commerciale laissent des ouvertures aux faux populistes comme lui, prétendant parler au nom du besoin d'attachement local qui est délaissé.

Des budgets équilibrés : une projection moralisatrice

C'est l'une de ces improbables affirmations morales – et non éthiques – qu'a apportées avec lui le raz-de-marée du globalisme et qui a balayé maints pays avec une force telle que des commentaires posés sont devenus impossibles. Des comptes publics bien gérés, disait-on, doivent être équilibrés. La dette publique dépouille nos enfants. Si on ne peut mener des programmes publics sans s'endetter, alors qu'on les abandonne !

Et donc, ici ou là, les gouvernements nationaux et régionaux ont promulgué des lois pour se retirer le droit de s'endetter. D'autres ont posé ce qu'on a appelé des limites raisonnables. Ils n'avaient pas nécessairement tort. À long terme, certains niveaux d'endettement sont irresponsables. Et ils l'étaient dans les années 1970, ce qui a fait craindre une crise internationale. Mais il est aussi des raisons plus ou moins responsables de contracter des dettes. Les plus évidentes sont liées à une crise du bien public, à des investissements pour améliorer celui-ci et à l'urgence militaire. Les plus irresponsables impliquent une mauvaise représentation de l'urgence militaire – ou de la façon de la traiter – justifiant de donner de l'argent aux fabricants d'armes.

Rendre l'endettement illégal ou fixer des limites permanentes était doublement improbable. Premièrement, le message moralisateur est venu du secteur privé et d'économistes qui ne croyaient pas aux programmes publics. Et pourtant, l'ère de la globalisation a connu l'indulgence la plus extravagante et la plus irresponsable à l'égard de l'endettement dans le secteur privé depuis la bulle du Mississippi. Mais la morale, par opposition à l'éthique, n'est en général bonne que pour les autres. Le passage de l'énergie du marché au service de ses dettes a été lié en bonne partie à la restructuration de l'actionnariat des entreprises plutôt qu'à des investissements dans des domaines nouveaux ou en développement. Il se pourrait que ce soit l'une des clés permettant de comprendre à quel point la croissance réelle a été faible durant l'ère de la globalisation même si le marché a été inondé par l'argent.

Deuxièmement, l'endettement a toujours représenté un outil central pour le pouvoir politique. La bataille pour la démocratie a en bonne partie tourné autour de la lutte des élus pour contrôler le droit d'accroître les impôts et de contracter des dettes comme ils le voulaient pour ce qu'ils voulaient. De nos jours, on considère rarement le droit de s'endetter comme un *droit*, mais les dirigeants démocratiques des débuts si. Se dénier ce droit, c'était revenir aux XVIIe et XVIIIe siècles, lorsque les élites aristocratiques ou le roi contrôlaient le pouvoir de s'endetter et pouvaient donc interférer avec l'accumulation et la dépense d'argent.

L'endettement a toujours été un outil complexe qui

marche le mieux quand on l'utilise avec modération. En cas d'urgence, toutefois, un gouvernement pourrait avoir à renoncer à la modération. Historiquement, l'endettement n'a eu qu'un seul aspect moral. Et il valait pour le secteur privé, pas pour le public. Gagner sa vie en prêtant de l'argent était toujours, dans presque toutes les civilisations, considéré au mieux comme peu recommandable et très souvent comme immoral. Dans presque toutes les grandes religions de par le monde, des règles l'interdisaient. Peut-être le moralisme anti-endettement du mouvement en faveur de la globalisation avait-il d'autres vues que d'en finir avec les gouvernements. Peut-être venait-il de financiers prenant leur revanche sur des siècles de mépris.

La nature comme machine

Ajoutez les huit enthousiasmes qui précèdent, et la conclusion naturelle sera notre désir de traiter la nature comme un enfant malléable, mais récalcitrant, du marché. Le but est clair. Les méthodes de production industrielle et l'ouverture des marchés encourageront la croissance en général et plus précisément la production de produits agricoles à bas prix, ce dont les pauvres ont précisément besoin : plus pour moins.

La théorie industrielle de l'agriculture nous rappelle que la globalisation n'est pas simplement une invention du secteur privé. Le plus souvent, les grandes solutions de la globalisation ne sont que des versions privatisées des grandes solutions gouvernementales de l'après-guerre.

Ce serait une erreur que de condamner ces grandes approches comme des échecs. C'est le gouvernement qui a drainé les marais pour vaincre la malaria en Occident ; qui a organisé les systèmes d'évacuation et la fourniture d'eau potable, ce qui a davantage favorisé l'espérance de vie que n'importe quelle innovation médicale ;

qui a reconstruit l'Europe en 1945 en moins de dix ans ; qui a suscité le miracle japonais en moins de temps encore ; qui a produit des surplus alimentaires mondiaux, même s'ils n'ont jamais été répartis équitablement. Et c'est la globalisation qui nous a conduits à repenser la production ; qui a saisi les possibilités économiques qu'offraient des domaines inattendus ; qui a démontré qu'on peut se servir de la technologie d'une manière inattendue et que nous ne devons pas rester prisonniers d'une structure donnée, même si c'était là un message involontaire.

L'ère keynésienne et l'âge de la globalisation ont tous deux tourné autour de grandes solutions. Il y a une différence utilitariste entre elles : les solutions publiques tendaient à être assez pratiques – des barrages, des routes, des ports –, tandis que les solutions de la globalisation ont été plus abstraites. Il s'agissait davantage d'une théorie portant sur la façon dont tout fonctionne, qu'on pourrait appliquer n'importe où et à n'importe quoi. Assez curieusement pour un mouvement se déclarant hostile à la bureaucratie, la globalisation a tourné en système consacré aux systèmes. La forme plutôt que le contenu, l'étude de cas, l'admiration pour les dons abstraits des experts de la structure, le mépris pour les esprits plus pratiques s'adaptant aux réalités particulières. Malgré la paternité d'Hayek, de Friedman et d'une foule d'économistes néolibéraux partisans du libre-échange, le cœur de la théorie tient surtout – ce qui est plutôt fastidieux – à deux éléments administratifs : le management et l'évitement des risques. Le troisième élément a été l'obsession de l'accumulation de richesses, par opposition à la concurrence, à l'innovation et à la production. La révolution globaliste a affirmé que le management du secteur privé est une manière plus efficace de gérer la structure que le management du secteur public, convaincue qu'elle était que l'accumulation de richesse doit remplacer l'investissement, le risque et la croissance.

Nous connaissons bien les échecs de l'approche publique : les barrages qui résolvent un seul petit problème en en créant toute une série de nouveaux, par exemple, ou les grands programmes industriels imposés aux pays en voie de développement par la Banque mondiale, qui ont déstabilisé les régions rurales et créé d'immenses bidonvilles.

La vision industrielle de l'agriculture selon le secteur privé – production de masse, grosses machines, grandes quantités d'additifs artificiels – est dans la même tradition optimiste. Assez curieusement, cette vision a toujours impliqué de vastes aides publiques. Ce que les habitants de l'Occident ont vu, c'est que cette approche industrielle de l'agriculture peut produire des surplus alimentaires, mais favorise l'exode rural, la faillite des petites entités, les plus gros producteurs devant même se battre pour rentabiliser. Les profits réels du dernier quart de siècle sont allés aux organisations managériales – les intermédiaires –, grossistes et grands détaillants de machines, d'additifs et d'alimentation de masse.

Pour les pays en voie de développement, les conséquences sont énormes. Dans les pays à faibles revenus, 70 % des emplois sont agricoles ; dans les pays à revenus moyens, 30 %. En Occident, 4 %. Et même ainsi, ce secteur a connu en Occident une crise financière et humaine permanente depuis les années 1970. L'application des méthodes de l'agriculture industrielle dans les pays à faibles ou moyens revenus est une recette pour produire une catastrophe sociale. Et pourtant, c'est le rêve des marchés ouverts. Les plus efficaces gagneront. La nourriture ne sera plus qu'un résultat secondaire de l'emploi de la méthode industrielle. Ou pour dire la même chose autrement, l'agriculture est conçue de façon déterministe comme une industrie, pas comme une source de production alimentaire. Et pourtant, avec 70 % de la population des pays à faibles revenus vivant sur de petites propriétés, l'efficacité est une considération très mineure. Pour des gens dépourvus de revenus monétaires, la sécurité alimentaire, la viabilité des champs, la prévention des désastres naturels, la biodiversité, l'emploi des personnes âgées, voilà la *short list* des questions bien plus importantes que le Programme des Nations unies pour le développement (PNUD) a mis en avant [17]. Peut-être ce message est-il discret, mais il est clair : l'agriculture « joue des rôles non marchands très divers ».

Une telle approche stratifiée et subtile est bien éloignée de l'idée qui prévaut en Occident selon laquelle notre réponse politique typique, face à ces sociétés qui ne suivent pas le modèle de l'agriculture industrielle, doit être de bloquer l'importation de leurs produits. Pourquoi ? Mystérieusement, leurs produits sont déclarés injustement bon marché, alors même que nous décrétons que leur production est inefficace. Encore plus curieusement, nous ne voulons pas discuter sérieusement de *l'agriculture industrielle très moderne fixée sur la grande solution* qui opère dans nos sociétés. Personne ne veut parler de ses contradictions. Par exemple, même avec dix à quinze milliers d'acres de terres céréalières et les meilleurs équipements et produits chimiques, un agriculteur de l'ouest du Canada ou des États-Unis réalise difficilement des profits constants et prévisibles.

Cela ne semble pas satisfaire les attentes de la théorie économique et de la structure managériale actuelle. Personne ne veut aborder ce secteur économique des plus transparents comme un test de la théorie globale. Parce que la conclusion serait, tout enthousiasme mis à part, que cela ne marche pas. Nous devrions alors débattre d'une autre approche, moins enthousiaste peut-être, mais plus réaliste.

CHAPITRE X

Une force qui gagne du terrain

La globalisation n'a pas surgi d'un coup au début des années 1970. Il a bien fallu quinze ans pour qu'on sache de quoi on parlait quand on prononçait ce mot. Et ces quinze années ont fourmillé de tentatives pour définir le prisme économique international à la faveur des traités, des tentatives pour maîtriser des crises, des organisations internationales et de moult déchirements entre experts. Cependant, le débat public a été faible autour des présupposés économiques et sociaux que l'approche globaliste impliquait. Le moment n'était pas encore venu.

L'accent a plutôt été mis assez franchement sur le commerce. Le commerce, clé de la croissance, des relations internationales, de la démocratie, de presque tout. Considéré auparavant comme une activité utilitaire importante, il a petit à petit acquis une noblesse culturelle qui aurait surpris même Cobden. On aurait dit que c'était le moteur de la civilisation. Pour certains, faire traverser les frontières à des produits semblait le fin du fin de la civilisation. Produire des biens pour les marchés locaux passait pour suranné, inférieur, inintéressant.

Dès que s'établit une mode, elle prend tout l'espace. Aussi le sens même du terme commerce s'est-il petit à petit étendu. Pour ne plus concerner simplement les biens, mais aussi les services. Plus uniquement les produits, mais aussi les travailleurs. Mais en général, toute mode va trop loin, de sorte qu'aujourd'hui, l'espace qu'elle occupait commence déjà à se rétracter – tiré en arrière qu'il est par la réalité que vivent les gens. Par exemple, un nombre de plus en plus grand d'économistes et de non-économistes se demandent désormais pourquoi une activité comme la propriété intellectuelle consistant à collecter passivement des royalties devrait être protégée par le régime du commerce international. Et en 2004, la Banque mondiale a estimé que les accords commerciaux complexes et stricts nuisent souvent aux pays en voie de développement [1].

Derrière l'idée en apparence simple de l'importance du commerce et de ce qu'il doit inclure se cache un autre argument, peut-être plus important. Le programme économique et social néolibéral ou néoconservateur était-il nécessaire au couple commerce international-croissance ? Si oui, à quel point ? Par exemple, était-il nécessaire de relier l'idée de dérégulation à celle de commerce sans frontière ? *Quid* de l'idée d'AMI (Accord multilatéral sur l'investissement), de traitement égal pour toute entreprise en n'importe quel pays ? En d'autres termes, donner la primauté aux intérêts des entreprises sur le bien public des nations particulières allait-il de pair avec l'idée de commerce sans frontière ? En insistant sans discontinuer sur ce type de liaisons, les propagandistes de la globalisation ont fait que leur mouvement a nécessairement été considéré comme néoconservateur. En retour, le langage du commerce est donc petit à petit devenu celui du mouvement néoconservateur.

À quel point ce langage s'est traduit réellement dans les faits a dépendu des pays et des questions en jeu. Mais dans la seconde moitié des années 1980, même les programmes sociaux publics menés par des gouvernements sociaux-démocrates ont souvent été considérés à travers le filtre intellectuel néolibéral de la concurrence, de l'intérêt, de l'efficacité, des *coûts réels*, et ainsi de suite. La raison invoquée était que c'était la conséquence inévitable du fait de vivre dans une économie globale.

La première étape dans ce cheminement a été la création du G6, qui est rapidement devenu le G7, puis le G8. Avec la première des crises fondatrices – le démantèlement de Bretton Woods en 1971 par Richard Nixon –, les ministres des Finances des États-Unis, d'Allemagne, de France et de Grande-Bretagne ont commencé à se réunir en privé pour discuter de ce qu'il convenait de faire afin de stabiliser la situation. Ils se sont rassemblés dans la bibliothèque de la Maison Blanche, ce qui leur a valu le nom de Groupe de la bibliothèque. Le ministre japonais est bientôt venu les rejoindre. En 1974, deux d'entre eux sont devenus chefs de leur gouvernement – Helmut Schmidt et Valéry Giscard d'Estaing –, et ils ont tenu à reconstituer leur groupe de travail au niveau des chefs de gouvernement afin de traiter des problèmes économiques mondiaux [2].

C'était une idée pleine de finesse. Et elle était aussi révolutionnaire. Les chefs de gouvernement des démocraties les plus puissantes ont pris le pas sur les rassemblements internationaux existants en créant une structure plus haute, conçue pour envisager la civilisation à travers un prisme économique. Cela ne s'était jamais produit auparavant. Les préoccupations démocratiques, les préoccupations sociales, les préoccupations diplomatiques et militaires reculaient au second plan. Si ces dirigeants se réunissaient de la façon la plus exclusive, la principale raison en était le management économique. Et quels que soient les autres problèmes posés – les crises terroristes, par exemple, pendant les années 1970 –, c'est un forum économique qui les abordés.

On retrouve les implications de ce prisme dans les détails. Par exemple, les réunions étaient – et sont encore – organisées par des *sherpas* : un conseiller de chacun des chefs de gouvernement. Ce sont en général des économistes et des experts du commerce.

Mais il existait une autre vision du pourquoi et du comment de la création du G7. Kissinger en savait plus sur l'histoire européenne que Schmidt ou Giscard. Il s'était ému du déclin d'influence politique et économique des États-Unis, ainsi que des signes de désordre international montant. Son idée était de réinventer le Concert européen de Metternich et de Castlereagh, qui s'étaient réunis cinq années durant à partir de 1818. Le traité de Vienne stipulait que ces réunions avaient « pour but de se consulter sur leurs intérêts communs et d'envisager les mesures [...] salutaires pour le repos et la prospérité des nations, et le maintien de la paix de l'Europe[3] ». Selon Harold Nicolson, ils avaient voulu « un dispositif institutionnel permanent permettant aux Nations unies de coopérer indéfiniment à prévenir la menace de guerre d'où qu'elle survienne ». Nicolson utilisait le terme « Nations unies » pour faire un parallèle avec 1945. Kissinger entrevoyait un nouveau parallèle et imaginait le G7 exactement dans les termes du traité de Vienne, à savoir pour prévenir la guerre. Voilà ce qu'il voulait. Et étant donné sa vision géopolitique plus large, il a insisté pour qu'on y adjoigne l'Italie, parce qu'il s'inquiétait du communisme italien, et le Canada, parce que c'était la clé des marchés mondiaux de matières premières, en particulier des minerais. Il n'excluait donc pas l'économie. Il voulait un corps capable d'« actions conjointes et résolues qui confèreraient aux démocraties industrialisées une voix plus forte dans les décisions économiques affectant l'avenir ». Il estimait toutefois que les questions politiques étaient prioritaires.

Les deux dirigeants technocratiques européens n'étaient pas d'accord avec lui. Leur modèle était un reflet du Marché commun en matière économique et administrative. Et grâce à Giscard, ils ont organisé la première réunion de chefs de gouvernement dans la maison de campagne du président français à Rambouillet. La date : novembre 1975. Le sujet : les taux de change. Les Khmers rouges avaient pris le pouvoir six mois auparavant et étaient déjà en train d'assassiner la population civile cambodgienne. Lorsqu'ils ont été renversés en 1979, ils avaient exécuté quelque deux millions de personnes. Le sujet n'est jamais venu à l'ordre du jour du G7.

Cette observation est peut-être un peu dure, mais elle n'en éclaire pas moins les raisons pour lesquelles quelques années plus tard la guerre civile yougoslave a été si mal gérée par l'Europe et le G7. Non que les chefs d'État aient nécessairement décidé d'éviter la politique pendant leurs réunions. Pendant trois ans, ils ont bataillé pour savoir ce qu'il fallait faire avec le terrorisme. Mais quand on analyse les ordres du jour année par année sur trente ans, le commerce est de loin le sujet le plus discuté. Pendant les premières années, ils avaient dû affronter deux autres problèmes économiques – le chômage et l'inflation. Une fois l'inflation classique réduite, les chefs d'État ont paru oublier ces deux questions. L'accent s'est déplacé vers le commerce, expression de la globalisation, de sorte qu'il est devenu la réponse à tous les problèmes, y compris le chômage.

Chose curieuse, selon les chiffres de John Kirton, ils n'ont pas particulièrement bien géré les crises économiques soudaines qui les ont frappés. Peut-être auraient-ils mieux réussi s'ils avaient été plus sensibles au pouvoir fondé sur des idées qu'à la démarche inspirée du management et reposant sur l'acceptation du caractère inévitable du contexte. Les sept chefs d'État ont souvent fait mieux sur le front politique. Quant aux crises économiques, elles ne cessaient d'éclater. L'effondrement en cascade du Mexique, une crise de la dette du tiers-monde en 1982, une crise de la dette américaine en 1983, un krach boursier en 1987.

Dans leurs débats sur le management économique et le pouvoir politique, quelque chose de très révélateur est apparu. Giscard avait été longtemps, et semble-t-il avec succès, ministre des Finances. Il avait été élu à la mi-1974 parce que ce jeune président semblait capable d'apporter ses talents économiques au plus haut niveau de l'État. Il représentait un nouveau style d'homme politique. C'était le spécialiste. L'homme qui pouvait vous débarrasser de vos soucis grâce à son expertise financière. En comparaison de dirigeants comme Charles de Gaulle ou Konrad Adenauer – qui intégraient les sentiments des citoyens à leurs vastes schémas –, c'était un dirigeant calme, dépassionné, moderne. Et même postmoderne. C'était le visage même de l'État-nation postnationaliste.

Cependant, Giscard est parvenu au pouvoir en plein milieu des crises fondatrices du pétrole, de l'inflation, du chômage et de l'absence de croissance. Il a contre-attaqué du mieux que pouvait un technocrate, c'est-à-dire sans le moindre impact. Les taux d'intérêts étaient si élevés qu'ils acculaient à la faillite le secteur privé sans pour autant permettre de contrôler l'inflation. Giscard est devenu perplexe. Découragé.

Et puis, un soir, il est apparu à la télévision pour s'adresser aux gens. Il leur a annoncé que de grandes forces globales étaient à l'œuvre. C'étaient des forces nouvelles. Des forces inévitables. Des forces tenant à l'interdépendance économique. Un gouvernement national n'y pouvait pas grand-chose. Il était impuissant.

Cette apparition historique a sans doute représenté la déclaration initiale présentant la globalisation comme une force échappant au contrôle des hommes. Ce fut aussi l'invention du nouveau dirigeant : le gestionnaire castré. Cette vision a créé une vraie mode chez les dirigeants à tous les niveaux. La réponse facile à la plupart des problèmes difficiles consistait de plus en plus à se lamenter publiquement d'être sans pouvoir. Impuissants. Des budgets importants, des structures publiques, les talents et la détermination de la population ne faisaient guère de différence. Ce n'étaient pas des problèmes à résoudre. C'étaient les manifestations de la réalité globale. Avec ses amis dirigeants ou gestionnaires dans d'autres pays, tout juste pouvait-on du mieux possible arrondir les angles grâce au management des détails.

On pourrait dire que la globalisation est devenue une excuse pour ne pas aborder les problèmes importants. Pire encore, cette trahison de l'idée de responsabilité publique – c'est-à-dire de la croyance en la possibilité du choix – a petit à petit miné la confiance des citoyens dans leur démocratie. Les gens comme Giscard ont rendu crédible le shibboleth de l'inévitable. C'était le retour aux prêtres apeurés qui ont tellement contribué aux moments les plus sombres du Moyen Âge.

Dans une telle atmosphère, la clarté et la détermination d'une Margaret Thatcher et de quelques autres étaient une bouffée d'air frais. Au début des années 1970, il semble qu'elle ait préparé le terrain pour les néoconservateurs et ait réalisé le gros œuvre affectif pour la globalisation. Au cours d'un célèbre incident, elle a clos un débat entre membres du Parti conservateur en cognant *The Constitution of Liberty* d'Hayek sur la table et en s'écriant : « Voilà ce en quoi nous croyons ! » Elle se servait souvent d'une formule simple – *Il n'y a pas d'autre solution !* – pour forcer à se rallier à sa politique.

Mais un courant sous-jacent est venu s'opposer à cette force. S'il n'existait pas d'alternative, alors, elle aussi était victime de l'inévitable. Elle aussi était faible. Elle aussi avait peur de cette force humaine centrale qu'est la confiance dans ses propres doutes. Octavio Paz : « On ne peut sacrifier la pensée critique sur l'autel du développement économique accéléré[4]. »

En privé, Mme Thatcher était en réalité bien plus ouverte à l'incertitude, à la persuasion, au débat que ses concitoyens ne l'imaginaient. Mais la vision qu'elle avait d'elle-même, de l'époque et de la crise exigeait de ne montrer aucun doute. Sa certitude publique renforçait l'affirmation selon laquelle on ne pouvait revenir sur le progrès accompli et qu'il était inévitable. « Inévitable et irréversible » : voilà le cœur de ce qui était affirmé. Elle semblait dire, avec d'autres, qu'on vivait un moment de changement systémique historique, comme la fin du féodalisme ou la naissance de l'État-nation [5].

La réalité était peut-être moins mystérieuse. Nous assistions à l'avènement de la fausse réalité managériale. Comme disait M. G. Smith, « cette conception reposait sur l'illusion que la bureaucratie, quand elle domine tout, est un organe plus rationnel ou supérieur de gouvernement qu'une bureaucratie contrôlée [6] ». Et Camus : « Rien n'étant vrai ni faux, bon ou mauvais, la règle sera de se montrer le plus efficace, c'est-à-dire le plus fort. Le monde alors ne sera plus partagé en justes et en injustes, mais en maîtres et en esclaves. »

Le maître, ici, ce n'était pas le gestionnaire de l'efficacité. C'était la main invisible de l'inévitable. L'idée managériale de grandes solutions était relativement banale, souvent monolithique ou obsessionnelle. Quelque chose qui s'appelait la *productivité* est devenu le dieu de la théorie économique. Des personnes sensées comme le théoricien du management Henry Mintzberg ont souligné que la productivité servait – et sert toujours – en général à décrire ce qu'un micro-économiste peut aisément mesurer. Ainsi limitée, la productivité ne peut évaluer des idées, la mémoire d'une entreprise, la loyauté à son égard ou les dirigeants. Les mesures draconiennes – de réductions d'effectifs et de licenciements, en général – prises pour augmenter la productivité ont fait perdre aux entreprises leurs forces à moyen et long terme.

Ce qui a donné à la classe managériale une telle confiance dans son rôle de serviteur de l'inévitable, c'est l'instauration d'une idée globale – à savoir partagée par tous – de ce qu'ils font. Il se peut que le vrai but de Davos ait été de leur permettre de se faire écho – expérience d'autocélébration pour des dirigeants sans direction. Là, ils ont pu affiner leur vocabulaire global et l'ajuster aux modes du jour. Le fait que ceux qui financaient Davos s'en servaient consciemment pour façonner ces modes rassurait ceux qui y venaient en quête d'une direction à trouver au sein d'un club fermé.

La technologie représente l'autre support qu'on a trouvé – la vérité inévitable qu'il existe bien un progrès technologique. Les économistes et les gestionnaires internationaux se sont convaincus que chaque région ou chaque pays devait adopter les moyens technologiques nouveaux permettant d'améliorer leur productivité. Mais le démographe et économiste David Foot l'a souligné, la technologie qui économise du travail n'est de prime importance que dans les pays à faible croissance démographique. Appliquer de façon simpliste une stricte conception de l'efficacité technique dans chaque société peut provoquer une catastrophe sociale et économique à court ou moyen terme.

Rien de tout cela n'est nouveau. Le caractère inévitable du progrès technologique a été utilisé contre la classe des artisans au début du XIXe siècle pour justifier de les exclure au lieu de négocier leur réintégration. Cette exclusion a provoqué une explosion politique qui a commencé avec les luddites britanniques et qui a duré un siècle – suscitant le communisme, le fascisme, des dictatures faussement populistes, des violences urbaines. Et pourtant, une partie classique du discours managérial contemporain consiste à traiter de luddite toute personne qui veut envisager une approche non exclusive du progrès technique. En 2004, la directrice générale du FMI, Anne Krueger, a accusé les ONG d'être luddites. « Le progrès auquel elles se sont opposées n'en a pas moins bénéficié à une sous-section bien plus large de la population[7]. » C'est une erreur d'interprétation très classique, officielle même, de l'histoire occidentale. Mme Krueger est-elle ignorante ou bien se contente-t-elle de répéter passivement ce qu'elle a entendu ses professeurs dire ? Ou bien, de la part de quelqu'un de son niveau, une telle répétition n'est-elle pas une forme d'ignorance volontaire – un refus d'essayer de comprendre ?

Les luddites n'étaient pas opposés au progrès. Ils voulaient seulement y participer, ne pas mourir de faim, ne pas être humiliés.

La version actuelle du déterminisme technologique ancestral apparaît dans une affirmation bien plus large – celle du déterminisme global. C'est présenté comme une modernité sans trêve – la technologie incontrôlable emportant les humains ordinaires. En réalité, le raisonnement n'a rien à voir avec la modernité. Son message central est que les humains sont rendus passifs par la logique des machines aveugles. Que cela puisse servir d'argument justifiant le raffinement moderniste et le progrès révèle bien la panique que ressentent les technocrates quand on leur demande d'être des dirigeants.

Plus problématique encore est le fait que cette version de la modernité n'est guère plus qu'une prolongation de l'idée datant de la révolution industrielle selon laquelle la technologie plaide pour l'exclusion. C'est souvent une reprise brute et peu ingénieuse du déterminisme technologique impérialiste de jadis. Sven Lindqvist le décrivait ainsi : « La supériorité technique confère le droit naturel d'annihiler l'ennemi même quand il est sans défense. » Annihiler peut vouloir dire : rationaliser, marginaliser, exclure, abandonner à la pauvreté, faire mourir de faim ou tuer.

Le cœur de l'argument globaliste en faveur du caractère inévitable de la technologie se trouve probablement dans les combats permanents autour d'Internet et de la propriété intellectuelle. Lawrence Lessig, peut-être le plus grand militant et théoricien des systèmes de communication, s'inquiète de voir que les grandes entreprises de communication et de divertissement prennent de plus en plus le contrôle du réseau. Tout se passe « comme si General Motors pouvait construire le système autoroutier de sorte que les camions GM y roulent mieux que les Ford[8] ». La possibilité de contrôler les moyens réels de communication, par opposition à ce qu'ils véhiculent, est l'un des plus vieux rêves managériaux, on le retrouve dans tous les empires et systèmes religieux. On voit donc le lien national et historique qui existe entre le pouvoir absolutiste et le management qui cherche à tout contrôler.

Il est central dans l'idée de monopole et d'oligopole. Il faut se poser une question chaque fois qu'est invoqué un argument relevant du déterminisme technologique. Le but est-il de produire des protections justifiables pour certaines initiatives nouvelles ? Ou bien l'inévitabilité est-elle seulement un terme conçu pour des rentiers qui se demandent périodiquement comment empêcher leurs avantages de reculer ? La confusion qui entoure le fait de poser franchement cette question est, selon Lessig, « l'illusion des "-ismes" – à savoir le fait de confondre la réalité d'une chose avec ce qu'elle doit être [...]. Le Net ne doit pas être d'une seule et unique façon ; aucune architecture simple ne définit la nature du Net ».

Le début des années 1970 indiquait de façon troublante comment cette théorie économique globaliste et managériale fonctionnait. Les dirigeants technocratiques européens ont soudain compris que leurs classes ouvrières nationales avaient disparu. Un siècle de progrès social encouragé par les politiques publiques et la régulation – en particulier le quart de siècle triomphant d'après 1945 – avait élevé les niveaux d'instruction, développé les aptitudes, haussé les salaires et les niveaux de vie en général. En fait, cette situation avait été de plus en plus évidente tout le long des années 1960. Au lieu de tenter de repenser et de réorganiser la partie de l'économie qui dépendait de la classe ouvrière traditionnelle, la technocratie a décidé tout simplement de créer une nouvelle classe ouvrière en important des centaines de milliers de *travailleurs invités* du bassin méditerranéen. La plupart étaient musulmans. La plupart étaient issus de grandes civilisations impériales comme la Turquie et le Maroc. D'autres provenaient d'ex-colonies comme l'Algérie, la Tunisie et la Somalie, qui étaient aussi des civilisations organisées et complexes. Le fait que ceux qui ont été amenés venaient de la partie la plus pauvre et la moins instruite de la population a permis aux gestionnaires de prétendre qu'il n'était pas indispensable de tenir compte de la richesse de leurs origines. Le modèle des technocrates était de l'utilitarisme à l'ancienne mode teinté de théorie abstraite du management. C'était une radicalisation du taylorisme du XIXe siècle, qui confondait consciemment hommes et machines.

La théorie stipulait que ces travailleurs invités arriveraient avec leurs femmes pour s'occuper d'eux et donc leurs enfants. Ils travailleraient, auraient accès aux services sociaux offerts aux citoyens, mais ne deviendraient pas des citoyens – combinaison assurée de provoquer aliénation et humiliation. Bien sûr, ils seraient prêts à rentrer chez eux dès que leur hôte le souhaiterait. Trente-cinq ans après, dix-sept millions de musulmans, dont des travailleurs immigrés, pour beaucoup aujourd'hui à la retraite, leurs enfants, leurs petits-enfants et des travailleurs plus récents, sont pris, ainsi que quatre cent cinquante millions d'autres Européens, dans les contradictions éthiques et humaines que cette démarche managériale globale a créées. Beaucoup d'entre eux peuvent maintenant devenir citoyens. Et beaucoup le sont déjà. Mais l'ensemble du processus d'assimilation repose sur un dédale utilitaire d'exclusion. Le résultat tend donc à ne pas être la joie et la fierté d'appartenir à un pays, mais des sentiments bien plus complexes de tous côtés. Des sentiments de colère, souvent sublimée. De mécompréhension. Beaucoup de différences sont devenues des montagnes infranchissables au lieu d'être riches en possibilités. Les avantages liés à des relations humaines complexes ont été remplacés par les inconvénients de la simplicité. Si un nationalisme négatif réapparaît en Europe à la fois chez les anciens Européens et chez les nouveaux, il est en bonne partie dû à cette approche managériale de la réalité de la vie humaine.

L'histoire de ces dix-sept millions de gens n'est qu'un aspect de la *mobilité des travailleurs* contemporaine. Le mot « mobilité » comporte une implication positive. Mais s'ils bougent parce que c'est la pauvreté qui les y pousse, une expression plus précise serait alors *instabilité des travailleurs*.

Il existe aujourd'hui *plus* de cent vingt millions de travailleurs immigrés avec leurs familles, dont seulement vingt millions vivent en Europe. Ce niveau de déplacements ressemble à celui qui caractérise un état de guerre ou la situation de l'immédiat après-guerre. Il ne traduit pas une période de progrès économique – et encore moins de progrès social – vers une prospérité plus grande. D'un autre côté, il ressemble à celui d'autres ères de changement économique extrême, lesquelles ont en général donné naissance à des périodes de grande instabilité sociale et de violence, comme cela s'est produit au XIXe siècle. En d'autres termes, nous vivons une période obnubilée par le management, et pourtant elle est gérée par des personnes qui sont en général si peu familières de l'histoire qu'elles n'ont pas conscience des effets que peuvent avoir leurs méthodes utilitaristes.

Les travailleurs invités de l'Europe ont impliqué une fascinante altération de l'économie libre-échangiste classique. Adam Smith, David Ricardo encore plus et la plupart des esprits enthousiastes du XIXe siècle croyaient tous avec ferveur qu'on devait produire ce pour quoi on avait un avantage comparatif. Les premiers gestionnaires globalistes ont altéré cette théorie en important non des biens bon marché, mais des travailleurs à bas prix. Pourquoi ? Pour préserver leur vieux modèle d'équilibre des échanges. Comment ? En compensant le développement de la justice sociale à l'intérieur de leurs frontières. Comment ? En créant une nouvelle classe ouvrière, qui ne pourrait s'élever socialement. Pourquoi ? Parce que, comme la classe ouvrière du XIXe siècle, elle était privée de droits civiques. Derrière un discours technocratique moderne, le but était de sauvegarder une idée digne du XIXe siècle quant à la façon dont devaient fonctionner les marchés, une idée qui dépendait de l'existence d'une classe ouvrière – mieux encore, d'une classe ouvrière sans droits. Dans les années 1990, on a encore réinventé l'ancienne idée d'équilibre des échanges. Dans le même temps, cette abstraction très originale de la vie humaine deviendrait le fondement d'un retour du racisme occidental, que nous croyions avoir vaincu en 1945.

Le triomphe réel du nouvel âge du globalisme résidait clairement ailleurs. Dans l'explosion des accords de commerce internationaux, multinationaux et bilatéraux. Trois cents d'entre eux ont été conclus depuis 1945, dont deux cent cinquante depuis 1995. Beaucoup concernaient les Amériques, l'intérieur de l'Europe ou celle-ci et le reste du monde. Mais cinquante impliquent les économies en voie de développement, et ce type d'accord progresse vite. L'Europe représente le plus gros regroupement régional. L'Amérique du Nord vient juste derrière. En troisième, on trouve le Mercosur, qui a débuté avec l'Argentine, le Brésil, le Paraguay et l'Uruguay en 1991.

L'enthousiasme que suscitent ces accords de commerce est si fort qu'il semble qu'on n'ait jamais eu l'occasion de se poser pour évaluer tranquillement leur impact. Tant que le commerce se développe, on est sur la bonne voie, dit-on. Il est vraiment dommage, par exemple, que, très peu de temps après l'Accord de libre-échange passé entre le Canada et les États-Unis en 1989 – qui représente la plus grosse relation bilatérale au monde –, le gouvernement canadien ait cessé de croire que ce marché fonctionnerait ou fonctionnerait assez vite dans son intérêt politique. Mystérieusement, le dollar canadien a été dévalué de 89 cents américains à 63. Cela, bien sûr, n'a pas été réalisé de façon abrupte, comme Washington l'avait fait en 1971 et de nouveau en 2004. Personne n'a vu ce qui se produisait. Si on le leur demandait, les autorités répondaient que ces changements n'étaient pas liés au commerce mais à l'inflation. D'autres disaient que 89 cents, c'était trop, et ils avaient probablement raison. Les hommes d'affaires avisés déclaraient qu'avec un dollar canadien à 89 cents, l'accord ne marcherait pas, et qu'à 70, il n'avait pas d'intérêt. Les statisticiens soulignaient que, le dollar ayant baissé, les importations augmentaient avec les exportations, ce qui plaidait contre la dévaluation. Mais les exportations augmentaient plus vite. Et les mécanismes de production et de commerce ont changé parce qu'un dollar faible signifiait que les Américains, du fait du boom de leur économie, ont pu s'emparer d'entreprises canadiennes avec une décote de 30 % et convertir l'accord bilatéral en stratégie fiscale.

Quelles qu'en aient été les raisons conscientes ou inconscientes, le dollar canadien a été dévalué et le commerce a augmenté. Pendant plus de dix ans, il a été impossible de savoir si c'était dû à la pertinence de la théorie du commerce ou aux produits rendus moins coûteux du fait d'un dollar faible.

Et puis, il y a le cas du Mercosur. De zone de libre-échange, il s'est mué en union douanière, et on espère qu'il devienne un marché commun. Il contrôle désormais 70 % du commerce latino-américain, a un PNB d'un million de milliards de dollars et une population de deux cent trente millions. Le Chili – parangon de l'ouverture des marchés et de la stabilité caractéristique d'une société de classes moyennes depuis qu'il s'est débarrassé du général Pinochet et des cycles économiques à la hausse et à la baisse que son néoconservatisme globaliste provoquait – a signé onze accords de commerce et croit fermement tirer profit de ses échanges. En fait, c'est ce continent qui a connu la croissance la plus forte au monde en matière de commerce interrégional[9].

Ce qui est gênant dans la *success story* de ce continent, c'est qu'elle n'a en rien eu d'effet sur les disparités de revenu au sein du Mercosur. 37 % des citoyens vivent en dessous du seuil de pauvreté.

Beaucoup diraient qu'il est trop tôt pour juger du résultat. D'autres souligneraient que cette réussite commerciale n'a pas eu d'effet modérateur sur les crises économiques et sociales de la région. Les effondrements destructeurs de l'Argentine n'ont pas été atténués par l'augmentation du commerce. Des nombres records de jeunes diplômés ont émigré, découragés qu'ils étaient par l'incapacité des nouveaux régimes globaux à apporter de la stabilité. Au cours d'une seule des diverses crises mexicaines, le revenu moyen a été diminué de moitié.

Tout cela s'était déjà produit auparavant. Après tout, la région a toujours été un gros exportateur de matières premières. Et les économies qui dépendent des matières premières sont automatiquement soumises à des cycles à la hausse et à la baisse. Cela ne peut se moduler que par des régulations visant à créer de la stabilité et une lenteur à changer typique d'une société de classes moyennes. Ces régulations doivent être strictes et assez fortes pour peser sur les tendances naturelles du marché. Moins il y a de régulations, plus il y aura de booms, lesquels conduiront à des effondrements. Il est quasiment impossible dans ces conditions de consolider les gains réalisés durant les périodes de boom.

Peut-être, cette fois, une consolidation aura-t-elle lieu. Après tout, le commerce continue à croître, tout comme, dans certains cas, la variété des exportations. Et l'instruction généralisée a fait des progrès, ce qui peut aider à diversifier l'économie. D'un autre côté, jusqu'à très récemment, la plupart des matières premières ont beaucoup souffert de la globalisation, précisément parce que l'ouverture de plus en plus grande des marchés a permis aux intermédiaires et aux consommateurs de pousser les producteurs à la surproduction et de jouer les producteurs les uns contre les autres. Certaines zones se sont rétablies récemment non du fait de marchés ouverts, mais par suite de l'expansion de la production en Asie, à la manière du XIXe siècle.

Ailleurs, les effets positifs du commerce semblent plus clairs : en Europe, au Canada et aux États-Unis, en Asie du Sud-Est, dans certaines parties de l'Afrique du Sud. La croissance des échanges commerciaux depuis les années 1980 est à coup sûr impressionnante. Ce qui est difficile à mesurer, c'est son effet. En certains endroits, la croissance économique parallèle est remarquable ; en d'autres, elle est laborieuse. Dans certains, l'intégration économique internationale progresse. Dans d'autres, le résultat est un État-nation qui se renforce. Peut-être était-il trop tôt dans les années 1980 et 1990 pour juger des conséquences plus larges qu'aurait une croissance aussi fracassante des échanges commerciaux.

Un exemple ressort. L'Espagne s'est lentement intégrée à l'Europe et, au cours de ce processus, a cessé d'être une économie sous-développée dépourvue de programmes sociaux et de démocratie pour devenir un État impressionnant sur ces trois fronts. La clé de cette évolution semble avoir été le soin et la lenteur avec lesquels l'Espagne a été attirée vers l'Union européenne, depuis un simple accord commercial en 1970 jusqu'à ses premières élections démocratiques en 1977, suivies immédiatement par sa candidature sérieuse à l'Europe. Dix ans plus tard, elle est devenue membre.

Qu'est-ce qui a fait de ce processus une réussite ? En bonne part, c'est l'insistance de l'Europe pour que l'Espagne adopte progressivement des institutions sociales et des régulations caractéristiques d'une société de classes moyennes et renforçant la démocratie tout en élevant à la fois le niveau et le coût de la vie. Pourquoi les deux ? Parce que augmenter les impôts était central pour lancer des programmes publics. C'est le vrai terrain de jeu des démocraties de classes moyennes. La récompense accordée à l'Espagne pour avoir réussi à créer ces régulations sociales a été l'entrée dans le marché commun européen.

Le résultat général est très proche de ce qu'un économiste ne cédant pas à l'idéologie appellerait un succès indiscutable. Et pourtant, rien dans ce progrès bien réel ne s'est accompli en suivant le modèle de la globalisation.

Il est intéressant de comparer le progrès soigneusement conçu et géré de l'Espagne avec celui qu'a apporté la partie la plus confuse de la montée de la globalisation. Cela a impliqué de projeter tout un nouvel ensemble de modèles économiques occidentaux dans les pays en voie de développement. Je dis « nouveau » parce que c'était déjà le deuxième ensemble de modèles d'administration économique offert – en réalité, imposé – depuis l'indépendance des ex-colonies. Ainsi, on attendait d'eux, pour la deuxième fois en tout juste vingt ans, qu'ils absorbent une toute nouvelle idéologie.

La première – dans les années 1950 et 1960 – avait tourné autour de grosses structures de management centralisé et gouvernemental réalisant des projets gigantesques. Et puis, brusquement, les prêteurs et les investisseurs occidentaux, ainsi que des organisations internationales comme la Banque mondiale, ont poussé les pays en voie de développement à adopter les grandes théories du management privé fondé sur une nouvelle forme de centralisation. Cette fois, elle était internationale et venait des entreprises. Avec un optimisme et une confiance remarquables, ils ont résolu d'essayer.

CHAPITRE XI

L'économie de la crucifixion

> On fouette l'enfant jusqu'à ce qu'il pleure, et puis on le fouette parce qu'il pleure.
>
> Edmund BURKE

Le premier signe attestant que la globalisation pouvait ne pas être une vérité globale, voire une théorie qui puisse s'appliquer globalement, est venu des pays en voie de développement au début des années 1980. Et il est apparu dans le domaine le plus délicat des relations humaines – le remboursement des dettes.

Dans les années 1970, l'Occident était davantage en crise que le tiers-monde. Les quinze nations aujourd'hui les plus endettées ne devaient que 18 milliards de dollars et ne versaient que 2,8 milliards de dollars d'intérêts, soit 9,8 % de leur PNB. Dans les années 1980, les intérêts versés représentaient 36 milliards de dollars, soit près de la moitié de leur PNB [1]. Il en est résulté une première crise au début de la décennie, qui a placé le Mexique dans une situation désespérée. En même temps, une deuxième vague de crises a commencé, cette fois en Afrique. À cette époque, les organisations internationales comme le G7, la Banque mondiale et le FMI avaient focalisé leur attention sur les quarante et une nations les plus endettées. Leur ratio dettes/exportations avait dans les années 1970 oscillé entre 100 et 260 %. Autrement dit, ce n'était pas trop mal. À la fin du siècle, il était entre 1 000 et 2 500 %[2].

Cela a eu progressivement pour effet de pousser leur économie à s'arrêter. La plupart d'entre eux sont en perte de vitesse depuis maintenant près de vingt ans.

Le PNB latino-américain par habitant a augmenté de façon très respectable de 2,4 % par an de 1950 à 1980. Aux beaux jours de la globalisation, de 1980 à 2000, il a dégagé une augmentation cumulée misérable de 4,3 %. En Afrique, de 1950 à 1980, le PNB par personne s'est accru de 1,8 % par an. Gains modestes, mais progrès toujours. Entre 1980 et 2000, il est tombé à 6,2 % en cumulé.

On trouve une infinité de statistiques de ce type. Elles vont toutes dans le même sens : l'ère globaliste a nui à de vastes portions du monde. Les chiffres les plus douloureux nous disent, premièrement, qu'au milieu des années 1990, les pays les plus pauvres avaient des dettes qu'ils ne pouvaient rembourser sans dommage pour eux. Deuxièmement, ces dettes restent quasiment inchangées aujourd'hui malgré de nombreuses discussions en Occident et toute une gamme de solutions partielles. La situation politique et sociale s'est dégradée. Les programmes de santé et d'éducation ont été arrêtés, la règle internationale étant, semble-t-il du moins, qu'il n'y a guère place pour des programmes de ce type si on doit rembourser la dette.

En Occident, on discute davantage de savoir qui est fautif que des effets de cette situation. On s'intéresse avec de plus en plus d'enthousiasme aux dysfonctionnements naturels de ces régimes non occidentaux. Franklin Roosevelt, au début des années 1930, disait, lui, tout simplement : « Le malaise social et un sentiment de plus en plus profond d'injustice constituent des dangers pour notre vie naturelle que nous devons minimiser par des méthodes rigoureuses[3]. » Le malaise ailleurs pourrait être dangereux pour les sociétés occidentales, ainsi que pour celles dont il provient.

Voilà le point central de la crise de la dette dans les pays en voie de développement. Elle dure maintenant depuis un quart de siècle. Il y a eu des hauts et des bas. Le nombre de pays ne remboursant pas correctement leur dette est aujourd'hui environ le même que ce qu'il était pendant la Seconde Guerre mondiale, quand de nombreuses nations avaient rompu leurs engagements [4]. Une infinité de réunions se sont tenues ces vingt dernières années. Le G7 est revenu sur la situation encore et encore. Mme Thatcher a ouvert le sommet de Londres en 1984 en disant : « Il n'existe pas de solution facile ni sans douleur, mais nous pouvons ouvrir la voie pour que les banques et les institutions financières internationales puissent apporter une aide et aussi pour que les pays endettés puissent atténuer leurs problèmes [...]. Le problème est gérable [5]. »

Il ne l'était pas. C'était, et c'est encore, une question de pouvoir. Alexandre Herzen parlait il y a un siècle à un groupe d'anarchistes de la façon de renverser le tsar. Il disait : « Nous pensons que nous sommes les médecins. Nous sommes la maladie. »

Les crises de la dette du tiers-monde, comme on le voit en Occident, tiennent toutes au fait d'avoir prétendu qu'aucune erreur n'a été commise dans la gestion du problème. Le refus de le traiter est toujours présenté d'une façon décontractée, détachée mais concernée, toujours d'un point de vue utilitariste. L'*autre* n'existe pas vraiment. Ce problème n'est qu'une malheureuse affaire d'obligations contractuelles.

En réalité, dans le cas des quarante et une nations les plus appauvries, l'argent émane surtout des institutions financières contrôlées et financées par le G7. Il n'y a donc pas de tour de table complexe impliquant des banques commerciales et les dépôts des gentilles vieilles dames de Düsseldorf, de Poitiers ou de Saskatoon.

Le prétexte occidental imperturbablement décontracté est un reflet presque exact de la façon dont cette civilisation a justifié d'imposer le commerce de l'opium à la Chine pendant cent trente ans. Le respect du commerce, des dettes, des contrats et du marché doit malheureusement prendre le pas sur la maladie, la souffrance et l'ordre social. Afin de rendre cette logique moins douloureusement évidente, de petits programmes caritatifs sont proposés qui démontrent le désir que l'Occident a d'aider, sans fondamentalement changer la situation.

Que faire de cette incapacité à agir, de cette coupure des élites occidentales raffinées vis-à-vis des réalités toutes simples ? Je me souviens d'un de mes voyages en Thaïlande à la fin des années 1980. À côté de moi en classe affaires se trouvait un jeune homme tiré à quatre épingles, qui avait l'air d'être un ambitieux vice-président de banque internationale à Wall Street. Il était tout excité. Il n'était jamais allé en Asie auparavant. Il s'y rendait comme représentant du FMI pour évaluer la situation économique et politique en Indonésie. On pourrait dire qu'il allait décider du destin de ce pays. Mais cela ne semblait guère peser sur ses épaules. Il ne s'était guère soucié de lire sur l'histoire ou la politique indonésienne, encore moins la religion ou la culture. Pour pallier son ignorance, il disposait d'un dossier. Bien le connaître. Connaître les graphiques. Connaître les chiffres. Et il avait confiance en son aptitude à réduire n'importe quelle complexité sociale et la nature de la civilisation indonésienne à une *étude de cas*.

Des années plus tard, Joseph Stiglitz évoquait les pays endettés et la réussite, à titre de doctrine intellectuelle, du *consensus de Washington*. « [Elle] repose sur sa simplicité [...]. Ses recommandations de politique pouvaient être administrées par des économistes n'utilisant guère que des schémas comptables [...]. Quelques indicateurs économiques – l'inflation, la croissance de la masse monétaire, les taux d'intérêts, les déficits budgétaires et commerciaux – pouvaient servir de base pour formuler tout un ensemble de recommandations politiques. Dans certains cas, des économistes ont visité un pays, ont jeté un coup d'œil, ont tenté de vérifier ces données ; et ils ont formulé des recommandations macro-économiques de réformes de politiques, le tout en l'espace de deux ou trois semaines [6]. » Une comédie noire. Mais aussi de l'aridité technique classique. Le mélange des deux ne donne qu'une indication superficielle d'un problème bien plus profond.

Après tout, la théorie du management n'a pas suffi à immobiliser à elle seule la civilisation occidentale pendant vingt-cinq ans face à un problème financier qui est modeste selon nos normes. D'ailleurs, depuis des milliers d'années, nous avons une longue expérience de la façon de traiter des dettes qu'on ne peut rembourser ni supporter. En général, nous ne payons pas.

En 1971, Nixon a tenté d'esquiver une partie de ses problèmes financiers en dévaluant. C'était une forme d'annulation de la dette ou de défaut de paiement. Il a ensuite tenté d'avoir recours à l'inflation pour sortir de la crise du pétrole. En 2004, le gouvernement américain a de nouveau dévalué pour résoudre plusieurs problèmes, dont l'endettement sous forme d'actionnariat étranger en dollars américains.

Tous les pays occidentaux ont, à un moment ou à un autre, esquivé certaines de leurs obligations en renonçant d'une certaine manière à leurs responsabilités contractuelles. C'est ainsi qu'on fait repartir une économie. Dans le secteur privé, la faillite est le moyen le plus courant pour échapper à ses dettes. C'est ce qui s'est produit dans les années 1930. La dette a été détruite afin d'apurer les comptes nationaux [7]. Dans ce cas, ce fut une destruction terrible et massive. Aujourd'hui, les gouvernements ont créé un statut légal de faillite intérimaire, qui permet à des entrepreneurs de suspendre les droits des prêteurs et des employés sans perdre leur entreprise. Tout ce qu'ils ont à faire, c'est de se réorganiser. La situation du tiers-monde aurait pu à n'importe quel moment être aplanie de cette façon calme et bien ordonnée. Des commentateurs ont souligné que beaucoup de ces nations endettées avaient des gouvernements incompétents et intéressés, et qu'ils ne méritaient pas une telle chance. Mais c'est à coup sûr le cas de beaucoup d'entreprises en difficulté. Ce qui caractérise la globalisation, c'est qu'elle fait pour le secteur public ce qu'elle ne veut pas faire pour le secteur privé. Au milieu des années 1990, après un autre effondrement mexicain, un nombre de plus en plus grand d'économistes se demandaient : pourquoi sauver les spéculateurs ? Mais non, on leur a jeté de l'argent en pâture, on les a sauvés, et on n'a pas résolu le problème.

Au total, des centaines de milliards de dollars ont été gaspillés dans des situations désespérées d'endettement pour ranimer ce qui serait volontiers mort. À la réunion de 1987 du G7, à Venise, on a décidé que les pays industrialisés pouvaient apporter une aide en permettant l'étalement des paiements sur une plus longue période. Par la suite, diverses stratégies ont été envisagées – dont le plan Brady – pour réduire charitablement les dettes aux limites de l'impossible. Tout cela pour maintenir ces pays lourdement endettés dans ces illusions impossibles de moralisme contractuel.

En 1996, le G7 s'est réuni à Londres et a tenté de se mettre d'accord sur un allégement de cinq milliards de dollars de la dette afin que les pays les plus pauvres doivent moins de deux cents milliards. Aujourd'hui, le chiffre est toujours supérieur à deux cents milliards. En 2000, le président Chirac a plaidé pour une « éthique de la solidarité ». Il a déclaré que la France était prête à proposer au sommet du G7 à Okinawa l'annulation de 100 % de la dette de ces pays [8]. Tout frustré qu'il soit, ce n'est pas ce qui s'est produit.

Et pourtant, ce discours avait prise sur la réalité

occidentale. Il parlait de *solidarité éthique*. Cela aurait dû être facile dans une civilisation raffinée qui se considère comme rationnelle. Or nous avons fonctionné sur cette question dans une confusion fatale. Ceux qui prêchaient la globalisation semblaient ne pouvoir faire la différence entre éthique et morale. C'est grâce à l'éthique qu'on peut mesurer la bonne santé du bien public. L'éthique nous inciterait à résoudre ce problème en annulant tout simplement la dette. La moralité, elle, est une arme au service de la rectitude religieuse et sociale. Le moralisme est en général la dernière étape du déclin d'une civilisation. Dès ses tout débuts, le globalisme a mis l'éthique de côté au profit du moralisme. Pourquoi ? Peut-être parce qu'il a hérité un fort sentiment de rectitude morale du mouvement libre-échangiste d'origine.

L'Occident a donc imposé à ses ex-colonies une approche morale rigoureuse de la dette – approche qu'il s'est rarement appliquée à lui-même. Et si les catholiques ont pu faire pencher ce moralisme dans le sens des interprétations de la culpabilité, les sources protestantes du libre-échange et de l'utilitarisme l'ont conduit à insister sur la rédemption. L'inévitabilité, le caractère sans retour du globalisme participent de ce processus rédempteur. Ceux qui fautent doivent en tirer les leçons, être disciplinés, être punis.

On a insisté sur les cilices, l'autoflagellation, l'automutilation. Gerard Baker se moquait du sado-monétarisme de l'école dominante en économie[9]. Mais nous l'avons petit à petit poussé encore plus loin, comme si, tels des voyeurs, nous voulions contempler l'autocrucifixion économique et sociale de ces sociétés. Alors, quand la mort les aura lavées de leurs péchés, elles pourront renaître, saines, fortes et capables d'équilibrer leurs comptes parce qu'elles auront appris l'importance de la croissance responsable.

Et dans l'intervalle ? Dans l'intervalle, qui sait ?

Attention, cette situation problématique n'a jamais été considérée comme centrale dans la *success story* de la globalisation. Cette histoire ressemble à un train à grande vitesse. Ceux qui ne font pas attention pourraient bien tomber de la voiture de queue. Que dire alors ? Peut-être un autre train passera-t-il.

Et dans l'intervalle, le monde réel avance.

On mentionne de temps en temps la situation des pays crucifiés. Émoi dans la presse. On parle de tragédie. De gentils petits programmes d'urgence sont lancés pour les encourager à faire mieux. Pas souvent. Ce n'est pas un problème qui vient souvent à l'esprit lorsque les gens importants discutent des grandes questions. Il y a des choses plus importantes à faire pour que le train de la civilisation globale continue à foncer sur la voie principale.

TROISIÈME PARTIE

Le plateau

« Les coalitions commencent à se désintégrer dès que le danger commun disparaît. »

Harold NICOLSON, 1948

CHAPITRE XII

La réussite

Les tenants de l'idée de globalisation avaient de bonnes raisons de se sentir satisfaits de leur réussite. Au cours des années 1970 et 1980, et encore dans les années 1990, ils ont ancré réforme après réforme. Les tarifs douaniers ont baissé. Les échanges commerciaux se sont développés à un rythme remarquable. La conception de ce que le commerce chapeautait s'est étendue de manière radicale. Des traités commerciaux de toutes sortes et autres accords d'union économique se sont signés. La dérégulation, la privatisation se sont généralisées, ainsi que les réductions d'impôts pour les plus privilégiés ; le poids de la fiscalité s'est déplacé du haut vers le bas, directement ou indirectement, au moyen d'impôts déguisés. Les gouvernements se sont sentis sérieusement dépassés, leur base fiscale diminuant et des pressions morales s'exerçant pour qu'ils équilibrent leur budget. Les grands programmes publics ont connu des difficultés et manqué de moyens, et ceux qui en étaient responsables étaient bien en peine de découvrir comment les réformer. Au total, c'était une *success story* remarquable. Pour l'idée globale. Pour le marché.

De toutes parts, on notait les signes que le monde changeait, qu'il était à l'écoute du message nouveau.

Comme on peut s'y attendre de la part d'un mouvement idéologique, ces changements ont soigneusement investi le vocabulaire nouveau de la *vulgate*. Le secteur public a repris une bonne partie du langage et de la logique structurelle du secteur privé. Les fonctionnaires se sont ridiculisés en donnant beaucoup d'argent à des consultants privés – et ce de façon répétitive – pour qu'ils leur enseignent comment appliquer la logique du secteur privé.

Bientôt, les agents du bien public ont mémorisé le vocabulaire nouveau : ils appelaient désormais les citoyens « clients », « usagers » ou « contribuables », ils utilisaient le mot étroitement utilitariste « efficient » comme si c'était une idée fondamentale, ne se demandant plus, ce qui est plus pertinent, si une loi ou un programme était « efficace » ; ils s'excusaient des impôts ; ils ruinaient les finances publiques en passant aux coûts réels, système développé par le secteur privé pour maximiser ses coûts afin de réduire ses impôts, etc. D'une certaine manière, ces fonctionnaires ne se demandaient pas pourquoi plus ils devenaient « efficients », moins ils délivraient de services.

Observer cette confusion amusait beaucoup les consultants qui en profitaient financièrement. Mais, bien sûr, aucun n'a indiqué aux fonctionnaires, en apparence victimes crédules de ce langage, que toute cette logique du marché était conçue pour le marché, pour la concurrence. Pourquoi ? Afin de réaliser des profits. Mais ces trois facteurs – être sur le marché, être en concurrence, devoir dégager des profits – n'étaient pas pertinents ni adaptés pour le bien public. Mais pourquoi leur expliquer ? Mieux valait leur prodiguer des conseils toujours plus chers et plus à la mode, en prétendant que des progrès étaient réalisés.

Et voilà donc les élus et les hauts fonctionnaires ravis d'être invités à Davos, cherchant à se gagner les faveurs des nouveaux pouvoirs – la technocratie d'entreprise –, écoutant avec attention l'attaché de presse comme s'il apportait des idées, apprenant comme de petits enfants. Démocrates ou libéraux, tous devenaient globalistes, version plus gentille, plus douce.

Et puis, en 1989, le système soviétique s'est effondré. Des esprits simplistes ont prétendu que c'était la retombée intentionnelle de la course aux armements menée par le président Ronald Reagan. Les Soviétiques avaient été acculés à la faillite avec intelligence. Mais ce raisonnement venait en grande partie de gens liés à l'industrie de l'armement – de gens qui approuvaient l'extension de la production d'armes.

Il est plus probable que, après un long déclin, le système soviétique a échoué parce qu'il ne fonctionnait pas, explication à coup sûr plus rassurante pour les démocraties.

La Russie et un grand nombre d'anciens pays du pacte de Varsovie se sont alors hâtés d'adopter le capitalisme classique à la manière du XIXe siècle. Peut-être n'ont-ils fait que revenir à ce qu'ils avaient quitté avant de devenir communistes. Ils ont aussi adopté le discours qui suintait de l'Ouest depuis le début des années 1970. Et à l'Ouest, il ne manquait pas de consultants et de professeurs d'économie pour les pousser à expérimenter la pureté du marché. Comme il devait être excitant pour ces théoriciens de trouver des pays qui ne soient pas seulement prêts à s'engager dans des réformes, mais à risquer le bien-être de vraies gens – de tout un peuple – pour se comporter comme des études de cas en grandeur nature !

Des variantes de l'économie de la crucifixion ont été imposées ; elles ont en général fait des dégâts sur les vraies gens et ont souvent déclenché le retour au pouvoir du parti communiste, cette fois par le vote. Mais d'un point de vue théorique, c'était fascinant à voir, comme cela l'avait été dans certaines parties de l'Afrique et de l'Amérique du Sud. C'était le genre de pratiques que l'Ouest, même le plus idéologique, avait depuis longtemps abandonné parce que générant trop d'instabilité politique et économique pour ses sociétés.

La fin du système soviétique n'en a pas moins représenté une grande victoire pour le globalisme. Il est donc d'autant plus malheureux que ces années clés de métamorphose se soient passées sans que le G7 aide sérieusement le président russe Mikhael Gorbatchev. On a plutôt laissé la Russie à elle-même, avec les conseils des théoriciens et un peu d'aide quand il était trop tard.

Le résultat a été la vente – ou plutôt le don – de la plupart des grandes entreprises étatiques aux technocrates du Parti communiste et aux hommes forts des services secrets. 70 % de l'économie russe est passée aux mains de trente-six entreprises – c'est-à-dire de trente-six hommes. Système public extrêmement centralisé, elle est devenue le système privé le plus concentré parmi les grandes économies mondiales. L'idée, traditionnelle en Occident, selon laquelle les oligopoles et les monopoles représentent un danger a été ignorée. Et l'absence de règles entourant cette privatisation massive a eu pour effet d'abattre les frontières entre le marché, la corruption et la criminalité violente. Si on considère le retour graduel des oligopoles et des monopoles dans les démocraties et entre elles comme le résultat de la politique globaliste, il est difficile de ne pas voir dans l'évolution de la Russie une conséquence des conseils donnés par les experts de l'Ouest pour privatiser. Cela a eu pour effet global d'intégrer le crime organisé au sein même du nouveau système.

Depuis lors, les dirigeants russes ont été gravement handicapés par la nécessité de lutter contre la structure de pouvoir criminello-entrepreneuriale. Si on adopte un point de vue cynique, on peut dire que ce handicap a été une manière intelligente de les forcer à admettre que la Russie a perdu son statut de puissance prédominante et que la zone tampon entre elle et l'Ouest n'existe plus.

Quelle que soit la forme que prenne petit à petit la Russie, elle ne représentera plus le bloc d'opposition.

La victoire de l'Ouest a été remarquable. Si on regarde bien du côté des démocraties, on ne sera pas étonné de voir que les mots de Harold Nicolson ont pris plus de sens : « Les coalitions commencent à se désintégrer dès le moment où le danger commun disparaît [1]. »

Cela n'a pas été vrai pour toutes avant le début du XXIe siècle. Mais les anciennes structures politiques et militaires d'après la Seconde Guerre mondiale ont commencé à craquer, et cela n'a pas eu pour effet de renforcer la globalisation, mais d'étendre ses limites. Pourquoi ? Parce que, malgré ses affirmations globalistes, le mouvement venait de l'Ouest. Ses racines et ses présupposés dérivaient des présupposés de l'expérience politique et de la théorie économique caractérisant l'Occident du XIXe siècle. Sa réussite à long terme dépendait du maintien de l'unité de vue de l'Occident et de sa capacité à embrasser le reste du globe.

L'aspect le plus dramatique de l'effondrement du bloc soviétique a peut-être été la rapide désintégration des programmes sociaux au sein de la Russie et des pays voisins. Un grand nombre de penseurs influents, liés à ce monde, voient désormais dans la suppression des anciennes protections sociales – à l'opposé de leur conversion en un filet de sécurité dans le style des classes moyennes occidentales – une projection de ce qui arrivera en Occident dans les dix prochaines années. Ils voient dans la destruction radicale du système communiste une expérimentation du globalisme néolibéral, démontrant qu'on peut démanteler une machine aussi coûteuse sans en payer réellement le prix politique. « L'Europe de l'Est a servi de laboratoire pour un deuxième test important – jusqu'où peut-on presser les travailleurs sans protestations ni dislocations sociales significatives ? » « On peut rendre les travailleurs assez flexibles pour restreindre leurs exigences au minimum [2]. » Là encore, cette désintégration a été liée aux conseils prodigués dans l'urgence par les consultants et les économistes occidentaux.

La principale contrepartie de ce déclin social a été l'intégration des ex-pays du pacte de Varsovie dans l'Union européenne et son filet de sécurité encore complexe. Même si de multiples tentatives ont été menées pour rendre le système européen plus flexible, plus léger, moins opaque, aucune n'a eu pour but de le détruire pour faire place au modèle globaliste du marché.

Telle était l'atmosphère à la fin des années 1980 et au début des années 1990. C'était en grande partie positif. Face aux désillusions, la réponse était : « Donnons-nous le temps. De grands changements se produisent. Voyons les choses en grand, de loin, en termes de structures. Bientôt, tout ira bien. »

Mais si on regardait de près, sans passion, on voyait de grands mouvements contradictoires. La globalisation devenait toujours plus forte. Mais elle se fracturait, se décomposait et reculait aussi.

L'apogée a sans doute été 1995, avec la création de l'Organisation mondiale du commerce. Elle a remplacé l'ancienne structure de régulation commerciale qu'était le GATT. Et tout le monde avait des raisons d'être content qu'il existe désormais un corps centralisé visant à arbitrer les questions commerciales.

Ce qui a fait de cette réalisation administrative un triomphe majeur pour une école et une défaite majeure pour l'autre, c'est que les deux camps ont traité cette création comme une simple affaire d'organisation utilitariste. Tout s'est passé comme si la reconsidération de la civilisation à travers le prisme de l'économie atteignait une étape critique. Dans son sens plein, l'objectif de l'OMC était d'assurer que tout échange international impliquant un élément commercial puisse être jugé à travers ce prisme. L'implication positive était qu'aucun autre système efficace d'arbitrage contraignant n'existait.

Le commerce possédait le seul. Du moins dans ce domaine, on pouvait désormais traiter les problèmes. Et si le prisme économique permettait à d'autres secteurs d'être redressés d'un point de vue économique, tant mieux. L'implication négative était que les questions qui n'étaient pas fondamentalement économiques pouvaient désormais se réduire à ce système de mesure utilitariste.

Par exemple, dès qu'elle franchissait les frontières, la culture pouvait être considérée comme une pure question d'activité commerciale, donc soumise au point de vue de l'OMC. L'alimentation pouvait ne se traiter que secondairement comme quelque chose allant dans notre estomac. Que nous puissions vouloir décider de ce que nous mangeons pouvait être laissé de côté, au motif que cela interférait avec la question première des industries agro-alimentaires en concurrence. La santé et les règles alimentaires nationales pouvaient être traitées – et l'ont vite été – comme des interférences protectionnistes. Toutes les questions portant sur les labels, les origines, la génétique, les insecticides, les herbicides et les engrais pouvaient bien être le souci premier des citoyens, elles n'étaient pas moins secondaires pour l'OMC. L'alimentation était affaire de concurrence et de commerce.

À une époque où les citoyens commençaient à se sentir plus concernés par la façon de traiter la technologie quand elle déraillait, comme avec la maladie de la vache folle, et par les conditions et les prix devant entourer l'usage des produits pharmaceutiques, la création de l'OMC a semblé suggérer que ces questions devaient d'abord être traitées en termes de concurrence industrielle. L'implication des citoyens était donc une forme de protectionnisme. À moins d'être fondé sur des arguments scientifiques, le désir des citoyens de choisir n'était pas bien vu. Alors qu'un nombre de plus en plus grand de groupes d'intérêt public avaient souligné son importance, le principe de précaution rétrogradait.

Surtout, les gens étaient perturbés par l'évolution de l'idée de choix. La globalisation avait été présentée – du moins d'un point de vue commercial – comme une force puissante donnant davantage le choix. Il semblait maintenant que celui-ci ne devait pas se comprendre comme le droit pour le citoyen de décider de ce qu'il met dans son estomac ou de ce que peuvent être ses priorités politiques. Le choix était plutôt concentré sur les désirs des entreprises et sur leurs décisions quant à la façon de réaliser des profits. Cela voulait donc dire une limitation des choix personnels pour les individus.

Alfred Eckes a déclaré que ceux qui nous ont menés à l'OMC sont « les vrais révolutionnaires du XXe siècle [3] ». Le président de Ford était persuadé que « nous allons vers un monde sans frontières ». Les organisations économiques internationales pouvaient annoncer tranquillement que « le secteur privé est la principale source de création de valeur ajoutée, de richesse, d'emplois. [...] L'autorégulation économique a prouvé qu'elle représentait la façon la plus flexible d'obtenir des résultats ».

Dès lors, les partisans de la globalisation n'ont cessé de faire pression sur nous. En plein milieu d'une nouvelle crise, Mme Thatcher déclarait en 1985 : « La tentation des barrières au libre-échange est plus forte quand la croissance économique chancelle. Mais la guérison qu'apporte le protectionnisme est aussi superficielle et les effets secondaires en sont douloureux. [...] La modernisation recule. Les frontières du système d'échanges ouverts doivent donc être repoussées [4]. »

Elle a dit cela en Malaisie, où, treize ans plus tard, des dirigeants raffinés et adroits, pris dans une réaction en chaîne, ont prouvé tout le contraire.

Mais Mme Thatcher ne nous encourageait pas à agir d'une façon normale ou terre à terre. Elle évoquait l'« idéologie du progrès » d'Hermann Kahn. Si vous continuez d'aller dans le sens de ce que vous croyez être l'avant, le monde vous suivra. Tout ira bien. Il faut juste un peu de temps.

CHAPITRE XIII

1991

Le fait que le monde ne voulait ou ne pouvait suivre le rythme a commencé à apparaître en 1991 avec la réémergence inattendue du nationalisme dans ce qu'il a de pire. Évoquez les Balkans et, chez presque tous les Occidentaux, un pessimisme facile transparaît vite. *On s'attendait à quoi ? Ce sont les Balkans !*

C'est une façon commode d'écarter la possibilité que ce qui est arrivé là ait pour beaucoup été un échec de l'Occident – égaré par son obsession de l'économie globale – autant que de la société qui s'est autodétruite. Les faits basiques sont simples. Le nationalisme négatif est réapparu pour de bon. Et il est réapparu dans le plus improbable des lieux – au sein même de l'Europe.

Les défenseurs les plus vigoureux de la globalisation avaient adopté un discours bipolaire dans le débat public depuis la fin des années 1970. Ils évoquaient encore et toujours l'intégration économique internationale. En même temps, ils avaient poussé tous les anciens points chauds du nationalisme au XIXe siècle pour gagner des élections. C'était évident chez Ronald Reagan et Margaret Thatcher, mais on pourrait en trouver des formes plus ou moins subtiles presque partout. En Italie, trois partis défendant la forme la plus primaire de nationalisme ainsi que la version la plus grossière de la théorie libre-échangiste montaient. Le faux populisme gagnait en respectabilité partout dans les Amériques.

Jouer avec un tel discours faussement populiste, que ce soit sincèrement ou par distraction, est dangereux. Au début des années 1990, de plus en plus de signes montraient que des gens exprimaient leur sentiment d'aliénation face à un monde dominé par les principes globaux abstraits en retombant dans le nationalisme à l'ancienne.

Je ne dis pas que les monstres de la guerre civile yougoslave ont été les produits de la globalisation. Mais rien n'est isolé. Il faut se demander pourquoi les Européens étaient si peu préparés à ce qui est arrivé en 1991, lorsque la Slovénie et la Croatie ont décidé de faire sécession et que l'armée yougoslave est intervenue.

Ce n'est pas simplement que les dirigeants européens n'étaient pas mentalement prêts à prendre les mesures militaires nécessaires pour empêcher cette tragédie humaine. C'est qu'ils n'étaient pas éthiquement préparés. Ni politiquement préparés. Ils ont semblé incapables de voir la réalité du nationalisme négatif à l'œuvre. Peut-être l'ont-ils vécu comme un cauchemar sorti tout droit de leur passé récent. Peut-être ont-ils espéré se réveiller et qu'il ne soit plus là. Ils ont paru si persuadés que le monde – en particulier l'Europe – n'agissait plus de cette façon qu'ils n'ont pu penser ni agir.

La réalité était que les dirigeants et les fonctionnaires européens s'étaient laissé distraire pendant des années, égarés qu'ils étaient par leur façon bien intentionnée mais technocratique de construire un système continental. Au plan général, ils étaient convaincus que le monde réagissait surtout aux mécanismes économiques, parfois aux mécanismes administratifs ou de temps en temps aux négociations politiques les plus élémentaires. Ils voyaient dans le populisme seulement un moyen de distraire les populations. Ils ne sentaient plus comment l'humanité peut agir dans ce qu'elle a de pire.

Outre la Yougoslavie, il convient de se souvenir qu'après 1989, quelque vingt-cinq pays nouveaux ou nouvellement indépendants étaient brutalement apparus sur la scène. La plupart n'avaient jamais été des démocraties, n'avaient jamais eu d'État de droit ni connu de libre marché moderne. Leurs rêves – peut-être désormais réalisables pour la première fois – étaient les rêves différents de différents peuples ayant différentes histoires. La Pologne avait depuis des siècles eu l'ambition d'être un acteur majeur sur le continent. La partie tchèque de la Tchécoslovaquie avait un intellectuel héroïque pour dirigeant et un savoir-faire industriel raffiné. La Moldavie était accablée par la pauvreté et est vite devenue une dictature militaire corrompue, impliquée dans le commerce de la drogue et les ventes d'armes. Et puis il y avait tous les -stans – le Kurdistan, le Tadjikistan et les autres, à la bordure musulmane sud de la Russie, qui partaient de zéro pour se construire comme nations.

L'Europe avait de bonnes raisons d'être distraite. Et pourtant, depuis la mort du vieux dirigeant yougoslave Tito, en 1980, chaque gouvernement européen avait reçu des avertissements clairs de son ambassade à Belgrade. Je m'y trouvais souvent dans les années 1980. Tout le monde répétait que ça ne pouvait plus durer, qu'il y avait un vide politique, que quelque chose allait exploser. Périodiquement, j'étais témoin de ces explosions verbales qui révèlent toute la violence gisant sous la surface. Il y avait déjà des révoltes et des assassinats au Kosovo. À Ljubljana et à Zagreb, on parlait constamment de rébellion. Et dans toutes ces discussions, il était question des races, des droits des races, des faiblesses raciales des autres groupes.

Pendant toute cette longue décennie – ces années de dérive hésitante et sans fin –, les gouvernements occidentaux sont restés silencieux ou bien, pire encore, ils ont joué de petits jeux politiques dans le vide yougoslave, des jeux à l'ancienne. Peut-être était-ce une sorte de défoulement, pourvu que chez eux et dans la partie la plus importante de leur diplomatie, ils s'abstiennent rigoureusement des formes traditionnelles de rivalité diplomatique.

En 1988, à Belgrade, j'ai passé une matinée avec Vasa Cubrilovic, quatre-vingt-dix ans, dernier survivant du gang qui a assassiné l'archiduc Ferdinand à Sarajevo en 1914, fermant ainsi le XIXe siècle et ouvrant le XXe. Il avait survécu à tout : la prison, des condamnations à mort, la résistance ; il avait même été ministre. Il sentait clairement qu'une fois encore, le monde s'effondrait autour de lui. « Les pays qui font encore la guerre ne sont pas développés [1]. » Développés par rapport à quoi ? À la peur. Au nationalisme fondé sur la peur.

L'Europe et le reste de l'Occident ne voulaient rien voir de tout cela. Lorsque les guerres yougoslaves ont commencé, les divers ministres des Affaires étrangères des démocraties ont ressorti leurs vieux dossiers sur les Balkans. Comme si on était encore en 1914, les Français ont choisi de soutenir les Serbes, et les Allemands les Croates. D'autres ont choisi leur camp pour le même type de raisons. Ils rejetaient le nationalisme pour eux-mêmes, mais ils l'acceptaient lorsque des gens moins évolués étaient impliqués, même si c'était du nationalisme sous sa forme la plus primaire. Ainsi, pour les besoins de la politique étrangère, chaque pays occidental est revenu à la vieille conception des alliances raciales fondées sur le nationalisme. On a vendu ou fourni des fusils. La violence s'est développée.

Et puis, un jour, hors de Yougoslavie on a semblé se réveiller. On a soudain réalisé que ce n'était pas un jeu. Le nationalisme négatif était vraiment de retour. Pire encore, cette malfaisance se répandait en Europe même.

Ce réveil a demandé plusieurs années et plusieurs nettoyages ethniques. Et pendant ce temps-là, comme dans un spectacle de grand guignol, les élites internationales, conduites par des économistes et des consultants qui se considéraient comme la voix de la fatalité globale nouvelle, volaient de congrès globaux en contrats de conseils, de capitale nationale en capitale nationale, bavardant de la façon dont les forces économiques globales rendaient petit à petit les États-nations non pertinents. Et pendant ce temps-là, des milliers de gens étaient assassinés, et des régions entières nettoyées pour préparer le terrain à la création d'États-nations traditionnels tout nouveaux. Les forces des Nations unies essayaient bien d'avoir un impact, mais elles étaient retenues par des règles confuses et même contradictoires d'engagement et par d'autres ordres. On ne peut blâmer les Nations unies ; le vrai problème était dû aux gouvernements occidentaux, qui ne voulaient pas prêter attention à ce retour de l'horreur nationaliste, dans toutes ses implications. Tout cela arrivait au coin de la rue, au coin de la route bimillénaire qui avait relié l'Empire romain d'Occident à la capitale de l'Empire romain d'Orient, Constantinople. Cette voie passait par le centre de Sarajevo, qui connaîtrait le martyre avant que l'affaire ne soit terminée.

Si vous mentionniez la Yougoslavie dans les discussions de cette élite croyant au déterminisme économique, on vous répondait d'un haussement d'épaule : « Oh, les Balkans ! » C'était un hoquet, une dernière éruption nationaliste. Une anomalie. Précisément ce qui, avec l'économie globale et l'interpénétration de ce type, n'était plus du tout réaliste.

En 1995, lorsque cet accès très singulier de hoquet s'est arrêté – ou presque –, quelques centaines de milliers de gens étaient morts, et l'Europe était bien réveillée. Les Européens qui voulaient bien y réfléchir avaient conscience du fait qu'ils n'avaient pas réussi à réagir à leur propre problème. C'était un problème d'État-nation, et ils étaient restés enfermés dans une logique continentale technocratique ainsi que dans une logique économique et administrative globale. Les

États-Unis avaient dû prendre les choses en main pour sauver les Européens d'eux-mêmes. La plupart des dirigeants européens savaient qu'ils avaient échoué, même s'ils ne pouvaient se résoudre à le reconnaître publiquement. Désormais, ils commençaient lentement à se préparer à ne pas échouer de nouveau.

Leur réveil prenait aussi un autre aspect. En public, ils étaient toujours convaincus que les forces économiques dominaient toutes les autres. En privé, ils admettaient que ce n'était pas vrai.

Bernard Kouchner, qui allait ensuite administrer le Kosovo, dit bien à quel point, lorsqu'on est dans l'insécurité, on a besoin d'appartenir à un groupe et à quel point les groupes voient la diversité comme un ennemi : « Il est plus facile de s'appuyer sur le nationalisme pour supprimer la diversité que de s'appuyer sur la diversité pour faire reculer le nationalisme [2]. » Louise Arbour, qui est aujourd'hui haut-commissaire de l'ONU aux droits de l'homme, a été régulièrement exposée à ce type de nationalisme quand elle était procureur en chef au Tribunal international pour les crimes de guerre. La mémoire collective peut confondre « la précision factuelle avec les allégories et les métaphores », met-elle en garde. Cette confusion justifie des actes inacceptables, en particulier si les autres prétendent qu'ils l'acceptent, ce qui est exactement ce qu'a fait l'Occident aux premiers jours de la turbulence yougoslave.

À l'apogée de la globalisation, le pire du nationalisme négatif est réapparu. La Yougoslavie en a été le vortex, mais elle n'était nullement la seule touchée. Quand on observe le mouvement des événements, on voit que les présupposés de base du raisonnement globaliste commençaient à se décomposer.

CHAPITRE XIV

L'idéologie du progrès

L'un des signes de cette désintégration était la déconnexion de plus en plus grande entre le système global et la vie que les gens menaient. Malgré la violence en Yougoslavie, le désordre dans l'ancien bloc soviétique – on parle ici de la population d'un continent et demi –, l'effondrement de l'Afrique et les effondrements successifs en Amérique latine, aucun signe ne montrait que tout cela avait un effet sur la conception dominante selon laquelle il fallait considérer le monde à travers un prisme économique. Le chômage important et la croissance faible avaient été institutionnalisés. Ils faisaient désormais partie des meubles. Et pourtant, aucun responsable ne semblait voir cet échec. Ou plus précisément, aucun responsable ni aucun des idéologues la défendant n'était capable d'y voir un échec de la théorie globaliste – théorie qui régnait déjà depuis vingt ans. C'est-à-dire deux fois le règne de Napoléon, quatre fois une guerre mondiale.

Peut-être leur perception a-t-elle été obscurcie parce que d'autres indicateurs de progrès global étaient considérés comme positifs. Les entreprises ont continué à grossir. Le nombre et l'ampleur des fusions-acquisitions se sont accrus, en particulier celles qui impliquaient des sociétés présentes dans plusieurs pays [1]. Le nombre et la taille des accords ont doublé dans les années 1990. Le domaine qui s'est le plus développé est celui des services, non pas tant parce que c'était un domaine crucial, mais parce que c'était le moins dépendant de la géographie. Si la multinationale était un État virtuel, le secteur des services était une industrie virtuelle, lui.

La période qui a mené à 1995 a été pour les croyants une ère de confiance en eux et de confort émotionnel. Davos était à son apogée comme cour où l'on voulait être admis. Le besoin de théâtralité qui caractérise toute idéologie économique – la suspension volontaire du doute – y était patent, grâce aux « trois unités du théâtre classique : lieu, temps et action [2] ». L'idée de classe, traditionnelle, se développait à un point qu'on n'avait pas vu au niveau international depuis avant 1914. Assurément, c'était un nouveau système de classes avec de nouveaux acteurs. Vêtements, accents, manières de tables : les vieux indices n'étaient pas pertinents. Mais les titres, les niveaux de pouvoir, l'obséquiosité, le développement d'un « consensus » sur la façon d'aborder les questions à l'extérieur – tout cela fleurissait.

Par exemple, on considérait comme démodé – autrement dit déclassé – de s'inquiéter de qui possédait quoi et de savoir si la propriété respectait les frontières. Ce qui comptait, c'étaient l'investissement, la consolidation et la croissance de l'entreprise. Le consensus voulait qu'on agisse en public comme si la géographie ne comptait plus.

Comme souvent dans un système de classes, l'élite disait des choses qu'elle ne pensait pas, seulement pour rassurer les inférieurs. Dans les plus grosses économies, il existait bien des cessions à des étrangers, mais elles étaient limitées et découragées de façon informelle. Dans les économies plus petites ou plus périphériques, les entreprises possédées par des étrangers sont passées d'un tiers à 50 %. Les chefs d'entreprises de ces pays étaient assez fiers de leur capacité à entrer dans des structures internationales parce qu'ils n'étaient pas attachés à la propriété nationale. Ils ne semblaient même pas le remarquer en présence des gros acteurs ; leur discours était en réalité un soliloque.

L'un des signes indiquant qu'un pays était en train de perdre du standing était l'allure de ce baromètre des participations étrangères. Le Trésor australien a commencé à s'inquiéter dans les années 1990 des impôts réduits des multinationales. La raison en était simple. Dans le cadre de la globalisation, les participations étrangères étaient passées de 20 à 60 % du PNB [3]. Même type d'argument au Canada et en Nouvelle-Zélande. Cette passivité était en partie liée à la théorie britannique du libre-échange datant du XIXe siècle et du début du XXe, théorie aux termes de laquelle les pays industrialisés s'efforçaient de jouer un rôle dominant dans les pays producteurs de matières premières. Comme disait le grand économiste américain du XIXe siècle Henry Carey, « l'Angleterre avait guerroyé contre les communautés agricoles du monde pour qu'elles réduisent le prix de leurs produits non finis ». Aujourd'hui au contraire, un fort pourcentage d'industries agro-alimentaires et autres sont organisées en multinationales appartenant à des économies industrielles. Cela va de pair avec l'effondrement de la plupart des prix des matières premières dans le cadre de la globalisation.

L'autre signe concerne l'encadrement. La Finlande a commencé à voir partir à l'étranger les activités de siège de la plupart de ses entreprises florissantes. La raison en était le coût du système social finlandais. Mais l'autre raison, implicite, était peut-être que les mécanismes de consolidation internationale attirent les directions vers un plus petit nombre de grandes places. Selon John Ruggie, « ce divorce croissant entre propriété nationale et localisation de la production peut entraîner des conséquences politiques tout à fait contradictoires et une paralysie politique potentielle [4] ». Si les entreprises internationales ont tendance à consolider leur haut management sur quelques places, cela a de graves conséquences pour les citoyens qui vivent partout ailleurs, ainsi que pour les activités parallèles comme la recherche et le soutien apporté aux communautés locales.

Autre confusion : la dérégulation des marchés internationaux facilite les investissements à l'étranger. De par le monde, des pays ont déclaré qu'ils avaient besoin de capitaux étrangers pour financer le développement de leur économie. Mais il est rare qu'ils aient fait la différence entre les deux sortes d'investissements étrangers possibles : investir pour bâtir quelque chose ou bien simplement acheter une entreprise déjà développée. Dans le premier cas, il s'agit bien d'un investissement ; dans le second, d'encaisser les dividendes d'une forme paresseuse et raffinée de cannibalisation au niveau international.

Le 3 décembre 1984, en Inde, s'est produit un incident qui aurait pu constituer un avertissement contre les dangers implicites liés à l'étirement de la structure de propriété sur de longues distances. À Bhopal, un site d'Union Carbide a connu une grosse fuite. Il traitait des produits chimiques dans des conditions qui auraient été illégales aux États-Unis. Trois mille personnes sont mortes en quelques heures et quinze mille par la suite ; deux cent mille ont été gravement blessées et cinq cent mille portent encore des cartes de santé spéciales.

Le P-DG d'Union Carbide a pris l'avion pour manifester sa sympathie. On l'a arrêté. Il a été horrifié de constater que le métier de gestionnaire pouvait être confondu avec l'exercice d'une responsabilité éthique quant aux actions des entreprises. Le groupe l'a fait sortir et il a fui le pays. Des négociations en sous-main avec le gouvernement indien ont conduit à un petit arrangement de 470 millions de dollars. Et voilà.

Le site a été abandonné avec vingt-cinq tonnes de

déchets toxiques gisant là. Du point de vue global, l'entreprise, qui fait désormais partie de Dow Chemical, a semblé choquée de découvrir que, dans le monde réel, il existait une réalité géographique et qu'on pouvait être tenu pour responsable d'une façon qui ne soit pas virtuelle.

Ils avaient oublié – à supposer qu'ils l'aient jamais su – les présupposés généraux sur les marchés libres qui étaient au cœur des théories d'Adam Smith et des libre-échangistes du XIXe siècle : l'unité de la propriété, de la localisation de la production et des directions. Peut-être n'est-ce plus adapté. Mais si ce n'est pas le cas, alors leurs autres présupposés concernant les marchés pourraient bien eux aussi mériter d'être mis en question. Peut-être ne sont-ils pas plus adaptés. Après tout, les théories du début du XIXe siècle supposaient que les marchés et les échanges libres créeraient des emplois, contribueraient aux impôts, amélioreraient l'infrastructure sociale et favoriseraient le pouvoir au sein du marché, mais aussi au sein de la communauté.

Cela nous ramène à Davos et à sa montée en puissance, à l'imitation d'une cour royale. Il convient de se rappeler que tout système de cour a toujours eu pour effet d'aliéner l'aristocratie de ses obligations géographiques. C'est précisément ce qui, dans chaque régime, conduit à sa chute. Plus l'aristocratie devient raffinée, moins elle est pertinente au regard de la réalité dont elle profite ; on la remplace donc.

Six points concrets émergent de cette idéologie du progrès.

Premièrement, les entreprises globales sont des structures conçues pour consolider ce qu'elles contrôlent. Elles vident automatiquement les communautés plus petites ou plus isolées de leurs activités, sauf s'il existe une raison notable de rester. Cela représente un défi pour les systèmes démocratiques, qui ne peuvent fonctionner si de vastes parties de leur État-nation sont économiquement abandonnées. C'est particulièrement ennuyeux si cet abandon a été provoqué par l'application d'une théorie que les dirigeants et leurs principaux technocrates ont adoptée. Ce ne sont pas des forces inévitables qui ont joué pour créer cette situation. Un choix a été fait par les autorités. Le problème, c'est qu'en vendant la théorie aux citoyens, ils ne l'ont jamais vraiment expliquée. Peut-être d'ailleurs en auraient-ils été incapables, puisqu'ils se contentaient d'y croire.

Deuxièmement, sur les marchés bien organisés, il existe des règles fortes contre le *dumping*. Rien de nouveau là-dedans. C'est vrai depuis des milliers d'années. Il n'y a pas de concurrence si certaines personnes peuvent placer sur des marchés des produits à des prix sous-évalués afin de détruire les structures locales pour les remplacer par les leurs. Traditionnellement, le *dumping* est considéré comme un afflux de biens en surplus à des prix sous-évalués. Mais, dans une économie de consommation, presque tous les biens peuvent être considérés comme en surplus. On pourrait dire que la globalisation en tant que système a normalisé le *dumping*. L'argument qui le justifie est que ce n'est que grâce au *dumping* que le client peut acheter au moindre prix. Mais cet argument néglige la nécessité d'avoir un marché stable, qui permet la concurrence, laquelle est en retour détruite par de tels prix. La forme la plus institutionnalisée et la plus destructrice de *dumping* moderne est l'agriculture industrielle. Pourquoi ? Parce qu'elle empêche les agriculteurs des sociétés à la fois productrices et consommatrices de réaliser assez de profit pour rester dans leur ferme.

Troisièmement, il existe une autre forme de *dumping* postmoderne. La protection de l'OMC permet aux détenteurs de propriété intellectuelle de surévaluer le prix de leurs biens. On pourrait dire que c'est du *dumping* inversé.

Quatrièmement, et c'est le plus original aujourd'hui, on pourrait soutenir qu'il existe encore une autre forme nouvelle de *dumping*. C'est la forte augmentation des échanges internationaux au sein même des entreprises transnationales, façon de s'approvisionner au moindre coût sans passer par le marché. Il s'agit en fait de transferts internes. Il y a quelques années, on estimait que cela représentait un tiers de ce que nous appelons le commerce. J'ai dit plus haut qu'il serait naïf de ranger cela dans la même catégorie que les autres échanges. Au lieu de voir dans ce phénomène une *success story* commerciale, peut-être devrions-nous l'appeler *dumping* interne ou *dumping* structurel.

Assez curieusement, ce système de transferts internes a souvent eu pour effet de dissocier le coût de production concurrentielle du prix de vente. Le fossé devient si large que le système interne à la fois autorise cette nouvelle forme de *dumping* et permet à l'entreprise de maintenir des profits plus importants. C'est de l'accumulation de richesse, et non de la croissance économique. Et cela incite les multinationales à dépenser cet argent en fusions-acquisitions incessantes, ce qui mine encore plus la forme de concurrence qui produit de la croissance.

On pourrait aussi considérer ces divers modes de concurrence inéquitable ou dévoyée comme une nouvelle sorte d'accord ou de trucage des prix. Ils nous rappellent que la consolidation des groupes transnationaux n'a pas grand-chose à voir avec les marchés globaux ouverts de la tradition libre-échangiste et tout à voir avec la face sombre du mercantilisme des XVIIe et XVIIIe siècles. Et donc avec le bon vieux problème des oligopoles et des monopoles.

Cinquièmement, il existe beaucoup d'autres modèles économiques. Quoi qu'on pense de la politique nationale en Italie, c'est un pays doté de régions fortes et qui réussissent, de cités florissantes. L'une des raisons qui expliquent cette réussite est que, derrière la façade que constituent deux ou trois groupes géants, l'Italie est un monde très riche de petites et moyennes entreprises. 23 % des Italiens environ travaillent dans des sociétés de moins de dix employés, contre sept en Grande-Bretagne et trois aux États-Unis [5]. Si on considère les entreprises de moins de cent employés, l'image qu'on obtient à la fois de l'économie et de la société est tout à fait remarquable. Voilà un pays dynamique. Il contrôle son marché avec ses produits et en vend aussi un grand nombre à l'étranger, tirant pleinement avantage de l'objectif véritable du libre-échange.

Le sixième point est lié à la fiscalité. « Un gentilhomme, dit Confucius, aide les nécessiteux ; il ne contribue pas à rendre les riches encore plus riches [6]. » Pour *The Economist*, « les principes d'équité sapent le libéralisme ». Il est virtuellement impossible de parler aujourd'hui des impôts de façon franche, honnête et positive.

La période keynésienne a connu une croissance forte, un niveau élevé d'emploi et l'ambition de renforcer le bien public. Il en est résulté une franche utilisation de l'impôt. Dans les années 1970, la fiscalité pâtissait de certains inconvénients, à l'instar de la forêt inextricable de réformes sociales intenses. Mais le quart de siècle précédent avait prouvé que croissance forte et impôts lourds ne sont pas incompatibles.

La période globaliste a apporté une croissance faible, un chômage fort et l'ambition de renforcer le marché. Tout a été fait pour libérer les forces du marché, au motif que relâcher cette nouvelle énergie internationale aurait un effet d'entraînement – à commencer sur la croissance et l'emploi. Pour l'instant, cela n'a pas fonctionné.

Une évolution positive cependant : on note une baisse des statistiques dénombrant les pauvres dans le monde. Malheureusement, personne, pas même les statisticiens, ne sait si cette amélioration est réelle ou simplement statistique.

On s'accorde pourtant à penser que le fossé entre les riches et les pauvres s'est creusé. Et cela a un effet direct sur la fiscalité. Les impôts ont été réduits pour les tranches supérieures. La charge fiscale pèse désormais davantage sur les fractions moyennes et inférieures de la société. C'est conforme au système de croyance actuel. On admet aussi qu'il n'y a pas d'autre solution. Pourquoi ? Parce que les entreprises et les plus hauts revenus peuvent traverser facilement les frontières. Si on n'allège pas leurs impôts, ils partiront.

Malgré ces grands changements dans les taux d'imposition, les gouvernements éprouvent de plus en plus de difficultés à collecter les impôts auprès des entreprises. Cela montre que l'idée de globalisation fonctionne en partie – s'agissant des impôts, les États-nations semblent plus faibles devant les grandes entreprises. Sans surprise, les groupes transnationaux aiment beaucoup déplacer leur argent au gré des taux d'imposition. S'ils n'apprécient pas la fiscalité d'un endroit, ils retirent leur argent et endettent leur filiale locale. Or ces systèmes fiscaux favorisant l'endettement ont été créés pour aider les entreprises à bâtir leur activité.

En 2004, le *Financial Times* a étudié les opérations en Grande-Bretagne de vingt grandes sociétés non pétrolières ayant un fonds de roulement de près de 100 milliards de livres. Ces entreprises se sont débrouillées pour faire apparaître une perte de 700 millions et pour ne payer que 350 millions d'impôts [7]. Une broutille.

Est-ce le résultat inévitable d'une force globale inévitable ? N'est-ce pas plutôt que les pays du G7 n'ont pas voulu traiter de la nécessité d'un accord international contraignant sur la fiscalité visant à empêcher les entreprises d'agir de façon légale, mais malhonnête ?

L'incapacité des gouvernements démocratiques à aborder la fiscalité internationale les a plongés dans une crise fiscale et dans une crise liée à la pauvreté permanente. Leur réaction face à la première a été parfaitement utilitariste. Ils ont cherché à augmenter les impôts sans paraître le faire. Résultat : des impôts déguisés. Ils peuvent prendre maintes formes. La plus grande insulte à la dignité des citoyens et de la démocratie a peut-être été, pour les gouvernements, la décision de devenir les plus gros croupiers jamais vus.

Rien de mal dans le jeu. C'est un amusement comme un autre. Mais il est foncièrement malsain que les gouvernements démocratiques aient fait du jeu une méthode pour lever de grandes quantités de fonds publics.

Il y a un point de bascule éthique. Il est atteint lorsque les gouvernements dépensent des dizaines de millions de rentrées fiscales pour des publicités encourageant les citoyens à jouer. Rien qu'aux États-Unis, 500 millions de dollars sont dépensés chaque année pour encourager principalement la population pauvre et n'ayant pas fait d'études à jouer davantage. « Un million par jour. Il suffit de jouer. » En Australie, 600 millions de dollars vont à la publicité.

La période de la globalisation a vu les recettes du jeu passer en Allemagne de huit milliards de marks au début des années 1970 à quarante-deux. Partout, le taux de croissance est le même : 10 à 15 % l'an. Le Mexique, nouveau venu dans les jeux, vise un revenu de trois milliards de dollars. La Nouvelle-Zélande en est à douze, la Grande-Bretagne à vingt-cinq milliards de livres, l'Inde à sept milliards de dollars – soit 2 % du PNB. Dans le monde entier, 900 milliards de dollars sont dépensés par les citoyens en jeux. Beaucoup de gouvernements ne pourraient survivre sans ce revenu.

En 1995, en Grande-Bretagne, la combinaison de gains nets provenant des jeux pour le gouvernement et d'argent issu également des jeux donné aux bonnes œuvres – en lieu et place de fonds publics – a atteint 9,7 milliards de livres. Cela représente plus de la moitié de ce qui avait été collecté en impôts sur les sociétés. Trois fois et demi la somme totale des impôts sur le capital et des droits de succession. Dans la province canadienne de l'Alberta, riche en énergie, les revenus des jeux pour le gouvernement rivalisent avec ceux des impôts sur l'essence et le gaz, et parfois les dépassent.

Dans chacun de ces cas, la justification est qu'un pourcentage des gains est donné aux bonnes œuvres, à la culture, aux écoles. En d'autres termes, les gouvernements font taire précisément ceux qui pourraient critiquer l'éthique présidant à l'utilisation du jeu comme outil fiscal en les rendant dépendants de ses revenus.

La normalisation de la pauvreté a été l'autre solution adoptée pour lutter contre la crise fiscale. Les gouvernements économisent de l'argent en laissant simplement les gens passer à travers le filet de sécurité. La logique est simple. Si les règles de la globalisation vous empêchent de vous occuper des citoyens qui en ont le plus besoin, ne vous en occupez pas ! Quelqu'un finira bien par reprendre le flambeau. Après tout, la charité était un trait propre au système libre-échangiste du XIXe siècle. Le libre-échange, l'utilitarisme et la charité, ou philanthropie, comme on l'a appelé – nouvelle forme de noblesse oblige à laquelle s'adonnent les nouveaux riches –, vont de pair. Et ils s'opposent à la vision universalisante du bien public.

La charité est revenue. Et elle est parfaitement adaptée aux besoins des pauvres, parce que la consolidation économique internationale s'oppose au local, tandis que la charité est locale presque par définition. Beaucoup de ceux qui se dressent contre la globalisation plaident pour la renaissance de structures et de solutions locales. Ils oublient qu'il n'y a pas de solutions locales s'il n'y a pas d'accès local fiable aux rentrées fiscales.

Il est important de se rappeler que, nonobstant les hésitations initiales du mouvement libre-échangiste à l'égard des droits des travailleurs, la charité n'était pas le but. Cobden : « On entend souvent parler de la charité, mais qu'avons-nous à faire de la charité dans cette Chambre ? Le peuple veut la justice, pas la charité. Nous sommes tenus de répandre la justice. Comment pourrait-on étendre la charité à une nation tout entière [8] ? » La conviction que la charité ne constituait pas une solution pour satisfaire les besoins liés au bien public s'est renforcée depuis la révolution industrielle et la création de maisons des pauvres. August Strindberg, il y a un siècle : « Toute charité est humiliante. » Et pourtant, une fois le libre-échange en place, la charité a paru remonter sans effort. Et elle n'a cessé de le faire de façon déstabilisante, depuis la fin du XIXe siècle. La politique publique, prônée par un nombre plus large d'électeurs, a commencé à créer des politiques publiques équitables et universelles. La question n'est pas que la philanthropie du XIXe siècle était complaisante ou indécente. La question est qu'une partie l'était, et l'autre non. Et ni l'une ni l'autre ne pouvaient remplir de façon désintéressée les besoins liés au bien public.

Et soudain, un siècle plus tard, avec la montée de la globalisation, la charité est redevenue un outil à prendre au sérieux pour la politique publique. En 1990, il existait seize banques alimentaires à Auckland, en Nouvelle-Zélande. En 1994, elles étaient cent trente. Dans la plupart des villes du monde démocratique, des banques alimentaires ont été créées pour traiter les urgences temporaires des années 1980. Elles n'ont jamais cessé de se développer. L'incapacité de se nourrir soi-même est la base de la pauvreté. Quant aux abris temporaires pour les sans domicile fixe, ils ont été transformés en dortoirs en dur. Il est courant que la moitié de ceux qui y dorment aient un emploi. Mais ils gagnent trop peu pour payer un loyer.

Suis-je en train de dire que la charité ne devrait jouer aucun rôle dans une société démocratique ? Pas du tout. Mais pour des raisons liées à la dignité et au réalisme, la charité ne doit pas et ne peut pas satisfaire les besoins des pauvres dans une société, non plus qu'elle ne peut sortir de la pauvreté la masse de ceux qu'elle touche. Comme le disait Cobden [9], seul l'État le peut. Le rôle de la charité doit être de combler les failles de la société, d'atteindre les recoins inattendus, là où le bien public n'est pas encore allé ou ne peut aller. Traiter la pauvreté relève au contraire de la responsabilité fondamentale de l'État.

Que la globalisation ait recréé ce problème et n'y ait apporté aucune solution, voilà un nouvel indice montrant que c'est une idéologie vouée à vite mourir.

CHAPITRE XV

1995

L'apogée de la globalisation a été atteint en 1995 avec la création de l'OMC – et un triomphe secondaire : l'inclusion de la propriété intellectuelle dans les attributions de cette organisation. Le fait de toucher des droits d'auteur était désormais considéré comme un acte d'échange commercial. Cette inclusion des Aspects des droits de propriété intellectuelle qui touchent au commerce (ADPIC) a représenté une sorte de vote de confiance en faveur de l'idée de multinationales transformées en États virtuels. Elle a eu aussi pour effet de convaincre les petits pays pauvres que, quelles que soient leurs forces, l'OMC servait inéquitablement les intérêts occidentaux.

À peine quelques mois auparavant, fin 1994, le Mexique avait été présenté par le *World Competitive Report* comme la plus admirable des *success stories* économiques. Il avait prouvé qu'une économie en voie de développement pouvait sortir des crises classiques et suivre la voie nouvelle. Mieux, les jeunes gens qui avaient conseillé le président mexicain pour ce faire étaient tous le produit des meilleures universités occidentales, des experts en management moderne et en nouvelle économie globale.

En même temps, l'aide internationale au développement a atteint un nouveau record : 61,5 milliards de dollars. Et c'est dans cette atmosphère optimiste que l'Organisation pour la coopération et le développement économique (OCDE) a lancé des négociations pour créer l'Accord multilatéral sur l'investissement (AMI). Selon *The Economist*, les négociateurs de l'OCDE « dégoulinaient d'optimisme » : ils estimaient qu'en trois ans, ils pourraient « créer un ensemble de règles globales qui enclencheraient la libéralisation [1] ». L'AMI allait être l'étape suivante dans la progression de la globalisation, après l'OMC.

Pour autant, même si cela pouvait paraître étrange à l'époque, le monde allait en même temps dans des directions opposées. Trois mois après qu'on a érigé le Mexique en modèle économique, son économie s'est effondrée. On appelé cela la crise de la téquila, et beaucoup ont déclaré qu'ils n'avaient rien vu de tel depuis les années 1930 [2].

En même temps, les prix mondiaux des matières premières ont commencé à chuter. Et ils n'ont cessé de le faire. Le prix du café atteint maintenant 32 % de sa valeur de 1995, le coton la moitié. En même temps, l'aide au développement a commencé à chuter. En 2000, elle avait perdu 25 %. En Occident, chaque nouvelle étude a apporté de mauvaises nouvelles. Quand on a examiné les tendances en matière d'égalité et d'inégalités, il s'est avéré que les deux champions du globalisme – la Nouvelle-Zélande et le Royaume-Uni – venaient en tête dans la liste des pays où les inégalités s'accroissent [3].

Le signe le plus inquiétant pour la globalisation a peut-être été l'accord de paix de Dayton, qui a finalement mis fin à la guerre civile perverse de Bosnie en 1995. J'ai décrit comment entre 1980 et 1991 les États européens ou bien n'ont rien fait ou bien ont aggravé la situation dans les Balkans. Une fois la guerre civile commencée, ils ont interféré d'une façon encore plus maladroite, puis ils ont reculé lorsque la violence s'est étendue. Les armées qu'ils ont envoyées par l'intermédiaire de l'ONU ont été acculées au martyre par la faiblesse et la confusion de leurs dirigeants politiques. Ce sont finalement les États-Unis qui ont pris l'initiative et ont arraché l'accord de Dayton aux trois groupes belligérants.

Mais le modèle sous-jacent à cet accord de paix était emprunté à celui des dirigeants nationalistes extrémistes locaux. Or l'une des seules choses à laquelle ils aient été obligés de renoncer, c'est au droit de s'entretuer. Les détails douloureux de la séparation raciale créée par la guerre, ville par ville, ont été en grande partie formalisés. On a admis que pour être citoyen ou pour voter, il fallait une carte d'identité définissant à laquelle des trois races on appartenait. Si vous étiez juif, vous n'existiez que si vous mentiez. Si vous étiez d'origine mixte, vous deviez mentir et choisir une race pure. Ce n'est qu'en 2002 qu'on a abandonné cette règle raciste.

La question est bien plus générale. L'Occident, lancé dans une croisade globale postulant que l'économie pouvait nous mettre dans le droit chemin et que le nationalisme disparaîtrait, s'est senti obligé d'approuver le type de racisme qu'il avait combattu pendant la dernière guerre mondiale. Il l'a approuvé pour un nouveau pays au sein même de l'Occident. La Bosnie est une petite région où vit une population confinée et pauvre de quatre millions d'habitants. Et pourtant, l'Occident, incroyablement riche, doté d'une puissance militaire sans précédent et d'une population de trois cent cinquante millions de personnes en Europe et de trois cent cinquante millions en Amérique du Nord, a agi comme s'il n'avait pas la puissance nécessaire pour faire plus. Du moins la paix était-elle là. On ne mourrait plus. Mais au prix d'une humiliation éthique pour ceux qui disaient croire en un monde nouveau, en un monde ouvert.

La même année, Édouard Chevernadze, ex-ministre des Affaires étrangères sous Mikhael Gorbatchev, puis dirigeant contesté de la Géorgie, est venu à Londres à la fois mettre en garde et accuser l'Occident : « D'énormes sommes d'argent ont été dépensées pour mettre fin à la guerre froide ; des sommes similaires ne sont pas investies pour aider à construire la démocratie. [...] Nous n'assistons pas à un triomphe de la démocratie occidentale. [...] Des régimes qui ont une tendance fasciste marquée [sont arrivés au pouvoir. Le nationalisme rampant fait peser] un danger d'armageddon nucléaire[4]. »

Dans la période qui a immédiatement précédé Dayton, un génocide a eu lieu au Rwanda. Entre un demi-million et un million de personnes ont été assassinées. Le monde développé n'a pas bougé. Le général Roméo Dallaire, l'officier canadien envoyé par les Nations unies pour commander une force minuscule, a déclaré qu'il considère cette inaction comme du pur racisme, en particulier l'attermoiement du Conseil de sécurité. L'imprécision du nombre de morts est en elle-même intéressante. Nous vivons dans un monde envahi par les statistiques : nous mesurons la croissance, la productivité, la taille, la longévité, les marchés financiers sous tous les angles, l'augmentation de l'obésité, la fréquence des orgasmes, les divorces, les légumes que nous mangeons. Personne ne semble savoir ni se soucier de savoir qu'un demi-million de Rwandais ont été massacrés.

Le génocide rwandais a tourné en catastrophe au Congo : 4,7 millions de personnes sont mortes entre 1998 et 2003. 4,7 millions ou 3,4 ? Ou bien 5,6 ?

Où donc étaient les forces puissantes de la fatalité économique pendant ces désastres ? Où étaient les dirigeants occidentaux ? Ils étaient occupés à parler avec confiance de la globalisation alors que de grandes parties du monde étaient plongées dans une turbulence politique marquée par de plus en plus de violences nationalistes.

Pendant cette même période, une petite mais importante initiative a été prise par l'Organisation internationale du travail (OIT). En 1994, elle a créé un groupe de travail chargé des dimensions sociales de la libéralisation du commerce international. Et ce groupe a commencé à rechercher quelles régulations contraignantes on pourrait introduire au niveau international pour instaurer un équilibre dans les affaires mondiales – pour ranimer l'idée de bien public au niveau global. En 2002, ce groupe est devenu une commission mondiale et, en 2003, a sorti un rapport. C'est un rapport très raisonnable, plein d'idées qui pourraient stabiliser les acquis et attirer notre attention sur une vision plus large de la façon dont fonctionne réellement le monde.

Il reste dans un coin. À attendre.

QUATRIÈME PARTIE

La chute

« On n'a pas coupé la tête du roi parce qu'il était roi, non plus qu'on n'a écarté les seigneurs parce qu'ils étaient seigneurs [...], mais parce qu'ils n'ont pas rempli leurs obligations. »

Olivier Cromwell, 1653

CHAPITRE XVI

Un équilibre négatif

Les six années qui ont suivi ont vu sombrer les espérances globales dans la plus grande confusion. Si on voulait regarder en arrière et mettre les points sur les *i*, on pourrait noter et lister les événements précis qui ont marqué ce processus. Plus importante peut-être a été l'impression générale : les grandes vérités de la globalisation n'étaient plus vraies.

Ni la globalisation ni le libre-échange n'ont été mis en danger par ceux qui s'y opposaient ou cherchaient à les aborder de façon terre à terre. Ce qui les a mis en péril, c'est l'approche négligeante, romantique, idéologique de leurs fidèles. Proposer une théorie totalisante où le leadership social et la société elle-même ne seraient plus centraux ne peut manquer de provoquer une crise et un effet de retour. Blâmer ceux qui s'opposent aux idéologies est un peu comme imputer le désastre de la Première Guerre mondiale à ceux qui ont critiqué les généraux messianiques comme Foch et Haig pour leur incapacité à gagner des batailles sans massacrer leurs troupes.

Au début du XXIe siècle, on a commencé à prêter attention au nombre de plus en plus grand de démocraties et d'États en échec. Il est difficile d'attribuer des problèmes aussi généraux à des causes spécifiques. Mais comme nous l'avons vu, il existe une contradiction fondamentale entre deux promesses faites par le mouvement globaliste : il y aurait déclin du pouvoir de l'État-nation, ainsi que développement du nombre et de la vigueur des démocraties. Reste que la démocratie est une expression de l'État-nation. Elle traduit le rôle et le pouvoir des citoyens individuels au sein de ces États – c'est l'expression de leur aptitude à s'impliquer dans des choix nationaux, à donner une direction à l'État-nation sur des affaires intérieures et extérieures, à définir ce que doit être le bien public. Leur pouvoir s'applique directement aux structures et aux choix de leur État.

Affaiblissez l'État-nation en suggérant l'idée qu'il existe des forces internationales *inévitables*, et vous ne pouvez manquer d'affaiblir la démocratie. Un quart de siècle de civilisation repensé à travers le prisme des forces économiques impossibles à arrêter n'a pu que miner ceux qui, parmi les États-nations et les démocraties, étaient tout sauf solides.

Là où la démocratie était bien implantée, les leçons apprises étaient très différentes. Des hommes politiques et des fonctionnaires ont commencé à remarquer que les théories de la globalisation qui étaient censées produire une croissance saine et une diffusion de la richesse n'y parvenaient tout simplement pas.

L'exemple le plus simple a peut-être été les résultats obtenus par la vaste privatisation des entreprises publiques et le déplacement de millions de milliards de dollars qui en est résulté. Certaines entreprises privatisées ont mieux réussi, mais ce n'était pas la majorité. La privatisation n'a pas apporté une structure favorisant la réussite, sauf pour un tout petit groupe de gestionnaires qui se sont métamorphosés en riches capitalistes en puisant dans le capital de grandes entreprises. Quant aux sommes immenses injectées dans les caisses publiques de par le monde, elles semblent s'être évaporées sans effet particulier. Pas d'élan économique, pas d'amélioration particulière de la santé économique publique. Juste une rentrée ponctuelle en échange de beaucoup de valeur à long terme retirée à la richesse publique.

Cela illustre un phénomène qui est courant dans la nouvelle économie globale : la vaporisation de l'argent. Un demi-siècle plus tôt, on l'aurait qualifiée de phénomène inflationniste. Mais c'était une nouvelle sorte d'inflation, difficile à mesurer. D'immenses sommes d'argent ont pénétré sur le marché et ont semblé tout aussi rapidement s'évaporer sans effet particulier, comme si elles avaient été aspirées vers le ciel, telle l'assomption corporelle de la Vierge. Peut-être était-ce une réaction naturelle de l'économie à la disjonction entre les marchés de capitaux fonctionnant en spirale et le mouvement imperturbable de l'activité réelle.

À la fin des années 1990, la manie de la privatisation n'était plus que du coup par coup. Il restait beaucoup à vendre, mais les hommes politiques et les fonctionnaires avaient perdu de leur enthousiasme pour ce jeu. Pourquoi ? Ils n'en voyaient plus l'intérêt.

Si la privatisation continuait au goutte-à-goutte, ce n'était qu'une façon pour les partis politiques d'alimenter divers groupes professionnels. Les juristes, les consultants, les banquiers et autres renverraient l'ascenseur par le biais de contributions aux partis politiques, de soutiens divers, de postes importants.

L'échec le plus dur à admettre fut sans doute la disjonction entre commerce et croissance. Le commerce était au centre du système de croyances globales. Donc, plutôt que de débattre ouvertement de ses aspects positifs et négatifs, les croyants de la globalisation ont laissé leurs doutes se répandre dans un silence mutique.

Et pourtant, dans ce silence, les frustrations sont devenues plus évidentes. Pourquoi donc l'extension extraordinaire et continue du commerce ne produisait-elle pas une croissance économique générale ? Pourquoi ne répandait-elle pas la richesse et ne réduisait-elle pas le chômage ?

Je me demandais plus haut si le phénomène nouveau que représentent les échanges entre filiales d'un même groupe transnational doit être considéré comme du commerce. Ces déplacements rendent probablement compte aujourd'hui de la majorité du commerce international. Si ce n'est pas du commerce, on ne peut s'attendre à ce qu'il en ait l'effet. Peut-être celui-ci est-il neutre, voire négatif. Si on ne se pose pas honnêtement la question, on ne peut commencer à comprendre la disjonction entre commerce massif et croissance molle.

En surface, pas de question. Pour les besoins des régulations locales, ces mouvements intra-entreprise sont en général comptabilisés comme si des biens étaient vendus et achetés, comme s'il s'agissait de commerce classique. En fait, des profits réels ne sont pas réalisés à chaque étape du mouvement. D'ailleurs, l'intention n'est pas de réaliser des profits. Les pertes permettent de se servir des mouvements internationaux pour fuir l'impôt. Mais l'absence fondamentale de désir de faire du profit à chaque étape suggère que ces biens ne sont pas des biens commerciaux. D'ailleurs, ce processus n'est pas lié à la concurrence sur les marchés.

Rien à signaler dans l'intention. Pourquoi ne pas assembler des composants au coût le plus faible possible et vendre le produit fini au prix le plus élevé possible ? Mais si tout le processus est interne, il ne ressemble pas plus au commerce de marché que l'ancien modèle mercantiliste ou les empires du XIXe siècle.

Ce processus peut maximiser les profits finals internes,

sans être touché par les mécanismes du marché, lesquels comprennent des impôts.

Le facteur additionnel, ici, est que, grâce à la production de masse, la plus grande partie de ces marchés a en permanence une production excédentaire. Le besoin n'est pas d'investir, mais de maintenir les prix élevés.

Le défi consiste donc à développer pour l'entreprise une stratégie de croissance qui n'a pas grand-chose à voir avec la croissance économique hors entreprise. Une partie de la solution a consisté à canaliser cette richesse dans les fusions-acquisitions, qui permettent aux entreprises de devenir toujours plus grosses, mais sans que cela présente un intérêt économique. Ce processus, Jonathan Nizan et Shimshon Bichler l'ont expliqué de façon très originale : « À la fin du XIXe siècle, il y a avait moins d'un cent pour les fusions-acquisitions par dollar d'investissement "réel". Cent ans ont passé et pour un dollar d'investissement "réel", il y avait plus de deux dollars pour les fusions[1]. » Selon Nitzan et Bichler, cela permet aux entreprises toujours plus grosses d'accomplir quatre choses à la fois : éviter de créer de nouvelles capacités de production, qui feraient baisser les prix ; disposer de davantage de contrôle sur le marché en réduisant la concurrence ; renforcer les gains, toujours en réduisant la concurrence ; et diminuer les risques en resserrant les marchés et la concurrence. En retour, cela accroît leur influence, et donc leur pouvoir, au sein des structures de l'État-nation, ce qui leur confère ensuite plus d'influence sur la conception des régulations publiques visant à protéger leur position en réduisant la concurrence. J'ai déjà décrit un exemple de choix – l'inclusion de la propriété intellectuelle – ADPIC – sous le parapluie de l'OMC.

Nous commençons à comprendre qu'une grande partie de ce qu'on justifie au motif qu'il s'agirait de structures nouvelles nécessaires pour soutenir une économie globale reposant sur de plus en plus d'échanges ne stimule pas du tout le commerce « réel ». Cela n'accroît pas la richesse de la société et cela ne contribue pas au développement de la société.

Les fusions-acquisitions ont atteint un pic de 1,2 million de milliards de dollars en 2000, puis elles se sont effondrées lentement pour atteindre 300 milliards en 2001, avant de recommencer à croître. Fin 2004, ce phénomène atteignait 100 milliards de dollars par semaine. Ces vastes corps technocratiques, sans direction, que sont les multinationales ne peuvent pas s'empêcher de prendre le chemin le plus facile.

Les cyniques diraient qu'une telle accumulation de pouvoir par la richesse démontre la réussite de la globalisation et la faiblesse de plus en plus grande de l'État. Selon une interprétation plus terre à terre, tout système qui doit vaporiser de la richesse afin de consolider son pouvoir agit d'une façon défensive qui fragilise son pouvoir. L'étrange dans ce mouvement des fusions-acquisitions, c'est qu'il se débrouille pour combiner une remarquable accumulation de pouvoir avec une vaporisation tout aussi choquante de la richesse de papier qu'elle implique. Dans cette atmosphère, il a suffi de peu de temps pour que les citoyens et leurs gouvernements redécouvrent qu'ils étaient bien plus forts que les grandes entreprises. Ils sont plus forts parce qu'ils peuvent façonner les événements en créant des politiques à travers la tension des choix, par opposition aux groupes transnationaux qui accumulent du pouvoir en réduisant les choix.

La disjonction entre argent et croissance s'est répandue dans presque tous les domaines, tout comme le curieux phénomène que constitue la vaporisation financière. Les années 1990 avançant, la Banque des règlements internationaux a multiplié ses mises en garde : « Notre révolution financière s'est accompagnée d'une croissance accélérée des transactions financières sans lien décelable avec les besoins de l'économie non financière[2]. » Il était devenu « de plus en plus difficile d'évaluer les risques de crédit direct, de liquidité et de taux d'intérêt » des prêteurs parce qu'il se passait beaucoup de choses « hors bilan ». Les ratios d'endettement des personnes et des entreprises ne cessaient de monter, comme s'il n'existait pas de cote d'alerte. En 2004, la dette personnelle en Grande-Bretagne a atteint un million de milliards de livres, niveau jamais atteint. Paul Krugman parlait quant à lui de « Nouvel âge doré, aussi extravagant que l'original » – lequel avait conduit à l'effondrement de 1929 ; l'écrivain haïtien George Anglade plaidait pour le rejet de la « croissance du superflu » au profit du « développement du nécessaire ».

Mais les marchés financiers n'ont cessé d'inventer de nouvelles sortes de dettes et de taxations privées. Que sont en effet les ADPIC, les frais bancaires pour les services de base, les frais liés aux cartes de crédit sinon une privatisation des taxes dans le style des collecteurs de l'impôt sur le sel au XVIIIe siècle ? Alors que les banques centrales restent préoccupées par les niveaux de circulation monétaire classiques, le secteur privé imprimait autant d'argent qu'il voulait en élargissant l'ensemble des mécanismes privés – des *junk bonds* aux cartes de crédit.

La société occidentale s'est mise à prétendre que la spéculation n'a plus de conséquences sur la prospérité économique et politique. Les méthodes modernes, nous dit-on, ont rendu la spéculation utile. Et soudain, la réalité revient, et nous explosons de colère.

Jacques Chirac en 1995 : « La spéculation, ce sida de nos économies[3]. »

Rien de nouveau dans l'illusion que la spéculation et une économie de consommation pourraient s'éterniser. Rien de nouveau non plus dans la conviction que cela entraînerait une catastrophe. Sophocle :

> « L'argent, messieurs, l'argent ! C'est le virus
> qui infecte l'humanité de tous les maux.
> Il n'existe pas pire fléau[4] ! »

Le fait nouveau, c'était la disparition de l'ancienne conception du commerce global, que Keynes décrivait comme « le devoir d'épargner », « vertu » permettant au « gâteau de grossir »[5]. Le mythe de la globalisation inclut cependant l'idée que le commerce nourrit la croissance – idée fondée sur l'épargne –, alors qu'en réalité, la conversion à une société de spéculation, de consommation ou de vaporisation fait tout le contraire. Donc, le gâteau – en particulier au sein des économies développées – ne grossit pas, parce que le système global ne le veut pas.

Au milieu des années 1980, l'idée de commerce alimentant la croissance était admise dans le monde des affaires comme une façon de se libérer de la mainmise du gouvernement. On ne se demandait guère comment cela fonctionnait réellement et quels étaient ses effets profonds. Le monde des affaires n'aime guère les débats internes, et encore moins le désaccord. C'est un monde pyramidal, un monde d'obéissance aux ordres dans les structures et de solidarité entre les acteurs importants. Le code aristocratique plaide pour les idées reçues.

Au milieu des années 1990, ce système de croyance a craqué. Des critiques célèbres se sont fait entendre, parmi lesquels ceux qui avaient conduit à la création des idées reçues. Jimmy Goldsmith et George Soros comptaient parmi les plus célèbres à passer de la globalisation à des positions plus attentives et réfléchies. Mais il y en avait des dizaines d'autres, chacun ayant des inquiétudes particulières : le banquier d'affaires australien Rob Ferguson ; le papetier canadien Adam Zimmerman ; un autre Canadien, le personnage de l'agro-alimentaire Jon Grant. La majorité des chefs d'entreprises industrielles allemands et français éprouvaient de grands doutes. Et de même des centaines d'actionnaires et de cadres dans tous les États-Unis. Robert Menschel, important banquier d'affaires new-yorkais, était éloquent[6]. Et en privé, des milliers de chefs d'entreprises étaient de plus en plus gênés par les présupposés globalistes.

Ce que tous partageaient, c'était leur intuition et une somme d'observations indiquant que le monde était emporté par des idées reçues passives. En 1826, alors que l'Occident était en train de provoquer un violent contrecoup en laissant échapper à tout contrôle l'idée reçue selon laquelle les profits comptaient plus que le bien-être social, l'écrivain écossais John Galt a mis en garde contre la nouvelle théorie économique établie, dont « nous n'avons que trop souvent adoré la beauté théorique[7] ». Les critiques des années 1990 eux aussi ont réagi contre une nouvelle atmosphère d'adoration. Leur idée selon laquelle le bien public était la carte maîtresse de la civilisation, autant que le succès économique à long terme, les a poussés à rompre le silence imposé par les loyautés d'entreprise. Ce versant plus conscient, et donc plus intelligent, des chefs d'entreprises a renoncé à l'idée reçue fondamentale selon laquelle on pouvait – on devait même – regarder et organiser la civilisation à travers le prisme de l'économie.

L'une des raisons les plus évidentes de les faire douter de la globalisation était l'incapacité de la théorie à accroître et à diffuser la richesse. Beaucoup de chefs d'entreprises sont convaincus que si la richesse ne se diffuse pas, toute la richesse se retrouve en danger. En 1999, le secrétaire général de l'ONU Kofi Annan est venu à Davos pour livrer précisément ce message : « L'histoire nous enseigne qu'un tel décalage entre les domaines économique, social et politique ne peut jamais se maintenir très longtemps. » Quel est ce déséquilibre ? Des niveaux inacceptables de chômage. L'insécurité professionnelle. Des conditions de travail frisant l'exploitation.

L'échec le plus évident de la globalisation a été son incapacité en matière d'emploi. Toute la période globale a été marquée par un fort chômage, dont les chiffres dépassent ceux de la croissance démographique. En 1973, l'OCDE comptait dix millions de demandeurs d'emploi[8]. En 1979, ils étaient dix-huit. Pendant les années 1980, les chiffres ont oscillé entre vingt-neuf et trente millions. Dans les années 1990, ils avoisinaient les trente-cinq. Ils dépassent déjà les quarante millions.

Et ce, malgré le fait que les méthodes statistiques mesurant l'emploi ont sans cesse été redéfinies depuis les années 1970 pour minimiser les chiffres. Plus importante encore a été la croissance du chômage de longue durée et du nombre de personnes n'apparaissant pas du tout dans les chiffres, parce qu'ils ne recherchent plus d'emploi, sont en préretraite ou se battent pour survivre avec plusieurs petits boulots à temps partiel et sans protection. Les chiffres de 1973 et 1979, dix et dix-huit millions, étaient sûrement précis. Mais un chiffre précis aujourd'hui dépasserait sans doute les trente-cinq à quarante millions annoncés – pour être supérieur de moitié dans certains pays. Au total, il y a désormais au moins quarante-cinq à cinquante millions de sans-emploi dans les pays de l'OCDE.

Si on en rend souvent responsables les rigidités bien réelles des régulations européennes, il suffit de regarder pour remarquer que la situation est bien plus complexe que ne le suggèrent les simples statistiques. Les salaires réels des plus mal payés ont baissé aux États-Unis dans les années 1980. Au début des années 1990, le président Clinton a admis avec frustration que plus de la moitié de la population américaine gagnait moins que dix ans avant : « Le village global que nous avons eu tant de mal à créer [a produit] un plus fort chômage et des salaires plus bas pour certains de nos concitoyens. [...] Cela montre combien il est difficile de tenter de préserver une économie de hauts salaires dans une économie globale où la production est mobile et peut rapidement aller là où les salaires sont faibles[9]. »

En fait, les inégalités n'ont cessé de progresser dans chaque pays industrialisé. Le revenu des plus riches au Royaume-Uni est passé de quatre fois celui des plus pauvres à sept fois dans les années 1990. Le fossé entre les mieux et les moins bien payés atteint son écart le plus extrême depuis les années 1880.

En 1995, année du triomphe de l'OMC, il y avait 800 millions de sans-emploi ou de sous-employés dans le monde – du moins selon les estimations statistiques les plus basses. L'Organisation internationale du travail (OIT) a déclaré que le chômage était à son pire niveau depuis les années 1930. Et l'OMS, toujours en 1995 : « La vitesse du déclin dans certains pays d'Afrique subsaharienne nous a réellement surpris. Pourtant, ils avaient accompli de gros progrès jusqu'au milieu des années 1980[10]. »

Les ministres des gouvernements de l'OCDE se sont engagés ensemble en 1994 à traiter le chômage dans leur pays. Ils ont annoncé un programme visant à stimuler l'esprit d'entreprise, à assouplir les régulations, etc. Ils ont assuré qu'il ne s'agissait pas « de défaire le système de protection, de supprimer les droits fondamentaux des travailleurs ou de casser les accords collectifs anciens[11] ».

Et pourtant, il était difficile de croire à autre chose qu'à un vague tripatouillage technocratique dans le contexte de la croyance forte selon laquelle la démarche globaliste générale serait payante. Si ce n'était pas du tripatouillage, pourquoi alors ne posait-on pas – ne poset-on pas – de questions sur la vaporisation de la richesse nouvelle que les femmes ont apportée à l'économie ?

Voilà en effet l'un des résultats les plus troublants du dernier quart de siècle. Les femmes jouent un rôle de plus en plus important partout et à tous niveaux. Pendant un siècle, elles ont graduellement pris place sur le marché du travail – d'abord à l'usine, comme main-d'œuvre à bon marché, puis comme enseignantes, infirmières, employées de bureau. Soudain, le rythme a changé, comme la proportion des emplois de niveau supérieur. Cette moitié de la population s'est injectée dans le processus de créativité, de pouvoir, de professionnalisme et de management, en plus de son apport évident au sein de la famille et du système domestique. Cela aurait dû produire un gros afflux d'énergie pour créer de la richesse nouvelle. L'implication pleine et entière des femmes poussait et pousse plus à la croissance réelle que tout abaissement des droits de douanes ou toute dérégulation des marchés. Les droits de douanes et la dérégulation sont des ajustements techniques. Les femmes pénétrant tout l'éventail des activités impliquent un doublement virtuel de la population active et une profonde restructuration de la créativité et de l'énergie de la société. Et pourtant, il n'y a pas eu d'élan. La faute n'en incombe sûrement pas aux femmes.

Si vous aviez observé une famille moyenne dans les années 1960, vous auriez découvert qu'elle se débrouillait avec un seul salaire. Maintenant, deux sont nécessaires. La richesse réelle apportée par les femmes a été dévaluée, à l'instar de la grande quantité de richesse de papier qui a été créée dans des domaines comme les marchés financiers et les fusions. En d'autres termes, la croissance réelle n'a pas produit de croissance, de même que l'inflation n'en a pas produit, mais a engendré une richesse artificielle.

D'accord, une famille moyenne consomme aujourd'hui davantage qu'il y a quarante ans. Mais au vu de définitions strictes de la pauvreté – par exemple, la nécessité de choisir entre des fondamentaux comme l'alimentation et l'habillement –, les études montrent que de grandes fractions de la classe moyenne s'en sortent aujourd'hui à peine.

La dévaluation de la richesse réelle créée par les femmes résulte-t-elle de la réduction de la perception sociale centrale à une pure et simple logique économique, avec ses limitations utilitaristes ? Ce phénomène a-t-il été exacerbé par l'absence de traités internationaux faisant contrepoids dans des domaines clés comme la fiscalité, les conditions de travail, le droit, l'environnement ? La réponse brève, du moins en partie, est oui.

Le déséquilibre dans les affaires publiques rebondit presque toujours en deux temps. Premièrement, il produit des situations destructrices. Puis, il éclate de façon inattendue.

L'autre échec patent de la globalisation a été la réintroduction de l'insécurité de l'emploi. Certains systèmes de sécurité professionnelle étaient devenus trop lourds et inutilement coûteux. La façon pour les démocraties d'effectuer des changements en était pour beaucoup responsable, en particulier en Europe occidentale. Mais la solution au problème n'était pas de saper la stabilité sociale.

Face aux coûts élevés du travail, l'ancienne solution libre-échangiste avait été d'importer des biens bon marché. C'était le sens de la révocation des lois céréalières dans la Grande-Bretagne du XIXe siècle. Aux premières étapes de la globalisation, la solution du marché a été d'importer du travail à bon marché, sans sécurité, ce qui a légué à l'Europe le problème non résolu que constituent dix-sept millions de *travailleurs invités*. La solution suivante – qui est toujours la nôtre aujourd'hui – a induit un retour à la stratégie du XIXe siècle. Les structures internes de plus en plus importantes des groupes transnationaux ont là encore donné à l'Occident accès à du travail à bon marché à l'étranger.

Mais l'existence de travail meilleur marché au pays ou à l'étranger n'a jamais été le problème. Soigneusement géré, cela pourrait même faire partie d'une stratégie de développement global positive. Le problème, c'est la conviction du marché qu'une entreprise doit à la fois maximiser ses profits et pourtant offrir à ses clients les biens les moins chers possible.

L'idée que le consommateur a toujours raison ne doit pas s'interpréter comme un droit à pouvoir accéder aux biens les moins chers. C'est du faux populisme confondu avec de l'économie. Cela conduit à surproduire et à sous-évaluer les prix. Sept paires de sous-vêtements pour homme à dix dollars chez Wal-Mart dans le nord de l'État de New York. Cela ne peut être bon pour aucune économie. Cela ne peut être une stratégie de croissance. C'est une démarche défensive, qui réduit la flexibilité de toutes les économies impliquées. Le présupposé tacite ici est que les travailleurs qui produisent ces biens et ceux qui les achètent – grâce à des bas salaires et à des prix peu élevés – pourront ainsi tous vivre à la marge de la pauvreté.

En face de la production et du prix des sous-vêtements Wal-Mart, on trouve les chaussures Nike produites pour 1,60 dollar en Indonésie et vendues soixante-dix ailleurs. Dans les deux cas, ce sont les produits d'une démarche de marché déconnectée de la concurrence, de la valeur et du besoin. Le consumérisme occidental a deux extrêmes : les biens trop inutilement bon marché pour soutenir une économie de croissance ; les biens trop artificiellement chers pour alimenter une économie de croissance.

Ces deux cas sont liés au retour du travail sans protection et à bon marché, type même de l'utilisation non éthique du travail dont les sociétés occidentales ont débattu et qu'elles ont réglé il y a un siècle. La Grande-Bretagne et la France ont montré la voie avec des lois portant sur le travail des enfants. En 1841, Paris a interdit l'embauche d'enfants de moins cinq ans et limité la journée de travail de ceux qui avaient entre huit et douze ans à huit heures, de ceux qui avaient de douze à seize ans à douze heures. La création de l'Organisation internationale du travail en 1919 visait à instaurer des « conditions de travail humaines ». Si une nation s'y refusait, elle « faisait obstacle aux autres [12] ». Vingt-cinq ans plus tard, l'Organisation internationale du travail a produit la déclaration de Philadelphie. C'était un autre de ces progrès engendrés par la Seconde Guerre mondiale, et il plaidait pour que les politiques d'emploi favorisent la justice sociale.

Et pourtant, le mécanisme de fixation des prix de la globalisation a induit un retour au travail des enfants et à l'insécurité professionnelle. Au milieu des années 1990, on en a partout discuté, même dans les revues les plus conservatrices. Personne n'admettait vraiment le vieil argument selon lequel il fallait que les enfants travaillent pour aider à nourrir leur famille – 200 millions selon la plupart des décomptes –, alors que le problème pouvait se résoudre à la façon dont les sociétés industrialisées l'avaient réglé au XIXe siècle, à savoir en payant davantage leurs parents. Et pourtant, nous vivons dans un monde où, selon les statistiques, la moitié des enfants du globe sont touchés par la pauvreté, la guerre et le sida. Une marée cauchemardesque de chiffres nous submerge. Six millions d'enfants de moins de cinq ans sont morts en 1992 de pneumonie ou de diarrhée. Est-ce réellement précis ? Quel degré de précision faut-il pour qu'on parle d'échec ?

Les enfants ne représentaient qu'une petite partie du travail bon marché et sans sécurité qui est caractéristique des marchés dérégulés. En retour, ceux-ci ne constituaient qu'une petite partie de l'économie de la crucifixion. L'ex-président Carlos Salinas, lorsque le Mexique est entré dans le monde du commerce global, a promis que « si nous développons notre commerce, nous hausserons notre niveau de vie ». C'était très peu de temps avant que les revenus mexicains ne soient divisés par deux. Dans un tel contexte, le seuil de pauvreté à un dollar par jour ne signifie pas grand-chose. Et le rééchelonnement de la dette du tiers-monde n'est plus qu'un reste obscène de moralisme protestant à l'ancienne. Les ratios dette/exportations de la plupart des pays endettés ont été multipliés par trois à quatre entre les années 1970 et 1990. Et ils n'ont cessé d'être multipliés, pour beaucoup par plus de dix à la fin du siècle.

Une fois encore, dans un tel contexte, l'idée selon laquelle le travail à bon marché dérégulé est une stratégie favorisant la croissance globale est totalement absurde.

Des critiques ont donc monté de tous côtés. Et lentement, les entreprises ont commencé à réagir aux critiques du public. Et lentement, les gouvernements se sont éveillés à la pseudo-fatalité d'un retour aux normes du XIXe siècle – ou plutôt de l'absence de normes.

Tout cela a eu lieu dans un monde où la violence s'accélérait. La plupart des statistiques concernant les morts du fait de guerres depuis 1945 atteignent les quarante millions [13]. Si vous ajoutez les chiffres qui vont de 1945 à 1970, ils s'élèvent approximativement à dix-huit millions. Cette période inclut les années d'instabilité dues à la décolonisation et aux guerres d'indépendance. Pourtant, de 1970 à 2000 – c'est-à-dire pendant l'ère de la globalisation –, les chiffres ont été supérieurs : vingt-deux millions, soit quelque deux mille par jour. Ce que les statisticiens appellent décès *par surcroît* – c'est-à-dire morts résultant indirectement de la guerre, du fait par exemple de la malnutrition ou de maladies – sont encore plus troublants. À la fin des années 1970, on en était à douze millions par an. À la fin des années 1990, à quatorze. En 2000, à dix-huit. En 2003, à vingt-cinq millions.

Ces chiffres ne comprennent pas les décès causés par des épidémies qui auraient pu être prévenues ou atténuées au moyen de politiques globales efficaces. Par exemple, plus de vingt millions de gens sont morts du sida depuis 1981 et 2,6 millions rien qu'en 2003. Le taux de contamination a atteint son maximum historique en 2003. En Asie, où les deux miracles économiques chinois et indien ne cessent de se confirmer, les taux de contamination sont en train de dépasser le seuil d'une épidémie, au-delà duquel les effets seraient difficiles à calculer.

Tout cela est-il la faute directe de la globalisation ? Non. La globalisation a-t-elle réussi ? Est-ce un système planétaire capable de réduire ou de prévenir les morts du fait de violences ou d'épidémies qu'on pourrait prévenir ? Non. De telles choses ont-elles constamment empiré sous l'égide du système global ? Oui. La situation a-t-elle commencé à s'inverser au tournant du nouveau siècle ? Pour l'instant, elle semble bien se dégrader. À un certain stade, il n'est plus suffisant que des économistes respectables et intelligents comme Jagdish Bhagwati continuent de répéter qu'« on peut conclure que la libéralisation du commerce est associée à une croissance plus forte et qu'une croissance plus forte est associée à une réduction de la pauvreté. Donc, la croissance réduit la pauvreté [14] ». Ce type de réductionnisme n'est pas respectable.

Diriger ne consiste pas à définir son territoire. Il s'agit plutôt de juger les effets de sa théorie et de son style sur la situation générale. Le communisme doit porter la responsabilité des camps de la mort et de l'échec industriel. Le Vatican doit porter la responsabilité de l'Inquisition et de la destruction de la population indigène d'Amérique latine. La globalisation doit porter la responsabilité du développement de la violence et des inepties qui ont permis aux épidémies d'échapper à tout contrôle.

CHAPITRE XVII

Les ONG et Dieu

Au début de l'ère globaliste, des signes indiquaient déjà comment elle pourrait se terminer. Alors même qu'une nouvelle élite – centrée sur l'économie et le management – prenait le pouvoir, une petite force assez originale est apparue à l'horizon. Elle se composait d'organisations non gouvernementales. À cette époque, peu de gens connaissaient le concept d'ONG ou suivaient leur expansion. Utiliser alors le mot « force » à leur propos aurait semblé comique aux pouvoirs publics. Elles paraissaient à l'écart, sans intérêt, étant donné l'idéologie toute nouvelle qui s'installait pour l'éternité. Mais les dirigeants d'ONG et leurs organisations ont rapidement commencé à se multiplier. En même temps, Dieu, force en perte de vitesse dont on pensait qu'elle était morte depuis le XIXe siècle, est brutalement réapparu et a commencé à regagner de plus en plus d'adeptes. Tout comme la globalisation, il était servi en cela par des croyants messianiques, ce que jadis on aurait appelé des disciples.

Et pourtant, ni les dirigeants des ONG ni les disciples de Dieu ne semblaient nécessaires, et encore moins inévitables, aux yeux du mouvement globaliste et de ses élites.

Plus tôt, des signes avaient indiqué ce qui aurait pu arriver. Le libre-échange lui-même avait acquis du pouvoir au XIXe siècle dans une atmosphère de ferveur s'apparentant à ce qu'on pourrait appeler aujourd'hui un renouveau chrétien. Mais cent cinquante ans plus tard, ces deux forces semblaient s'être découplées. Quant aux associations publiques non liées à des structures gouvernementales, en particulier démocratiques – ce que nous appelons désormais les ONG –, elles étaient restées rares et à l'écart. Elles étaient plutôt suspectes, étant donné que très souvent elles étaient des forces volontaires mais antidémocratiques des religions traditionnelles. Dans les premiers temps du libre-échange moderne, au milieu du XIXe siècle, la démocratie représentative était elle-même toute neuve et cherchait encore sa voie. Face aux anciennes élites de classe et aux nouvelles élites industrielles, les citoyens ont vu tout le potentiel de pouvoir que pouvait receler le fait de s'allier sous l'égide des gouvernements des États-nations et de grands syndicats de travailleurs.

Une poignée d'organisations non gouvernementales d'un style nouveau sont apparues : associations de travailleurs, militants réformistes de diverses obédiences religieuses, associations éducatives. Certaines, comme la Croix-Rouge, étaient même internationales. Certains groupes de pression indépendants semblaient avoir surgi comme par accident. En termes contemporains, Theodore Roosevelt était davantage une ONG à lui tout seul qu'un président. Le 11 novembre 1907, il lança ce qu'on peut aujourd'hui considérer comme le souci de l'environnement quand il écrivit aux gouverneurs et autres dirigeants américains pour les convoquer à une réunion : « Des faits que je ne peux nier me forcent à croire que la conservation de nos ressources naturelles est la question la plus importante pour le peuple des États-Unis [1]. » Cette réunion a encouragé un mouvement citoyen à protéger l'environnement.

Le jeune Gandhi et le vieux Tolstoï ont noué une

correspondance détaillée au sein de laquelle ils ont exposé comment le travail de groupe hors gouvernement pouvait changer le monde. « Tolstoï et Gandhi ont consacré leur œuvre à redécouvrir un vocabulaire négatif, à réintroduire le *non* et le *ne... pas* dans notre syntaxe morale[2]. » Ils ont dessiné, dirait-on aujourd'hui, la capacité qu'ont les citoyens de dire non quand ils se trouvent en face de forces théoriquement inévitables. Gandhi a bâti sa vie autour de cette idée. Le mouvement des ONG est né pour exprimer cette aptitude à dire non.

Mais ce n'est qu'avec le globalisme, soit sept décennies plus tard, que ces organisations non gouvernementales à but non lucratif ont explosé. Et cette explosion a pu sembler une réaction à la globalisation. Plus fondamentalement, elle se serait peut-être produite de toute façon. Une ère qui passe donne souvent naissance à plusieurs formes nouvelles et concurrentes qui créeront une nouvelle ère. Elles traduisent la complexité humaine. Elles doivent lutter les unes contre les autres ou trouver un équilibre nouveau. Au début, il n'existait que quelques centaines d'ONG. Il s'en trouve aujourd'hui plus de 50 000 rien qu'au niveau international. En France, entre 1987 et 1994, 54 000 nouvelles associations se sont créées. Au Chili, elles sont 27 000, aux Philippines 21 000, aux États-Unis 1,2 million.

L'OCDE a enregistré mille six cents ONG en 1980. Elles dépensaient 2,8 milliards de dollars. En 1995, elles étaient trois mille et dépensaient six milliards. Les gouvernements dépensent de plus en plus leurs aides par le biais des ONG. Dans de nombreux cas, la moitié aujourd'hui.

Que s'est-il produit ? Réponse facile : le chœur vantant en permanence la fatalité économique internationale a éloigné de la politique et des gouvernements les personnes qui voulaient faire des choix et apporter des changements. Elles ont découvert les organisations à but non lucratif – lesquelles représentent une forme d'influence flottante, voire d'autorité peut-être, sans les inconvénients liés à l'exercice du pouvoir. En d'autres termes, les ONG ont eu la force de libérer des forces de la fatalité, mais elles ont eu pour faiblesse de couper les citoyens de la démocratie responsable.

Certains de ces corps sont remarquables, certains fraudent. Certains sont efficaces, certains ne servent qu'à eux-mêmes.

Le modèle a peut-être été Médecins sans frontières. Un groupe de jeunes médecins se sont retrouvés au front au Biafra. C'était en 1971, l'année de naissance de la globalisation. La guerre civile au Nigeria a fini par coûter deux millions de vies. Le fondateur de Médecins sans frontières, Bernard Kouchner, décrit souvent la frustration qu'ils ont tous ressentie comme médecins. Ils étaient censés rester neutres, passifs, attendre que les blessés apparaissent. Telle était la règle professionnelle. C'était ce que les forces internationales et nationales attendaient d'eux. Ils devaient ramasser les morceaux de la folie humaine, qui avait pris la forme d'un conflit inévitable. « En tant que bon médecin, on est censé attendre d'avoir la possibilité de tenter de sauver ses patients de la mort. Nous avons donc décidé de parler. Parler, c'était dire au public que nous ne pouvions soigner ces milliers et ces centaines de milliers de jeunes patients. Cette situation n'était pas notre faute. La faute était politique. Mais il était contre notre vœu de silence de le dire. Nous avons donc monté Médecins sans frontières. Et nous avons découvert que nous n'avions plus à rester neutres [3]. »

C'était une parfaite illustration de l'idée de refus actif selon Tolstoï et Gandhi. Le refus actif s'est souvent avéré être une grande force dans un monde où les idées reçues plaidaient pour qu'on reste passif face à l'inévitable. En 1992, l'ONG catholique militante Sant'Egidio a joué un rôle clé pour négocier la paix au Mozambique. Partout, partout où on croyait au choix, partout où on refusait la fatalité économique, les ONG se sont glissées, pour le meilleur ou pour le pire. C'était un défi frontal à la théorie économique dominante des dirigeants. Plus gênant aussi, c'était un défi à la démocratie fondée sur la citoyenneté.

Les dirigeants démocratiques ayant de plus en plus admis l'argument giscardien du dirigeant castré, les citoyens ont donc recherché ailleurs leur inspiration. C'était un signe très clair de leur désir de choisir. Mais c'était aussi une menace pour l'idée de gouvernement élu, base du choix responsable.

Et puis il y a la question de Dieu et de son retour inattendu. La classe des gestionnaires très raffinés, passifs et fondamentalement non croyants qui dirigeait, administrait et conseillait dans les vingt démocraties occidentales s'est lentement retrouvée cernée par des forces immenses représentées par de vrais croyants.

Pentecôtistes, évangélistes, renouveau, néocatholiques et diverses autres forces, tangentiellement à travers la religion, ont refusé l'idée de fatalité économique. S'il était une fatalité, c'était celle de Dieu. Beaucoup d'entre eux semblaient provenir d'une forme presque oubliée de droite. D'autres venaient d'une gauche chrétienne plus identifiable.

Les Américains semblent avoir été à la tête de ce mouvement, au point que cette force a été un facteur déterminant au cours des quatre dernières élections présidentielles. La façon dont le président Clinton s'est servi des militants chrétiens a en fait préparé ce qui a suivi. Mais ce serait une erreur que d'oublier la montée en puissance des dirigeants chrétiens à l'ancienne dans une grande partie de l'Europe du Nord. Et la montée patente du fondamentalisme musulman. Comme du fondamentalisme juif.

Nous ne savons pas encore bien ce que signifiera le retour de Dieu. Nous savons qu'il inquiète les libéraux classiques. Nous savons que les lignes politiques restent confuses. Par exemple, de nos jours, on associe souvent bizarrement foi forte et morale libre-échangiste plus douteuse. Mais cela n'a rien à voir avec l'union réformisme chrétien – libre-échange au XIXe siècle.

Ce que nous savons, c'est que Dieu est de nouveau parmi nous et prêt à être de notre côté, si nous le voulons. C'est un partenaire improbable pour les ONG. Mais ils ont ceci en commun : ils refusent l'idée qu'il faut regarder la civilisation à travers le prisme de l'économie.

CHAPITRE XVIII

Chronologie du déclin

1995

Année clé. Mais aussi bien plus. Quatre événements bien précis nous ont appris qu'une nouvelle tendance s'était installée.

La crise de la téquila – l'effondrement du Mexique, la gloire internationale tournant à la catastrophe nationale – a été bien davantage que l'échec économique que j'ai déjà décrit. C'était le signal qu'un quart de siècle d'économie inspirée par la globalisation n'avait pas produit une nouvelle Amérique latine. Déjà en 1982, le Mexique avait suspendu le paiement des intérêts de ses 85,5 milliards de dettes extérieures, phénomène qui s'est graduellement étendu. En 1994, un soulèvement sanglant à l'ancienne mode a eu lieu au Chiapas, en réaction à l'économie de marché imposée de l'extérieur à cette province. Plus généralement, les Mexicains ont bien vu que cette approche avait redonné force à la corruption de naguère.

La Banque pour le développement interaméricain a encore renforcé l'idée que l'expérience économique nouvelle ne fonctionnait pas. « La reprise de la croissance économique a dû se payer à un prix social très élevé, ce qui veut dire de la pauvreté, plus de chômage et des inégalités de revenus, ce qui donne des problèmes sociaux [1]. » Il a bientôt été clair que la croissance économique elle-même était partielle, et donc de plus en plus éphémère.

Au milieu de l'année, James Wolfensohn a été nommé président de la Banque mondiale. Il le serait dix ans. Il s'est immédiatement lancé dans une bataille incessante contre la bureaucratie de la Banque et sa culture, pour la débarrasser de l'idée abstraite de destin économique mondial venant d'en haut et la remplacer par celle de cheminement plus complexe en fonction des réalités du monde non occidental.

Il a rapidement fait venir un haut conseiller, le Canadien Maurice Strong, père du mouvement environnementaliste international, penseur hétérodoxe très lié aux pays en voie de développement. Toute une série d'autres recrutements importants a suivi, tous ayant pour but de changer la direction de la Banque.

Une dure bataille a suivi, non seulement contre les préjugés de la Banque, mais plus généralement contre les diverses bureaucraties globalistes de ce qu'on pourrait appeler le système de l'OCDE. Lors du départ de Wolfensohn en 2005, Washington a intrigué pour placer un des siens, mais pas pour rétablir l'ancienne conception techno-économique globaliste. Son nouveau désir était de mieux adapter la Banque mondiale à sa vision désormais plus nationaliste du monde.

Plus tard en 1995, Ken Saro-Wiwa, le grand écrivain et militant nigérian, a été pendu avec huit de ses partisans. La raison sous-jacente était son opposition aux activités de Shell – le groupe énergétique transnational – dans son pays. Il y a eu plusieurs milliers de prisonniers politiques au Nigeria. Shell a admis fournir des armes à la police nationale [2]. Ces neuf exécutions ont signé la fin de la dictature militaire. Mais elles ont aussi confirmé, dans l'esprit de beaucoup, que les groupes transnationaux n'étaient pas un phénomène progressiste nouveau et bien avisé, mais qu'ils étaient tout simplement fondés sur le vieux modèle oligo-politico-impérialiste.

Singulière préfiguration des événements futurs, Timothy McVeigh a fait exploser un immeuble fédéral à Oklahoma City, tuant 168 personnes et en en blessant plus de 800. Certains diront que ce n'était pas là un signe précurseur. Juste un Américain faisant sauter des Américains. Après tout, des centaines d'actes terroristes intérieurs se sont produits chaque année aux États-Unis pendant de nombreuses années. Mais ce que McVeigh a fait, c'est de greffer les États-Unis sur la tendance terroriste moderne, si forte en Europe dans les années 1970 et 1980. Nous connaissons encore assez mal cette forme de guerre. Ce que nous savons, toutefois, c'est qu'elle s'est développée ces cent cinquante dernières années et qu'elle est une façon d'attaquer indirectement des forces en apparence imbattables. Et qu'elle dépend du mariage d'un certain état d'esprit avec une certaine intuition de ce qui pourrait être accompli.

1996

Soudain, il est devenu clair pour ceux qui voulaient bien se donner la peine de le remarquer que le nationalisme revenait en force partout dans le monde. La logique caractéristique de cette sorte de nationalisme échappait à la fatalité de l'économie globale. Le soulèvement tchétchène était devenu une guerre à part entière. Cinquante mille morts en dix-huit mois. Il s'agissait de nationalisme autant russe que tchétchène.

La tendance internationale était de plus en plus au nationalisme religieux, à mesure que des partis politiques s'identifiant à cette voie devenaient dominants en Israël, en Inde et en Turquie ou commençaient à grossir presque partout ailleurs. Aljazira, le réseau de télévision basé au Qatar, a commencé à émettre. Les Talibans fondamentalistes extrémistes ont pris le pouvoir en Afghanistan.

Mais on notait aussi un renouveau du nationalisme démocratique, apparemment en réaction à la marche des forces globales. L'Écosse a ainsi voté pour créer son propre parlement, après avoir été intégrée pendant 290 ans à l'un des États les plus centralisés au monde.

En même temps, les guerres non régulières sont devenues la stratégie militaire dominante dans le monde. Une bouffée d'attentats à la bombe dus à l'IRA a paru faire le lien entre hier et aujourd'hui. Le Sri Lanka et le Soudan battaient des records d'attentats à la bombe, d'incidents et de conflits permanents imprévisibles. Une bombe aux jeux Olympiques d'été à Atlanta. Cinq cents otages à Lima, au Pérou, incident qui dura 126 jours. Les débuts du terrorisme en Arabie Saoudite : dix-neuf soldats américains tués. Cette façon non régulière de déstabiliser les armées puissantes – dotées de haute technologie, de blindés, de structures de commandement lourdes et nombreuses – jette encore la confusion chez ceux qui croient qu'une puissance extrêmement organisée et étroitement gérée apporte l'ordre.

Alan Greenspan, le président de la banque centrale américaine, trouvait toujours une façon d'ajuster ses théories aux tendances du marché. Il n'en a point émis une mise en garde contre « l'exubérance irrationnelle » qui conduit à « gonfler indûment la valeur des actifs ». En d'autres termes, la déconnexion entre marchés financiers et activité réelle échappait à tout contrôle.

En même temps apparaissaient les premiers signes d'un nouvel internationalisme équilibré, centré sur les principes humanistes. À Ottawa, 122 pays ont signé un traité interdisant les mines terrestres.

1997

Le fait que tout échappait au contrôle est devenu clair en 1997. L'année a commencé par une note positive de changement radical – de changement par choix. James Wolfensohn a nommé Joseph Stiglitz à la direction économique de la Banque mondiale. C'était là un signe clair que les institutions internationales au cœur du programme globaliste initial pouvaient partir sur de nouvelles bases.

La vision négative qu'avait Stiglitz du consensus de Washington et du marché comme solution miracle à tout était bien connue. Parvenu à cette position de pivot, il est devenu la clé pour changer la conception officielle de la façon dont les structures internationales impliquant les pays développés et en voie de développement pouvaient travailler ensemble. Au lieu de tenir pour acquis que des solutions miracles permettraient de faire face aux besoins de la société, on a commencé à prêter davantage attention à ces besoins. À divers degrés, d'autres penseurs sérieux partageaient ses vues. Paul Krugman, Jagdish Bhagwati et John Williamson avaient tous des doutes sur la confusion entre commerce et marché financier. Ils s'inquiétaient de l'inflation et du désordre monétaires.

Mais il était déjà trop tard. En milieu d'année, l'Asie du Sud-Est a commencé à entrer en turbulence économique. En juillet, la Thaïlande s'est sentie obligée de dévaluer. Le FMI a acculé les Thaïlandais, les Malaisiens et les Indonésiens à emprunter la voie classique de la rédemption par l'autoflagellation économique et sociale. Ils ont fait ce qu'on leur a dit. L'Indonésie a fermé deux cent vingt banques, a accepté un paquet de réformes forcées et a obtenu un prêt de vingt-trois milliards de dollars de la part du FMI. La turbulence s'est accélérée.

Le FMI et l'establishment européen ont incriminé les pays d'Asie pour la situation dans laquelle ils se trouvaient. Le problème, disaient-ils, c'était la corruption locale, le *capitalisme de copains*, pas la *libéralisation* rapide. En réalité, les systèmes familiaux asiatiques étaient bien plus proches du pur capitalisme que les systèmes spéculatifs occidentaux reposant sur ses sociétés anonymes. D'ailleurs, les économies asiatiques avaient longtemps été plus stables que celles de la plupart des autres régions du monde. Elles avaient prospéré en finançant leur développement par « leur fort taux d'épargne[3] ». Elles n'avaient pas besoin de ce qu'on appelle souvent les *capitaux étrangers*. Leur force était venue du fait qu'elles ne suivaient pas le consensus international et du « rôle important que les gouvernements avaient joué ». Y avait-il de la corruption ? Oui. Mais si on pose la question, on doit en poser une autre : y a-t-il de la corruption dans les systèmes de marché occidentaux ? Oui. Qu'est-ce qui est pire ? Cela dépend de la définition qu'on a de la corruption.

Ces pays avaient été déstabilisés parce qu'ils avaient cédé à la pression pour s'ouvrir à l'économie globale. En procédant autrement, à une autre vitesse, avec plus de soin, en tenant compte des réalités locales et dans le cadre de contrôles internationaux meilleurs, cela aurait marché. Au lieu de cela, on a permis à l'idée globale de marchés sans frontières de dominer. Des vagues d'argent international mal défini ont déferlé – cinq fois plus que par le passé – sur les économies concernées et, une fois leur effondrement commencé, elles sont reparties, accélérant encore le désordre. Paul Krugman a qualifié cette catastrophe de « gratuite[4] ». « Le fait qu'une chose pareille ait pu arriver dans le monde moderne devrait glacer le sang de toute personne ayant un sens historique. »

Avec l'automne, les Malaisiens ont commencé à se lasser de cet échec imposé par l'international. Leur Premier ministre, Mahathir Mohamad, a tiré verbalement dans tous les coins, parfois de façon raciste. Mais en termes strictement économiques, il a touché une corde sensible : le capital-risque échappait à tout contrôle ; les échanges monétaires allant au-delà du niveau nécessaire pour financer le commerce étaient « inutiles, improductifs et immoraux ». À ce stade, les *hedge funds* ont pu inventer un milliard de dollars pour « jouer contre les monnaies [5] ». Pourquoi dis-je *inventer* ? Parce que leur capitalisation n'était sujette à aucun système de contrôle national ou international par des ratios. Les gestionnaires de *hedge funds* ont agi d'une façon qui venait en droite ligne de l'âge d'or de la spéculation irresponsable au XIXe siècle.

En fin d'année, la Malaisie a montré des signes attestant qu'elle s'éloignait doucement du système global. Son gouvernement a commencé à lentement relever les tarifs douaniers. Horreur ! Ce n'était que le début.

En même temps, les négociations de l'AMI, commencées en 1995 par des négociateurs « dégoulinant d'optimisme », s'enlisaient. Une multitude d'ONG étrillaient les négociations et leurs arguments. Même les ministres des Finances de l'OCDE étaient de plus en plus sceptiques à propos de l'AMI. Certains voyaient dans ce projet une nouvelle étape dans leur castration comme ministres efficaces. D'autres y voyaient, comme disait l'éditorialiste du *Toronto Star*, Richard Gwyn, une tentative pour « créer une charte des droits pour les propriétaires absents [6] ». En l'occurrence, les propriétaires absents, c'étaient les investisseurs étrangers et les groupes transnationaux.

CHAPITRE XIX

Chronologie du déclin : l'échappée malaisienne

1998

Et les forces centrifuges se sont accélérées, et de vastes blocs de certitude ont commencé à partir en fumée. Pourtant, l'année a débuté comme si rien n'avait changé. À Paris, « le tout premier rassemblement international de ministres de l'Industrie et la première réunion de l'OCDE invitant des dirigeants d'entreprise » afin de concevoir la politique internationale. Résultat de cette réunion : « un fort soutien au secteur privé, aux solutions aux problèmes inspirées par le marché ». David Aaron, le sous-secrétaire américain au Commerce : « C'est un grand changement [...] susceptible de conduire à un allégement [des régulations][1]. » En même temps, à Helsinki, Joseph Stiglitz s'est exprimé en tant que directeur économique de la Banque mondiale. Il a plaidé pour une stratégie très différente. Selon lui, il ne fallait pas mal interpréter la crise asiatique. Les gouvernements avaient commis des erreurs certes, mais en Corée du Sud, par exemple, ils sont parvenus « non seulement à fortement augmenter le PNB par habitant, mais aussi à allonger l'espérance de vie, à developper l'instruction et à réduire nettement la pauvreté ». La clé de cette crise, ce n'était pas trop d'État, mais trop peu. « Le gouvernement a sous-estimé l'importance de la régulation financière et de la gouvernance d'entreprise [2]. » Malgré les rectificatifs de Stiglitz, il semblait que les institutions internationales continuaient à ne pas changer.

C'est alors que les négociations de l'AMI ont commencé à se désagréger. Le premier signe grave est apparu en janvier, lorsque des gouvernements ont insisté pour que le traité comprenne des règles contraignantes en matière de normes portant sur le travail et l'environnement. Le prisme économique n'était plus acceptable. Les protestations des ONG et les doutes des ministres ont commencé à converger.

Le 27 avril, l'OCDE a annoncé une suspension des négociations. C'était un euphémisme technocratique. Le traité était mort. Pourquoi ?

Parce que les hommes politiques ne voulaient plus accepter des systèmes reposant sur une discipline contraignante pour les gouvernements – c'est-à-dire des limites au pouvoir politique et démocratique –, alors que le secteur privé était simplement sujet à des recommandations. Le paragraphe qui a tué l'AMI – le paragraphe clé – garantissait que des investisseurs étrangers « ne seraient pas traités moins favorablement que le traitement [qu'un pays] accorde à ses propres investisseurs et à leurs investissements en ce qui concerne l'établissement, l'acquisition, l'usage, la jouissance, la vente ou toute autre disposition des investissements ». En d'autres termes, l'argent serait parfaitement global. Les États-nations ne pourraient s'y opposer. Dix ans auparavant, ce type d'argument serait passé.

Désormais, soudainement, les élus semblaient s'être réveillés à leur réalité. Ils ont compris qu'ils voulaient garder leur pouvoir de choisir les directions politiques à prendre. Après tout, c'était le produit de la légitimité démocratique. Ils ne voyaient pas pourquoi l'investissement devait faire fi du bien public.

Ce changement n'en était pas moins plein de contradictions. L'idéologie globale avait connu une grande défaite sur une question publique d'importance considérable. Dominique Strauss-Kahn, le si intelligent ministre des Finances français d'alors, a déclaré : « On ne négociera plus après l'AMI comme avant l'AMI. [...] Les peuples n'admettent plus d'être gouvernés comme par le passé. »

Et pourtant, cette défaite a été accueillie dans un silence solennel par la technocratie engagée et les vrais croyants. Comme s'ils espéraient poursuivre dans la même logique. Mais comment ? Peut-être au moyen d'accords bilatéraux discrets.

Après tout, il n'y aurait pas eu de débat public sur l'AMI si on n'avait pas révélé les documents de travail. Le débat public était mené sur Internet par les ONG. Même dans ces conditions, à la fin de la bataille, seul un tout petit pourcentage des chefs d'entreprise internationaux y connaissaient quelque chose. Pour ne prendre qu'un seul exemple révélateur sur le front politique, à l'époque de sa mort le projet de traité n'était toujours pas accessible aux membres du Bundestag allemand afin qu'ils puissent le lire et y réfléchir. L'idée était de mener les négociations au point de non-retour avant que tout débat public n'intervienne.

La fin de l'AMI aurait dû provoquer un vaste débat impliquant la communauté universitaire, en particulier les économistes, et les dirigeants politiques. Au lieu de cela, quand ce n'était pas un silence solennel qui dominait dans les élites, c'était la gêne et la confusion.

En Afrique, quelques mois plus tard, les divisions qui n'avaient pas été dissoutes et se trouvaient dans la région du Rwanda – celles-là mêmes qui avaient assassiné 800 000 personnes – traversèrent l'ancienne frontière coloniale du Congo. Résultat : cinq ans de violences et plus de quatre millions de morts, directement ou indirectement causés par la guerre. Une partie de ces violences couve encore.

À coup sûr, du moins peut-on le supposer, nous avions tous appris des huit cent mille morts au Rwanda. À coup sûr, nous avions appris que nos théories globales n'étaient pas pertinentes dans de vastes parties du monde, où seules des initiatives politiques et militaires fondées sur des initiatives nationales pouvaient résoudre les crises. En réalité, les diverses institutions internationales et celles de l'Occident en particulier ont encore moins agi pour stopper la catastrophe au Congo que pour le Rwanda. Ils – ou plutôt nous – ont prétendu qu'il ne se passait rien jusqu'à ce que presque tout soit fini, quelque quatre ans après.

En quoi était-ce pertinent pour la théorie économique globale ? Nous avions mis tellement de notre énergie internationale dans des réformes inspirées par le marché que nos mécanismes politiques et militaires n'avaient – et n'ont toujours – pas évolué, ne se sont pas développés, n'ont pas été réformés pour s'adapter à la réalité.

Même sur le front économique, les mécanismes globaux étaient mis en échec. Les dirigeants de Malaisie avaient finalement perdu toute volonté de continuer à suivre la voie du masochisme globaliste. Des mois durant, Jagdish Bhagwati avait soutenu que le contrôle des capitaux était la meilleure solution pour arrêter le déclin. Paul Krugman de même. En septembre, le Premier ministre de Malaisie, Mahathir Mohamad, a fini par briser les règles de la globalisation et de la domination des marchés.

Il fit sortir la monnaie malaise, le ringgit, du marché mondial, la rendit inconvertible et la fixa à une valeur suffisamment basse pour favoriser les exportations. Il stabilisa l'économie du pays en bloquant les exportations de capitaux étrangers et en augmentant les tarifs douaniers.

Cela lui valut une marée de condamnations méprisantes de la part des institutions publiques et privées régissant la finance et le commerce internationaux. Journalistes, éditorialistes, économistes de toutes sortes, gouvernements, banquiers : presque tous traitèrent la Malaisie de dégénérée et Mahathir de dérangé. Le plus important indice économique d'Asie, élaboré par Morgan Stanley, exclut la Malaisie. Comment mesurer une économie qui refusait de suivre les règles de l'inévitable ? Tous détournèrent les yeux et attendirent le déclin inévitable.

Mais il n'est pas venu. Ceux qui attendaient virent les Malaisiens jouer pleinement le jeu de la flexibilité keynésienne – à la manière dont, selon Keynes, il devait se jouer, c'est-à-dire avec complexité et finesse, en ajustant les régulations, à la fois en renforçant et en allégeant les contrôles. Avec le soutien de Stiglitz, ils sont passés du contrôle des capitaux à la taxation des sorties.

Ce faisant, Mahathir a ridiculisé le besoin qu'a l'Occident de vérités économiques simples. « Vous devriez être plus tolérants avec la stupidité de la Malaisie. Pourquoi ne pas nous laisser commettre les erreurs que nous voulons [3] ? »

La crise s'est calmée. Les investissements ont augmenté. La production et les exportations se sont renforcées. Des banquiers sensés ont commencé à se demander pourquoi donc les globalistes étaient si hostiles aux contrôles locaux ou régionaux quand ils étaient adaptés. Krugman a indiqué que l'étoile montante du commerce international restait l'Asie et qu'elle n'avait pas été touchée par la crise. Pourquoi ? Parce que la Chine possédait une monnaie inconvertible et stable comme jadis. On ne pouvait spéculer sur elle. On ne pouvait faire entrer et sortir de la monnaie à son gré. Et la Chine continuait à se développer selon ce modèle censé être désuet. La leçon à retenir était simple. L'Occident, tout à son obnubilation idéologique, a vu dans la crise asiatique une crise économique, donc sujette aux règles admises du marché. Les Malaisiens y ont vu une crise politique nationale ayant des implications économiques. Ils ont donc agi de façon politique et nationale. Et ils ont ainsi démontré que les tenants du déterminisme économique prenaient leur désirs pour la réalité. Et que les États-nations étaient capables de faire leurs propres choix et de réussir en agissant de manière non conventionnelle.

Tout le monde ne l'a pas compris. Le vice-président américain Al Gore est venu à Kuala Lumpur en novembre et il s'est ridiculisé en déclarant que la crise venait « du copinage, de la corruption, des troubles sociaux – s'ajoutant au problème des capitaux étrangers attirés ». Les fonctionnaires qui ont sûrement rédigé son discours étaient si obsédés par la théorie qu'ils n'ont pas vu ce qui se passait dans le monde réel.

Des signes, cependant, annonçaient un changement d'attitude institutionnelle. Le premier est venu d'Australie, où I. J. Macfarlane, le gouverneur conservateur de la banque centrale, a commencé à se prononcer contre le système financier global. Jusqu'en 1995, il y avait cru. En octobre 1998, les choses avaient changé : « De plus en plus de gens se demandent si le système financier international tel qu'il a fonctionné pendant presque toutes les années 1990 n'est pas fondamentalement instable. Aujourd'hui, je pense que la plupart des observateurs sont parvenus à la conclusion qu'il l'est [...]. » « Le soubassement intellectuel de la position libre-échangiste – l'hypothèse des marchés efficients – est très faible. D'après tous les tests des taux de change que je connais, cette hypothèse a été contredite par les faits. » « Il nous faut concevoir un système permettant de maximiser les bénéfices à retirer des capitaux internationaux tout en limitant les risques. » « Il est simpliste de défendre des mouvements de capitaux totalement libres dans tous les pays et en toutes circonstances[4]. »

Ce type d'idées était très représentatif de ce que pensaient alors la plupart des gouverneurs de banques centrales, des secrétaires d'État aux Finances et même des ministres des Finances. Peu d'entre eux avaient eu comme Macfarlane le courage d'en parler en public. Les interrogations les plus structurées et les plus actives sont peut-être apparues au sein du G7, qui rassemblait les ministres des Finances des vingt plus grosses économies mondiales, faisant ainsi le lien entre l'Occident et l'Orient, le Nord et le Sud. Ils n'étaient plus croyants. Mais comme si on était encore au XVIIIe siècle, leur désavœu du dogme diffusé par la grande Église globaliste est resté privé, *off the record*. À la fin de la réunion du G7 du 31 octobre, un effort a été accompli pour faire preuve d'autorité. Les dirigeants occidentaux ont promis de mettre en place « des principes et des codes de bonnes pratiques internationales dans le domaine de la politique fiscale, de la politique financière et monétaire, de la gouvernance et de la comptabilité d'entreprise » afin de « garantir que les institutions du secteur privé se plient aux nouvelles normes de transparence ».

Des progrès avaient été réalisés. Mais ces réformes ne sont toujours pas arrivées. Ce qui avait changé, c'était le fait que les hommes politiques et les fonctionnaires savaient désormais que l'échec était dû à leur incapacité à agir. Ce n'était plus le résultat de l'enthousiasme pour la domination des marchés. Au cas où ils l'auraient oublié, on le leur rappelait chaque fois qu'ils se réunissaient pour discuter des projets globalistes, parce qu'ils devaient se réunir derrière des systèmes complexes de barricades et de police afin de se tenir à l'écart de milliers de citoyens militants désireux d'exprimer leur opinion.

1999

Désormais, le vocabulaire public dominant quand on évoquait la globalisation était négatif et défensif. À Singapour, Lee Kuan Yew mettait en garde : la globalisation pouvait « détruire les valeurs ancestrales qui ont soudé notre pays [5] ». Les dirigeants du FMI ont été stupéfaits de se retrouver – eux et leur idéologie – sous les feux de la rampe tenus pour responsables de la crise internationale. Le premier sous-directeur général Stanley Fischer : « Je suis choqué et offensé qu'on me dise des choses qui sont manifestement fausses. Il est absurde de déclarer que les programmes du FMI n'ont pas pris en compte les facteurs sociaux. » Bien évidemment qu'ils ne les ont pas pris en compte. Le président de la Bundesbank a commencé à plaider pour qu'une commission du G7 surveille au moins conjointement l'économie globale. Cette commission a rapidement été formée et, tout aussi rapidement, elle est devenue une unité formulant une politique informelle. Kofi Annan a appelé les entreprises à respecter les normes en matière de droits de l'homme, de travail et d'environnement. On n'a plus considéré comme allant de soi que l'impact des entreprises sur les sociétés serait positif. Paul Krugman a commencé à soutenir plus agressivement l'idée que le protectionnisme était une solution correcte dans certaines circonstances : « Aujourd'hui même, une barrière douanière augmenterait les emplois en Argentine ; prétendre le contraire est de la malhonnêteté intellectuelle[6]. »

Alors, en novembre, Joseph Stiglitz a démissionné de la Banque mondiale pour pouvoir s'exprimer librement contre son organisation sœur, le FMI. La Banque mondiale changeait, mais il y était entré pour y exercer une force non idéologique et, au bout de deux ans, il a senti que les changements n'étaient pas assez rapides pour compenser les échecs de plus en plus nombreux.

L'année a fini sur des émeutes dans les rues de Seattle, lors d'une réunion de l'OMC. Les technocrates et les croyants ont été abasourdis de constater qu'ils pouvaient être humiliés en public par des non-spécialistes. Leur silence solennel après l'annulation de l'AMI, les critiques pour leurs responsabilités dans la crise asiatique ainsi que le mépris à leur égard de la part de la Malaisie, et maintenant la croyance générale dans le public que le commerce, c'était très bien, mais que la civilisation n'était pas à son service, tout cela a suscité l'angoisse qu'on peut imaginer chez des gestionnaires de l'économie internationale qui avaient toujours considéré qu'il allait de soi que leurs motivations étaient morales.

La plupart des gens ne les croyaient plus quand ils affirmaient que les ONG étaient déconnectées de la réalité. Jim Wolfensohn est sorti de son rôle pour s'inquiéter publiquement de ceux que la globalisation laissait en arrière. Les gens qui manifestent dans les rues de Seattle, déclara-t-il, ne formaient pas juste un « groupe de radicaux ». Ils exprimaient en fait des vues « très légitimes [7] ».

2000

Dernier acte avant de quitter formellement la Banque mondiale, Stiglitz s'est adressé à l'Association économique américaine pour attaquer certains des présupposés de la globalisation : « La libéralisation des marchés de capitaux non seulement n'a pas apporté aux gens la prospérité promise, mais elle a aussi apporté ces crises, les salaires chutant de 20 à 30 % et le chômage étant multiplié par deux, trois, quatre ou dix [8]. » Fait particulièrement étonnant devant une telle assemblée, il a obtenu une *standing ovation*. Presque en même temps, la Malaisie a été réadmise à l'indice économique Morgan Stanley. Le contrôle des changes, une monnaie stable et des barrières douanières redevenaient désormais acceptables dans certaines circonstances.

Kofi Annan, devant des chefs d'entreprise, a publiquement apporté son soutien aux vues de Wolfensohn sur les ONG. « Les manifestations de rue [à Seattle] ont reflété les angoisses ressenties par beaucoup de gens face à la globalisation. Il faut répondre à ces angoisses. » Il incriminait en partie l'égotisme des pays développés.

Au fil de l'année, les problèmes sociaux et économiques de l'Amérique latine se sont multipliés. Pendant dix ans, le continent avait diversement fait ce que les globalistes et leurs institutions internationales lui avaient ordonné de faire. Ces pays étaient passés par toutes les étapes de l'économie de la crucifixion et beaucoup en étaient sortis, plus forts en apparence. Mais leur guérison avait été de courte durée. Désormais, il semblait qu'en profondeur, la purge les avait rendus plus faibles, et non plus forts. Leur évolution ressemblait à celle des patients saignés par les médecins d'avant l'époque moderne.

Wolfensohn est devenu plus clair au fil des mois. L'Amérique du Sud n'allait « pas mieux [...] que dans les années 1970[9] ». Selon lui, le fossé entre les riches et les pauvres en Amérique latine était le pire au monde. Quarante millions de personnes en plus qu'en 1980 vivaient en dessous du seuil de pauvreté. Même pendant la période d'apparente reprise, les réformes globales avaient réduit la croissance de moitié.

La technocratie des croyants réagissait mal à ces critiques, comme on a pu le voir en juin, lorsque le principal expert de la pauvreté à la Banque mondiale Ravi Kanbur a été poussé à démissionner par des pressions politiques extérieures parce qu'il suggérait que la seule croissance économique ne serait pas suffisante pour réduire la pauvreté, mais qu'une politique et une fiscalité redistributrices seraient nécessaires.

2001

Les événements du 11-Septembre ont marqué une réaffirmation radicale du pouvoir des États-nations et de la prééminence de la politique et de la violence sur l'économie. Le prisme économique est devenu un gadget.

Cependant, quelques détails sans lien avec le 11-Septembre ont en 2001 suggéré la direction que prenait le monde. En mai, la convention de Stockholm contre les polluants organiques est venue s'ajouter à l'ensemble de plus en plus nourri d'accords internationaux centrés sur le bien public, et pas simplement sur l'économie. En juillet, la réunion du G8 s'est tenue à Gênes. Les dirigeants ont été tenus à l'écart sur un grand bateau, isolé, afin d'éviter les chocs avec les manifestants. Mais l'un de ces derniers a été abattu par la police. En novembre, un accord international a permis d'atténuer la rigueur des règles portant sur la propriété intellectuelle si une crise survenait dans les pays en voie de développement. C'était un mince et vague recul, mais un mouvement toutefois.

Puis, on a accordé le prix Nobel à Joseph Stiglitz, certes pour un ensemble de travaux distincts, mais aussi en raison de son statut d'intellectuel dissident. Ce prix était plus ou moins souvent revenu à l'école globaliste classique, que ce soit à des disciples de Hayek ou de Friedman ou à des analystes du marché très techniques – c'est-à-dire à des micro-économistes parvenus. Ils avaient verrouillé le prix pendant des lustres, de sorte que l'Académie avait ostensiblement évité de le donner au candidat le plus évident, John Kenneth Galbraith, parce qu'il appartenait à la tendance keynésienne.

Mais puisque le monde a commencé à s'écarter du globalisme, l'Académie a lentement changé d'opinion. Elle avait donné le prix à Amartya Sen en 1998 et maintenant à Stiglitz en 2001.

En décembre, comme dans une comédie macabre, l'Argentine s'est effondrée une fois de plus, accablée par un mélange d'endettement, de corruption et de solutions imposées par le FMI. Vingt-sept personnes sont mortes dans les émeutes qui ont suivi. On pourrait dire que l'ère du globalisme classique s'est terminée en Amérique latine sur une explosion. Quelques jours après, comme pour ajouter une autre note de bas de page comique à cette ère, Enron s'est déclaré en faillite et l'année s'est achevée. Ce fut le plus gros échec financier de ce type dans l'histoire américaine. Il a montré une fois de plus que l'économie appliquée, quand elle se prend pour de l'alchimie, débouche sempiternellement sur ce genre de fins définitives.

CHAPITRE XX

La fin de la foi

« Si on s'enfonce quelque chose dans la bouche, on est bien forcé de le recracher. »
Marshall McLuhan

Les idéologies ressemblent à une assez mauvaise pièce romantique. C'est pourquoi la formule de Coleridge – suspension volontaire du doute – s'applique si bien à la vie naturelle de toute idéologie [1]. À la décharge du poète, il avait en vue un usage bien plus noble de l'aptitude humaine à choisir de suspendre nos doutes – à savoir une idée plus noble du théâtre et de l'idéal romantique. Mais on pourrait dire que plus le procédé théâtral est gros – comme dans un roman sentimental ou une aventure de Schwartzenegger –, plus il démontre notre capacité à suspendre nos facultés critiques.

Comment en venons-nous à décider de suspendre nos doutes en matière d'idéologie ? C'est un mystère. Des historiens et des spécialistes de sciences sociales ont passé leur vie à tenter d'expliquer ce phénomène. Les écrivains, eux, parviennent en général mieux à expliquer ce type de politique, parce que, étrangement, ils font le même métier que les idéologues. Ils traitent comme eux du cœur humain.

Comment décidons-nous d'interrompre notre suspension ? C'est déjà moins mystérieux. Les échecs inévitables – cette fois, le mot est pertinent – de toute idéologie s'accumulent progressivement. De plus en plus de personnes les remarquent. La propagande triomphaliste prend la forme du déni. Le langage qui était reçu avec enthousiasme par le public est de plus en plus perçu comme de la musique d'ascenceur, puis comme du bruit qui dérange et finalement comme de l'humour involontaire. Quand la voix du pouvoir est accueillie par le public avec ironie, scepticisme et, à la fin, comme si c'était une farce, notre propension à suspendre nos doutes s'envole. L'idéologie peut persister un certain temps parce que ses tenants détiennent de nombreux rouages du pouvoir. Mais c'est simplement un effet de pouvoir.

Alors que les vrais croyants continuent à brandir les fatalités globales – parfois avec enthousiasme, mais plus souvent avec angoisse ces derniers temps –, si vous écoutez attentivement, vous entendrez monter une rumeur de sons contradictoires. De plus en plus de dirigeants d'États-nations, ainsi que les chefs d'entreprises les plus intéressants, ont changé de vocabulaire et délaissent graduellement les présupposés globaux. Le discours nouveau est plus complexe, plus sibyllin, moins grandiose. Il tourne pour beaucoup autour de l'idée de citoyen et de société. D'un autre côté, il suggère aussi une turbulence politique en accélération et des niveaux plus élevés de violence. La violence nationaliste à l'ancienne a une incidence de plus en plus grande. Notre mémoire a de nouveau changé. On ne présuppose plus que les années 1945-1973 auraient représenté une ère d'échec. On admet comme normal qu'il y ait eu à la fois des désillusions et des défauts systémiques pendant ces trois décennies, mais il est de nouveau respectable de reconnaître que l'époque qui a précédé la globalisation a été l'une des plus réussies de l'histoire, à la fois pour les réformes sociales et pour la croissance économique. Pourquoi, sinon par un coup de force idéologique, l'avoir considérée comme un échec, alors que nous aurions pu éliminer ses faiblesses et bâtir sur ses acquis ?

L'idée d'échec a été centrale dans l'avènement dramatique de l'idéologie globaliste présentée comme une mission de sauvetage. Une nouvelle suspension du doute semble exiger que la société soit présentée comme prise au piège dans une voiture en flammes ou sous une remorque. Alors les vérités nouvelles peuvent arriver à la rescousse.

Le pire que nous puissions faire aujourd'hui est de tenter de nous débarrasser de la globalisation comme nous avons tenté d'écarter l'ère plus humaniste qui l'a précédée. Il serait tout aussi malavisé de nier l'échec de la globalisation et la crise autodestructrice dans laquelle elle a versé. Les vrais croyants protesteront sans doute en bêlant sur les dangers de toute critique ; ils diront que de telles critiques pourraient provoquer un retour aux horreurs du nationalisme et du protectionnisme. Mais si nous ne pouvons calmement identifier les forces du système actuel et admettre ses échecs, il se pourrait bien que nous provoquions ce protectionnisme et le pire des nationalismes.

Thésée, le roi, s'adressant à Œdipe, à Colone, vers la fin de ses tourments :

> Sous l'empire de la colère, la menace trop souvent se répand en trop de mots vains. Mais que l'esprit reprenne possession de lui-même, et c'en est fini des menaces [2].

N'est-ce pas parce que les échecs de la globalisation ont été nombreux qu'ils ont réduit les croyants au rang de menaces et incité les esprits plus sensés à reculer avec prudence ?

Les compagnies aériennes : la comédie économique de la « taille unique »

La dérégulation a commencé en 1978. Depuis lors, l'aéronautique a été constamment en crise. On ne peut imputer la faute aux passagers. Ils ont continué à affluer dans les airs. Les nombres mondiaux de passagers ont augmenté chaque année depuis 1945, sauf deux : l'année de la première guerre d'Irak et celle qui a suivi le 11-Septembre. Les kilomètres parcourus ont été multipliés par quarante-quatre entre 1950 et 1998.

Et pourtant, en 2004, les compagnies aériennes européennes se sont effondrées l'une après l'autre. Alitalia n'a survécu que grâce à l'intervention du gouvernement – pourtant tout dévoué aux marchés libres et à la globalisation.

Même histoire partout dans le monde. Le droit des faillites suspend la validité des contrats. Les compagnies aériennes s'en sont servies pour survivre alors qu'elles rompaient contrats de travail et plans d'épargne-retraite. Certaines compagnies ont déjà chuté plusieurs fois, se sont réorganisées sur un pied global, sont réapparues en forme, pour retomber dans l'endettement et le désespoir. D'autres sociétés ont été à maintes reprises ranimées par des subventions publiques, en particulier en Europe et aux États-Unis. Malgré toutes ces manœuvres et ces aides, le nombre de compagnies a été divisé par deux. Et la plupart des survivantes s'en tirent à peine. Le président d'Air France-KLM en 2004 : « Les transports aériens sont dans un état de total naufrage [3]. »

Quantité d'explications sophistiquées ont été avancées. Les prix du pétrole. Mais ils ont été faibles pendant la plus grande partie de ces deux décennies de crise. Une expansion excessive. Mais la libéralisation des marchés était censée soutenir la croissance. D'ailleurs, le nombre de passagers a continué et continue toujours à augmenter. D'ailleurs, la concurrence était censée créer un équilibre, et non une crise permanente. Le 11-Septembre a conduit en un an à une baisse de 5,7 % du nombre de passagers. Pour toute industrie ayant bénéficié de soixante ans de forte croissance annuelle de la consommation (en l'occurrence, d'une croissance du nombre de passagers), un accroc d'un an n'aurait pas dû représenter une catastrophe. Sauf si cette industrie s'était déjà engagée dans une voie désastreuse pour des raisons liées à une foi idéologique aveugle.

Comme s'il vivait dans un pays de cocagne imaginaire, l'expert qui a conçu la politique américaine de dérégulation, Alfred Kahn, répète que « la plupart des experts désintéressés s'accordent à penser que la dérégulation aérienne a été un succès ». Si cette industrie perd des milliards, c'est de sa faute : « Cette industrie s'est infligé ses propres maux[4]. » Il croit donc en la dérégulation pour libérer le marché, mais il ne croit pas au marché.

En réalité, un nombre de plus en plus grand d'experts ont exprimé un avis très différent :

> [La libéralisation des airs] accélérera le processus de concentration industrielle.
>
> Les recettes moyennes continueront de décliner en termes réels.
>
> [Nouer des alliances globales représente une] façon de réduire ou de restreindre la concurrence.
>
> De fortes pressions s'exercent en faveur d'une concentration oligopolitistique dans un régime aérien dérégulé.
>
> Au milieu des années 1980, il était devenu clair que, sans intervention gouvernementale, cette industrie évoluerait vers un haut degré de concentration.
>
> Le résultat en Europe. [...] Un oligopole.
>
> Les choix qui seront offerts aux consommateurs seront extrêmement limités.

Ce système oligopolistique réduit le choix des passagers de plusieurs manières. L'une consiste à les empêcher d'utiliser leur billet sur la ligne qu'ils veulent, comme c'était le cas sous la régulation. Comme c'est curieux : la régulation forçait à choisir, alors que le système dérégulé nie que le consommateur a raison.

Quid de la croissance des vols à prix cassés ? Premièrement, elle est concentrée sur ceux qui ne sont pas essentiels. Si agréables que soient pour certains d'entre nous des vacances à la plage pour deux cents euros ou des vols transcontinentaux pour cent, ils ne s'autofinancent pas. Les compagnies de charters sont des parasites ; elles vivent sur les infrastructures en déficit des vols réguliers et au prix fort, sans compter les structures de sécurité très coûteuses, à la fois pour les moteurs et pour la protection, que cette industrie exige.

Même avec le succès des charters, la réalité est douloureuse. Depuis la dérégulation, peu importe la croissance du nombre de passagers, peu importent les réductions de personnel, peu importent les baisses de salaires, peu importe combien de services on supprime pour la plupart des passagers, les recettes par passagers ne cessent de baisser et les pressions oligopolistiques empirent.

Tout indique qu'une industrie dérégulée stable exige un oligopole. Une entente sur les prix. Au début des années 1990, les observateurs n'ont pu s'empêcher de remarquer que la seule méthode, dans l'histoire du secteur, qui avait apporté à la fois stabilité et concurrence était – Dieu nous pardonne – la régulation.

Les raisons en sont relativement simples. Tous les objets vendus sur le marché ne sont pas identiques. Tous les marchés ne sont pas identiques. Une industrie dépendant de milliards de dollars investis dans de gros objets volants qui rapportent grâce à des billets vendus quelques centaines, voire quelques milliers de dollars, est fondamentalement différente de celles qui achètent et vendent des maisons, des chemises, des livres ou des ordinateurs. Les ratios des lignes aériennes sont, au mieux, improbables. Ajoutez l'instabilité liée à la dérégulation des marchés, du prix des billets et des lignes, et vous avez la recette pour un désastre.

Ajoutez encore la réalité des cycles économiques. Toute industrie a les siens. Ceux de l'industrie aérienne sont naturellement dysfonctionnels. Ils impliquent le temps particulièrement long, et donc difficile à tenir, qu'il faut pour concevoir, choisir, commander et fabriquer de nouveaux avions. On doit les commander quand tout va bien. Au moment où ils arrivent, forte baisse, en général. Le système ne fonctionne donc que si on institutionnalise la stabilité.

Tout cela nous rappelle que l'objectif de cette industrie n'est pas de proposer des billets moins chers à ceux d'entre nous dont les plans de vacances sont flexibles. L'industrie aérienne fournit un service essentiel – l'un des services de communication dont dépendent nos civilisations. Tout cela n'a pu réussir du fait de la restructuration imposée par les forces du marché en système oligopolistique dépendant des méthodes de discount, lesquelles consistent à abaisser les marges, à planifier à court terme et à créer de l'instabilité à long terme.

Le déclin de la concurrence, le retour des oligopoles

La globalisation en général s'est-elle souciée de la concurrence ?

Cette dernière implique en général une tension continue entre prix, qualité et continuité. Cette continuité n'est qu'un aspect des divers services que nous escomptons obtenir de la concurrence. Celle-ci comprend aussi l'utilité à court, moyen et long terme ; l'utilité au service de la société et de l'industrie ; l'effectivité du fonctionnement de l'industrie au regard de son efficience. Tout cela doit avoir un effet positif à long terme sur la société. En retour, cela doit produire une croissance continue du bien-être, de l'enseignement et de la recherche. Ce qui doit accroître la capacité de la société à rendre plus raffinée la tension marquant la concurrence.

Au lieu de cela, le thème le plus courant pendant un quart de siècle a été la réduction des coûts, le plus souvent en allégeant les structures de leurs emplois stables. Vendre le moins cher possible sur des marchés instables dans le but de détruire des concurrents plus petits ; vendre le plus cher possible dans d'autres secteurs, là où les éléments de combinats oligopolistiques sont déjà en place : dans les deux cas, il s'agit de rétention du profit. Ces démarches n'ont presque rien à voir avec la qualité, la continuité, les services, l'utilité ou la croissance sociale conçus comme soutenant la concurrence ultérieure.

Le thème prédominant a été la nécessité d'accroître la taille des entreprises. La principale raison donnée est que les marchés sont plus grands. Mais un vaste marché ne demande pas des entreprises plus grosses. Si on recherche la concurrence efficiente, alors des entreprises de taille moyenne mais très spécialisées, capables de se déplacer rapidement sur le marché, seraient l'idéal.

Le dernier quart de siècle a surtout ressemblé au milieu du XIXe siècle, qui recherchait les monopoles et les oligopoles. Et il a été étrangement lié à l'ancienne démarche mercantiliste et à l'idée de monopoles garantis par le roi. Rien là qui relève de la concurrence. Il s'agit plutôt de limiter et, si possible, de supprimer la concurrence. On ne prend nullement en considération l'essence d'une quelconque structure industrielle à long terme : à savoir le fait qu'elle dépend d'une civilisation saine et stable.

Un terme moderne comme convergence n'est qu'un nouveau mot pour désigner l'idée désuète d'intégration verticale : une grande organisation prend le contrôle de toute une industrie du haut en bas et élimine ainsi la concurrence en définissant tous les aspects du marché.

Il y a eu convergence. Il y a croissance continue et

remarquable de la taille des entreprises. Il y a rationalisation de plus en plus forte. Résultat : des géants lourdement endettés sans but particulier. Est-ce une victoire pour la concurrence que 50 % de l'industrie laitière néo-zélandaise soit désormais contrôlée par une seule et unique société ? Ou que l'industrie de la viande de bœuf au Canada ait connu une crise de la vache folle au XXIe siècle, les seuls à en bénéficier ayant été une minuscule poignée de gros intermédiaires ? Ou qu'on escompte que l'effet de la suppression globale des quotas sur les vêtements en 2005 soit une réduction rapide de la concurrence dans cette industrie ? Aujourd'hui, les exportations de vêtements proviennent de cinquante pays et cette industrie emploie cinquante millions de personnes. On s'attend à tomber rapidement à cinq ou six pays, surtout la Chine, l'Inde et le Pakistan, et que la Chine totalise 50 % des exportations mondiales dans trois ans. Cela s'est déjà produit dans des pays comme l'Australie, qui a ouvert plus tôt ses marchés. L'avantage de la Chine, c'est la taille et l'intégration verticale.

Bien sûr, les vieux arguments libre-échangistes stipulent que tout le monde doit se spécialiser en fonction de son avantage comparatif. Mais notre réalité est bien différente. Dans quel secteur les trois millions de travailleurs du vêtement au Bangladesh doivent-ils se spécialiser ? Ce n'est pas clair. De toute façon, leur problème n'est pas lié à un avantage comparatif. Pour commencer, leur production est en général moins chère que celle de la Chine. Mais ils n'ont ni la taille ni l'intégration verticale, deux éléments qui réduisent la concurrence.

En d'autres termes, l'avantage va aujourd'hui à la taille et à la puissance. Ce n'est pas de la concurrence. La même chose se produit industrie après industrie. Les banques commerciales tendent désormais à inclure des activités de banque d'affaires, d'assurance et autres. De grandes chaînes de journaux sont liées à des réseaux de télévision et d'édition. De grosses chaînes de détail éliminent agressivement la compétition réelle de plus petits détaillants par du dumping prédateur. Leur taille leur permet de relier cette démarche à la domination interne ou externe de la production de détail. Où qu'on regarde, on trouvera des conglomérats miniers. Des conglomérats de papetiers. Des conglomérats agro-alimentaires.

Ces nouveaux oligopoles prennent deux formes. L'une est attachée à l'activité combinée des groupes transnationaux qui semblent internationaux mais ont en général une base géographique. L'autre implique des monopoles ou des oligopoles régionaux, comme les produits pharmaceutiques aux États-Unis ou le vêtement en Chine et en Inde.

Rien à voir avec la libre concurrence. Les modèles historiques les plus pertinents à cet égard sont, premièrement, les compagnies de commerce européennes des XVIIe et XVIIIe siècles, qui se sont partagé le monde ; et, deuxièmement, les entreprises privées, intégrées de façon verticale, au XIXe siècle, qui ont travaillé en tandem avec les empires coloniaux. L'intention dans les deux cas était de se partager les marchés entre concurrents relativement amicaux. En d'autres termes, c'était un système oligopolistique.

Les gouvernements des États-nations et leurs citoyens sont aujourd'hui gênés par les résultats inattendus de ce processus. Ils admettent le phénomène. Après tout, il est identifiable depuis qu'Élisabeth Ire a prononcé son Discours d'or au Parlement anglais en 1601, la classe moyenne s'étant plainte que ses protégés et des monopoles exploitaient le peuple : « De moi-même je dois dire ceci : jamais je n'ai été cupide. [...] Mais que mes protégés portent tort à mon peuple et l'oppriment, cela, notre honneur princier ne le souffrira pas [5]. »

Certains gouvernements voient dans ces protégés des outils nationaux et défendent la puissance internationale de ces industries. Cependant, de plus en plus nombreux sont ceux qui réagissent à ces combinats comme ils l'avaient fait il y a un demi-siècle.

En 2004, l'Union européenne a condamné un accord de cartel sur les prix créé par les cinq plus gros fabriquants européens de tuyaux de cuivre. L'amende a été de 222 millions d'euros. Certains gouvernements continuent à soutenir la puissance des géants pharmaceutiques. Mais la plupart les considèrent comme des gouvernements « cupides » qui se servent de leurs *protégés* pour faire plus de tort que de bien. Les États-Unis, puis plus sérieusement l'Union européenne, ont commencé à s'en prendre à Microsoft.

L'une des motivations à changer tient au fait que les citoyens soutiennent de plus en plus des partis politiques populistes ou faussement populistes. Ces derniers rejettent le présupposé selon lequel le pouvoir économique doit prendre le pas sur le pouvoir individuel. Les partis modérés sont acculés à des choix évidents. Soutiennent-ils la montée continue des oligopoles au risque de perdre du pouvoir ? Versent-ils dans le programme hybride du faux populisme ? Ou bien tentent-ils de réaffirmer leur conception du pouvoir des citoyens, du choix citoyen et d'un marché modéré et régulé encourageant la concurrence ?

Si la tendance actuelle aux combinats perdure, elle représentera à la fois un échec de la promesse exprimée par la globalisation et un pas en arrière vers un monde de moindre concurrence.

La propriété intellectuelle ou le retour des propriétaires absentéistes

Si la création de l'OMC en 1995 a été la dernière victoire claire de la globalisation, l'inclusion de la propriété intellectuelle dans le régime du commerce a sans doute été le point précis sur lequel elle est allée le plus loin. À peine les ADPIC ont-ils été mis en place que le choc en retour a commencé.

Les plus convaincus parmi les économistes proglobalisation ont été horrifiés. Pourquoi traiter le fait de toucher des dividendes comme du commerce ? Jagdish Bhagwati : « Les lobbies des entreprises pharmaceutiques et de logiciels ont perverti et déformé une importante institution multilatérale, la détournant de sa mission et de sa raison d'être commerciale pour la transformer en agence collectant des royalties [6]. » Les pays en voie de développement y ont vu une tentative pour limiter leur progression en installant un système de fixation des prix orienté sur l'Occident pour les produits pharmaceutiques et autres biens importants qu'ils ne seraient pas capables de se payer. Mais un troisième problème, encore plus fondamental, s'est posé. La structure de la propriété intellectuelle, désormais consacrée au niveau international, a créé de nouveaux murs de savoir que les nouveaux venus dans le domaine de la recherche sont légalement découragés d'escalader. Cela révèle un système d'oligopole.

Nous avons là un système conçu pour le plaisir des technocrates du secteur privé effrayés par le risque. Détenir une propriété intellectuelle leur assure des revenus sûrs et réguliers, qui représentent désormais 5 % du PNB. Dans un système économique qui facilite l'accumulation à la fois du capital et de la propriété, les plus grands groupes ont tout simplement pu acquérir les entreprises plus petites faisant de la recherche et prenant des risques. Ou bien, grâce à leur influence financière sur les gouvernements, ils ont pu encourager des programmes de recherche et développement financés par le public, lesquels au dernier moment se sont convertis en idées relevant de la propriété privée.

C'est particulièrement vrai aux États-Unis. Par suite, les entreprises européennes travaillant dans le domaine des idées ont commencé à déplacer leurs activités pour tirer avantage de ce qui est en réalité une transformation des subventions publiques en propriété intellectuelle privée. J'ai régulièrement eu l'occasion d'entendre des cadres allemands et français se plaindre des régulations et des interférences gouvernementales chez eux, lesquelles excusaient selon eux leur fuite. La réalité est plutôt qu'ils recherchent les plus gros financements publics existants pour des possessions privées, lesquels se trouvent précisément aux États-Unis.

Au milieu du XIXe siècle, la détention de terres et d'équipements dans le monde par des entreprises et des personnes vivant ailleurs a déclenché une crise politique internationale. Ce problème des propriétaires absentéistes, la famine irlandaise l'a rendu célèbre. Mais il a aussi été central dans la montée du faux populisme en Amérique latine. Celui-ci a contribué à répandre des dictatures militaires sur tout le continent. Aujourd'hui, ce problème des propriétaires absentéistes est souvent décrit comme une force positive – on appelle cela les capitaux étrangers. De plus en plus, il est lié aux sorties constantes de royalties. Le rejet populiste de ce système est déjà là. Aujourd'hui, les exploitations de pommes de terre sont les idées brevetables, et le propriétaire terrien absentéiste postmoderne vit des revenus qui en résultent.

Le problème n'est pas seulement international. Partout, les gouvernements cèdent aux détenteurs de copyright, en particulier dans le champ des communications. La période durant laquelle le copyright peut jouer a été allongée onze fois aux États-Unis ces quarante dernières années. Elle atteint désormais quatre-vingt-quinze ans pour les entreprises dans la plupart des démocraties occidentales. En d'autres termes, un mouvement qui se décrit comme soucieux de la concurrence et méprisant les régulations des États-nations a misé des milliards de dollars sur sa capacité à influencer ou à corrompre la législation de l'État-nation.

Que ce soit à travers les ADPIC ou les législations locales sur le copyright, ce qui est en jeu aujourd'hui, c'est le contrôle du marché – à savoir l'élimination de la concurrence – grâce à une architecture d'accès rigide. Cette architecture s'est servie de la technologie en guise de mécanisme de contrôle, de la taille comme autre moyen de contrôle et du droit comme forme ultime de contrôle.

Mais tous trois dépendent de la bonne volonté du public. Et les signes de refus public de céder s'accumulent.

L'OMC se restructurera dans les prochaines années. Quand cela se produira, la demande centrale portera sur le retrait des ADPIC. Et l'adhésion sera générale – sauf de la part des bénéficiaires directs – parce que la rebellion montante contre ces règles les rend de plus en plus impossibles à faire respecter.

Les produits pharmaceutiques : le profit par la peur

Le point sensible de l'angoisse publique, s'agissant de la propriété intellectuelle, est centré sur l'industrie pharmaceutique. Cette angoisse traverse toutes les lignes politiques dans toutes sortes de sociétés. Les populations africaines, contraintes de faire face aux épidémies sans les outils médicaux nécessaires, se rangent dans le même camp que les Américains âgés, qui ne peuvent se payer les médicaments dont ils ont besoin, ainsi que les hommes politiques, partout pris dans une crise budgétaire permanente parce qu'ils ne peuvent se permettre de financer des programmes pharmaceutiques publics. Ce contexte général a deux implications : les populations occidentales vieillissent et les épidémies se répandent dans les pays en voie de développement. Les grandes entreprises pharmaceutiques participent du problème dans les deux cas.

La question est assez simple : pendant combien de temps encore permettrons-nous à quelques-unes des entreprises cotées les plus rentables au monde, dont le but déclaré est le bien-être humain, de causer des dizaines de milliers de morts prématurées chaque année au nom de la protection des brevets et des intérêts des actionnaires ? De plus en plus de signes montrent que la réponse est : pas longtemps.

Le problème semble avoir commencé aux alentours de 1980, lorsque des mutations juridiques – en particulier aux États-Unis – ont transformé une bonne affaire en mine d'or[7]. L'un des changements clés a permis au secteur privé d'obtenir le contrôle des brevets liés à des recherches effectuées dans des universités grâce à des dépenses publiques.

Les signes attestant que le public n'y croit plus sont apparus au Brésil et en Afrique du Sud. Le Brésil a choisi de faire de la santé un droit de l'homme. Dès le début des années 1990, il a abordé la crise montante du sida à la façon dont les pays occidentaux avaient abordé avec succès la polio : c'est-à-dire comme une question de bien-être public, et non de profit. Il a distribué des médicaments gratuitement et a stoppé le développement de la maladie.

En 2001, le gouvernement des États-Unis a traîné le Brésil devant l'OMC pour protéger les brevets des entreprises. Après six mois de protestations dans le monde entier, Washington a retiré sa plainte.

En Afrique du Sud, un petit mouvement citoyen s'est mis à faire la même chose et a convaincu son gouvernement de reprendre à son compte cette cause. Trente-neuf entreprises pharmaceutiques ont alors poursuivi le gouvernement sud-africain. En 2001, elles ont laissé tomber.

Ces victoires ne sont pas aussi claires qu'il pourrait sembler. Les entreprises se sont mises à proposer des médicaments moins chers dans les pays demandeurs ; c'est une tentative pour conserver leurs brevets, pour éviter l'utilisation de génériques ou, pire encore, de médicaments gratuits fournis par les gouvernements. Mais en matière de sida, de malaria et de tuberculose, ce ne sont pas des médicaments moins chers qui sont nécessaires. En mai 2003, les entreprises pharmaceutiques ont accepté de diminuer leurs prix en Afrique du Sud de 25 à 80 %. Cette démarche a été soutenue par l'Union européenne et les États-Unis – sièges des principales entreprises. Passer de 11 500 dollars de frais médicaux par an à 2 500 n'a pas de sens dans de telles circonstances ; 100 seraient déjà trop, sauf pour les élites locales. Il est difficile d'éviter de se demander si ces baisses de prix ne constituent pas précisément une tentative pour acheter le silence des dirigeants. Le doyen de la faculté de médecine de Yale, David Kessler, a déclaré la même année que les entreprises pharmaceutiques devaient s'éveiller au bien public. « Ce qui est en jeu, c'est le système de protection des brevets qui leur permet de contrôler les prix des médicaments. Elles veulent conserver le pouvoir de fixer le prix de leurs produits, mais elles doivent éviter une vraie crise internationale [8]. »

Au lieu de cela, elles continuent à jouer aux quatre coins, avec cynisme. Ici ou là, elles proposent des baisses de prix, tout en s'efforçant de ruiner les systèmes de santé publics. Le P-DG de la plus grosse entreprise, Pfizer, rouspète dans les congrès de spécialistes : « Le fait est que l'Europe, le Canada et le Japon ne payent pas la part qui leur revient des coûts de recherche [9]. » Ce n'est pas un fait.

Le fait est plutôt que « la recherche et le développement représente une part relativement petite du budget des grandes entreprises pharmaceutiques – bien plus petites que les immenses dépenses de marketing et de gestion ». Dans sa remarquable analyse, Marcia Angell, l'auteur de *The Truth about the Drug Companies*, va plus loin. « Les prix que les entreprises de médicaments imposent ont peu à voir avec le coût lié à leur fabrication et pourraient être fortement réduits sans nullement menacer la recherche et le développement. » La plupart des nouveaux médicaments reposent sur « des recherches financées par les contribuables ». Les entreprises étrangères déplacent leurs activités de recherche et développement aux États-Unis « pour alimenter les résultats de recherche sans pareils des universités américaines et du National Institutes of Health. Ce n'est pas l'entreprise privée qui les attire ici ; c'est même le contraire – c'est notre recherche soutenue par le public [10] ».

Leur obsession des droits de leurs entreprises semble les empêcher de saisir ce que les vraies gens considèrent comme la réalité. Mille sept cents enfants contaminés par le VIH chaque jour. Deux millions d'enfants de moins de 14 ans ayant le sida en Afrique subsaharienne. Des taux de contamination en Inde, en Russie et en Chine qui frisent l'épidémie.

On ne peut croire au sérieux d'organisations qui placent leur droit de maximiser leurs profits avant le droit humain de vivre. En septembre 2004, comme pour prouver qu'elles n'avaient rien appris, les entreprises pharmaceutiques ont poussé les négociateurs américains du commerce à menacer le Brésil sur leurs droits de propriété intellectuelle, cette fois en le menaçant de le punir dans des secteurs commerciaux sans rapport.

Pourquoi tomber sur le Brésil alors que les tentatives antérieures ont échoué et que le public international y voit l'expression d'intérêts irresponsables ? Sans doute parce que le Brésil encourage les pays en voie de développement à adhérer à son approche de la médecine.

Il s'est trouvé que les individus, les scientifiques, les universités ont été terrifiés à l'idée de dire non aux géants pharmaceutiques, et encore plus de dénoncer leur pouvoir. Depuis le milieu des années 1990, le flot croissant de dénonciations publiques et de procès suggère que le Brésil ne représente pas le plus gros problème pour les entreprises de médicaments. En 2004, un tribunal espagnol a statué en faveur d'un pharmacologue qui avait publié une analyse d'un médicament accusant l'un de ces géants de « fraude scientifique » [11]. Le *Canadian Medical Association Journal* a révélé comment un autre de ces géants « cherchait à manipuler les résultats d'une recherche publiée », mettant ainsi en danger la vie d'enfants, plutôt que de risquer de perdre cinq milliards de dollars de chiffre d'affaires liés à ce médicament. Dans ces affaires, le problème est surtout dû au droit contractuel, dont jouissent les entreprises, d'empêcher les scientifiques de discuter ou de dévoiler les résultats négatifs de leurs tests. Le Dr Nancy Olivieri a donné l'exemple sur ce front dans les années 1990, à Toronto, lorsque, presque seule au début, elle s'est dressée contre un géant pharmaceutique, l'hôpital et les structures universitaires pour affirmer son obligation éthique de parler publiquement dès qu'elle sentait qu'en tant que chercheur, le bien public le lui imposait. Une partie notable de la communauté des chercheurs canadiens, puis internationaux l'a soutenue. Partout, de plus en plus de scientifiques ont commencé à lentement placer l'éthique devant les droits contractuels des entreprises.

De même, tout le domaine du pouvoir des entreprises, via le système des contrats et des brevets, reste très controversé. Dans une affaire impliquant l'étendue d'un brevet défini et détenu par Amgen, la plus grosse entreprise de biotechnologie au monde, les tribunaux de différents pays ont statué différemment. Un tribunal américain a penché du côté de l'entreprise, alors que la Commission des lois de la Chambre des Lords – le plus haut tribunal britannique – a révoqué le brevet en déclarant qu'il était trop large. Ce refus de reconnaître le monopole d'un brevet aura un écho dans le système européen. Le retrait d'un antalgique – le Vioxx – du marché américain a provoqué une révélation de la part de grands scientifiques travaillant pour la Food and Drug Administration : ce n'était pas un cas isolé ; les systèmes d'évaluation publique « étaient cassés ». « La FDA est devenue trop proche de l'industrie qu'elle régule. » Une industrie qui a beaucoup bénéficié de la suspension volontaire de nos doutes est désormais en perte de confiance. Les auditions du Vioxx ont obligé l'industrie à s'expliquer. Selon *The Economist*, quand le président de Merck a été appelé à témoigner, il « semblait terrifié [12] ». Autre petit exemple où l'État-nation se souvient du pouvoir qu'il détient et où le pouvoir virtuel des groupes transnationaux se révèle furtif, fragile et par-dessus tout indéfendable une fois qu'il apparaît au grand jour.

La dérive éthique du marché

Dans n'importe quelle démocratie occidentale, quand on demande par sondage d'opinion au public en qui il a confiance, qui il respecte, qui contribue le plus au progrès du bien public, les dirigeants du secteur privé et les élus rivalisent pour les deux dernières places. S'ils se trouvent ainsi rapprochés de façon aussi étroite et malheureuse, ce ne peut être par accident [13].

Dans les deux cas, le phénomène est nouveau. Et dans les deux cas, il est lié à une marginalisation de l'éthique. Celle-ci est en effet marginalisée par une montée de la corruption sans précédent dans son intensité depuis les jours fastes des barons rapaces au XIXe siècle. Au début du XXe, Theodore Roosevelt a mené une « campagne contre les privilèges » dans laquelle il voyait « fondamentalement un mouvement éthique » [14]. Il définissait les privilèges comme un pouvoir financier sans règles associé à toute la panoplie de la spéculation et du lobbying. Sa cible, c'étaient « les gens d'argent, pour qui les politiciens achetés constituent l'instrument le plus efficace de la corruption ».

Au début des années 1990, le gouvernement socialiste espagnol a été emporté par des scandales financiers. La modernisation, l'ouverture au monde semblaient être allées de pair avec la corruption secteur privé-politique. Le Premier ministre italien s'est retrouvé assiégé par la justice pour des allégations de corruption. Les États-Unis ont de plus en plus intégré la corruption indirecte dans leur système de financement des campagnes électorales. En 2004, il est apparu que des hommes politiques allemands recevaient couramment des salaires de la part de grands groupes. Le groupe chimique BASF ajoutait aux traitements publics de 235 ex-employés désormais élus. Volkswagen a payé des salaires à d'ex-employés élus depuis 1990. « Le système a développé une extraordinaire vulnérabilité à la corruption, aux jeux d'influence, au copinage et à la violation des principes démocratiques [15]. » En France, on considère que la corruption est moins formalisée, mais plus endémique. Un signe : en 2004, l'ancien Premier ministre et maire de Bordeaux Alain Juppé a été condamné et déclaré inéligible.

Ce qui a rapproché les élus et les dirigeants du secteur privé, c'est l'acceptation par les politiques de l'idéologie selon laquelle on doit aborder le monde à travers le prisme du marché. Les politiques, désireux d'admettre l'idéologie de l'inévitable, ont oublié les mises en garde éternelles concernant le bien public qui ont été succinctement formulées par Aristote en ces termes : « La richesse est désirable, mais pas au prix de la trahison [16]. »

Cette corruption a un côté subtil – subtil, et pourtant bien compris par les citoyens. La normalisation des jeux d'influence par l'enregistrement des lobbyistes en est l'aspect le plus évident. Le recours aux consultants est devenu une façon un peu plus raffinée de généraliser les jeux d'influence. Sous couvert de rechercher des conseils extérieurs indépendants, les hauts fonctionnaires ont créé un processus de *modernisation* pour privatiser la psyché du secteur public et distribuer beaucoup d'argent public à des amis et des partisans.

Bien moins subtils ont été le recours à la dérégulation et l'établissement de règlements au service des entreprises pour normaliser les formes les plus élémentaires de corruption. Exemple évident : l'explosion de la participation chez les cadres. Même des éléments aussi basiques que les salaires et les profits des cadres ont gonflé sans lien avec les services rendus. La grande majorité des employés du secteur privé ne bénéficie pas de ces arrangements. Mais suffisamment – en particulier la technocratie qui gère les grands groupes – pour détruire la confiance que le public pourrait souhaiter avoir dans ses dirigeants. Ces inepties et cette façon de se servir ont été assez intenses pour que nos brillants dirigeants ressemblent à des calculateurs moins rapaces que ridicules, un peu comme des enfants dépouillés.

Les résultats de cette évolution sont désormais bien connus, tout comme les diverses statistiques. Les actifs des 358 personnes les plus riches du monde dépassent les revenus annuels cumulés des pays habités par 45 % de la population mondiale. Sous la globalisation, le ratio de la part de revenu global contrôlé par les 20 % les plus riches par rapport aux 20 % les plus pauvres a doublé : il est passé de 30 contre 1 à 61 contre 1 [17]. Toutes les statistiques montrent que les revenus des plus riches montent, que ceux des classes moyennes bougent peu et que ceux des plus pauvres au mieux stagnent. Soudain, après 1971, il est devenu juste de se servir et de ne pas se soucier d'autrui.

Il n'est pas étonnant qu'une telle atmosphère ait tourné à la franche fraude. Certaines, comme celle d'Enron, ont été massives. Mais la publicité qui a entouré cette affaire a détourné l'attention de Parmalat en Italie. Dix milliards d'euros manquaient dans les comptes de la société – presque 1 % du PNB italien. Même parmi les entreprises les plus vénérables, certaines ont cédé à la tentation. Shell avait eu pour habitude d'exagérer ses réserves pendant près d'une décennie pour maintenir ses prix élevés. Le directeur hollandais des explorations a fini par écrire au président : « Mentir sur l'étendue de nos réserves me rend malade ; j'en ai assez [18]. »

Mais ces affaires criminelles sont peut-être moins graves que la propension générale à ne penser qu'à soi. Le constructeur automobile britannique Rover a eu des problèmes financiers et a été repris par une instance appelée Phoenix Consortium. Ses quatre propriétaires

– en théorie, pour sauver l'entreprise – ont saisi cette occasion pour s'emparer personnellement de 31 millions de livres. L'un des patrons les plus admirés pendant l'âge de la globalisation, Jack Welch, le P-DG de General Electric, ne se suffisait pas du milliard de dollars qu'il avait accumulé en tant que simple gestionnaire – et non comme capitaliste prenant des risques. Il s'est accordé une indemnité de départ à la retraite couvrant tout, des repas aux employés de maison en passant par les billets pour des manifestations sportives, ainsi que dix millions de dollars par an pendant le reste de sa vie.

Le sommet de l'humour noir a sans doute été atteint en 2004 avec les accusations portées contre Conrad Black et la direction du groupe de presse Hollinger. Un éditorial du *New York Times*, intitulé « La cleptocracie d'entreprise », a fait état d'un rapport accusant Black et son P-DG de s'être « attribué quelque 400 millions de dollars de fonds de pension Hollinger de 1996 à 2003. C'est à peu près 95 % du revenu net de la société pendant la période ». Le *Times* replaçait cela dans le contexte d'« autres histoires récentes de brigandage en entreprise [19] ».

La réaction contre cette culture se répandant chez les patrons a commencé au milieu des années 1990. Elle a impliqué une réévaluation graduelle de l'autorité publique. En 1998, le communiqué annuel du G7 a inclus « un engagement à développer et à mettre en place des principes et des codes de bonnes pratiques internationales en matière de politique fiscale, de politique financière et monétaire, de gouvernance et de comptabilité d'entreprise, et à travailler à s'assurer que les institutions du secteur privé se plient aux nouvelles normes de transparence [20] ».

Les dirigeants n'ont guère suivi, ce qui explique pourquoi le public estime qu'ils sont complices des fautifs.

Du moins le sentiment est-il apparu que les vieilles affirmations de la globalisation sur l'inévitable et le partage automatique des bénéfices n'étaient plus crédibles. La même année, l'Union européenne, les États-Unis et le Canada se sont mis d'accord pour coordonner leurs efforts contre les cartels illégaux et les « abus de position dominante des entreprises multinationales [21] ».

En 2001, le responsable européen de la concurrence est sorti de son rôle en approuvant une amende de 822 millions de livres contre huit entreprises pharmaceutiques dans une déclaration vigoureuse contre leur complot pour fixer le prix des vitamines : il s'agissait selon lui de « la série de cartels la plus dommageable sur laquelle [la Commission européenne] ait jamais eu à enquêter ». « Un plan stratégique avait été imaginé au plus haut niveau pour contrôler le marché mondial des vitamines par des moyens illégaux [22]. »

Il s'exprimait dans un esprit inspiré par la grande tradition de l'éthique publique formulée pour la première fois dans notre ère démocratique au cours d'une des premières crises mercantilistes et commerciales de l'époque moderne – le procès devant la Chambre des Lords de Warren Hastings, en 1788, pour ses menées en Inde. Hastings, dans le contexte d'aujourd'hui, était un homme remarquablement moderne – presque à l'image du P-DG d'un grand groupe transnational. Suscitant une forte opposition des élites, le philosophe et parlementaire Edmund Burke a mené un long combat pour que Hastings soit jugé. L'*establishment* estimait que la Compagnie des Indes orientales était si centrale pour les intérêts nationaux et économiques anglais que le patriotisme exigeait qu'on garde le silence. Burke soutenait quant à lui que l'éthique publique prenait le pas sur la *realpolitik* des intérêts nationaux et du marché. « Le problème aujourd'hui, ce ne sont pas les affaires de cet homme ; la question n'est pas uniquement de savoir si on le jugera innocent ou coupable, mais si on rendra des millions d'hommes misérables ou heureux [23]. » Hastings était accusé d'être tyrannique, corrompu et violent. Sept ans plus tard, avec son acquittement, la *realpolitik* et l'establishment ont semblé triompher. Mais cela a eu pour effet à long terme de clarifier l'idée d'éthique publique et de montrer qu'il est constamment besoin de la défendre.

L'année 2004 n'a été qu'un constant rabâchage public des échecs affectant les patrons. On a remarqué que, depuis la deuxième moitié des années 1990, les deux tiers des entreprises américaines ne payaient pas d'impôts fédéraux sur les bénéfices. Et pourtant, les profits grimpaient. 90 % des entreprises payaient moins de 5 % de leurs revenus totaux. En Guinée équatoriale, pays nouvellement riche en pétrole, le revenu national est statistiquement le sixième du monde. En réalité, l'argent va ailleurs et les multinationales impliquées sont complices de cette disparition. William Donaldson, le président de la commission boursière américaine, la Securities and Exchange Commission, a publiquement accusé les responsables de cette industrie de « ne pas diriger de façon "éthique" [24] ». « Le ton est donné d'en haut. Il faut un code éthique interne qui aille au-delà de la lettre de la loi pour respecter aussi l'esprit de la loi. »

Au début du XXIe siècle, les organisateurs de Davos ont commencé à souffrir d'être utilisés pour promouvoir des politiques globales servant les intérêts spécifiques de ses propriétaires. Ils ont commencé à revenir sur leur manipulation patente de cette organisation et en ont formulé les statuts en développant ce que le *Wall Street Journal* a appelé des « concepts sensibles ». Les autorités allemandes ont commencé à insister pour que soit publiquement révélée la rémunération des grands patrons. S'ils ne s'y pliaient pas volontairement, une loi serait votée pour les y forcer. Des actionnaires, comme Warren Buffett, se sont plaints du fait que les P-DG américains « ne se soucient pas de savoir si leurs conseils d'administration sont divers ou non – ils se préoccupent seulement de l'argent qu'ils gagnent ». Il a déclaré qu'« il y avait eu plus d'avantages indus dans les entreprises américaines depuis cinq ans qu'au cours du siècle précédent ». J'ai dit plusieurs fois déjà que notre époque a fini par ressembler à la fin du XIXe siècle. On pense naturellement à *L'Argent* de Zola ou à *La Flèche d'or* de Joseph Conrad : « Ils n'étaient pas pauvres, vous savez ; ils n'avaient donc pas à être honnêtes. »

Les pessimistes diront que toutes ces plaintes n'ont guère eu d'effet. Par exemple, une comparaison entre les deux guerres d'Irak montre que les plaintes contre la privatisation de la guerre par les gouvernements pendant la première n'a pas eu d'effet sur la deuxième. Le ratio militaires/contractuels et mercenaires est passé de 50 contre 1 pendant la première à 10 contre 1 aujourd'hui : la tendance s'est simplement poursuivie. Une seule société – Halliburton – a gagné plus de dix milliards de dollars au cours de la deuxième guerre. La privatisation de la guerre a fait reculer les mécanismes démocratiques de transparence. On esquive les régulations publiques. Les contractuels peuvent être payés « au moins le double » des militaires [25], la justification publique étant qu'on économise ainsi de l'argent.

Si on compare avec il y a vingt ou même dix ans, le public ne croit plus que ce type d'activité est inévitable ou acceptable. Il y voit de la simple corruption ou une perversion du bien public.

La perte de direction des groupes transnationaux

La vie des empires connaît des moments métaphysiques où leur pure et simple taille, et leur puissance énorme expliquent qu'ils perdent leur objectif, leur direction, leur flexibilité. Il s'ensuit une perte graduelle de respect public et – souvent longtemps avant leur effondrement – une perte de puissance. Comment cela ? Le processus est étonnamment simple : les millions de gens qui doivent y croire pour qu'un tel pouvoir fonctionne se désengagent affectivement.

Aujourd'hui, il semble que ce soit l'inverse. Parmi les trente plus gros revenus au monde, une majorité appartient à des entreprises, et non à des pays[26]. En 1990, il existait trois mille groupes transnationaux. Aujourd'hui, il y en a plus de quarante mille. Soixante-trois mille filiales en 1990 ; huit cent vingt mille aujourd'hui. Ces structures produisent un quart du PNB mondial.

Cependant, ce que les chiffres ne disent pas, c'est qu'une entreprise n'a que deux dimensions, alors que les États-nations sont tridimensionnels. En fait, ils sont même multidimensionnels. Le revenu est un indicateur qui a des conséquences modérées quand il s'agit de juger de leur puissance et de leur importance. L'objectif d'une entreprise peut être son revenu. L'objectif des cinquante-huit millions d'Italiens et des quatre-vingt-deux millions d'Allemands n'est pas leur revenu, ni en tant qu'individus ni comme État-nation. Seule l'obsession infantile de l'économie a pu produire une comparaison aussi étroite.

Quant à la croissance du nombre de groupes transnationaux, on confond les torchons et les serviettes. Un petit nombre d'entre eux sont gigantesques, sont des corps technocratiques informels. L'immense majorité sont plus petits, agiles et ont des activités basées dans un État-nation, ce qui implique une approche de la production et du commerce sur les marchés mondiaux relevant du XIXe siècle. Cela représente un triomphe pour le développement national et régional, et pour la coopération internationale. Leur réussite n'implique pas qu'ils prennent le pas sur le pouvoir national.

La nature technocratique et non concurrentielle des groupes transnationaux classiques est devenue encore plus claire à mesure qu'elle s'est écartée graduellement du risque et de la créativité. Les groupes transnationaux achètent des entreprises plus petites et plus créatives ;

ils se concentrent sur l'accumulation de capital ; ils touchent les dividendes de la propriété intellectuelle ; ils font du lobbying sur les élus et les fonctionnaires pour qu'ils ajustent le bien public afin d'encourager la suffisance du privé. Malgré tous ces avantages, leurs énormes acquisitions s'avèrent souvent impossibles à digérer, et leurs dettes inouïes impossibles à honorer. Parmi les grands acteurs, le nombre d'acquisitions ratées et – comme dans le domaine aérien – de faillites a été si élevé dans les années 1980 et 1990 que c'en est devenu gênant. Des milliards ont été investis en théorie, qui se sont évaporés sur le marché. Cela a participé de l'inflation cachée persistante – de la vaporisation persistante de l'argent, qui ne satisfaisait même pas les normes de l'imaginable qu'exigent les systèmes monétaires sensés.

Ce délire gigantiste a commencé à sembler plutôt fou. La taille a semblé remplacer la pensée. Comme si c'était viril.

Le penseur et diplomate britannique Robert Cooper a bien résumé la situation actuelle : « Ce ne sont pas les empires, mais les petits États qui se sont avérés constituer une force dynamique dans le monde. Les empires sont mal conçus pour promouvoir le changement[27]. » Du moins les empires politiques ont-ils des poches de flexibilité du fait de leur nature complexe et multidimensionnelle. Les groupes transnationaux bidimensionnels se sclérosent à une vitesse effrayante. Leur obsession de la croissance constante de leurs revenus masque simplement leur faiblesse.

À mesure qu'ils en viennent à se reposer seulement de façon passive-agressive sur l'accumulation de capital et de puissance, et sur l'élimination de la concurrence, ils perdent la confiance dans leurs capacités ainsi que la sympathie du public.

On a redécouvert le pouvoir bien réel que les citoyens ont de fixer des limites à ces groupes, tout comme au début du XXe siècle, quand les trusts, les combinats et la corruption publique dominaient. L'un des exemples contemporains les plus parlants à cet égard a été la décision d'un nombre de plus en plus grand de municipalités d'Amérique du Nord de refuser à la plus grosse entreprise mondiale, Wal-Mart, l'autorisation de construire l'un de ses magasins. Ce refus passe souvent par un référendum. Quand Inglewood, près de Los Angeles, a rejeté un gigantesque Wal-Mart par 60 % des voix, l'un des organisateurs a déclaré : « La question était de savoir si l'entreprise la plus riche du monde pouvait circonvenir la loi. La réponse a été non [28]. »

La question plus élémentaire encore était de savoir si le prix bas des marchandises prenait le pas sur le bien-être de la société. Ou inversement, dans les pays en voie de développement souffrant d'épidémies, si le prix élevé des marchandises prend le pas sur le bien-être social. La réponse est non dans les deux cas. La question fondamentale est de savoir si les citoyens ont plus de pouvoir que les entreprises, quand ils prennent la peine d'essayer. La réponse est oui.

Peut-être le signe le plus clair de la faiblesse qui est au cœur de ces grandes bureaucraties privées est-il l'ardeur que leurs cadres mettent à créer des versions nouvelles des vieux systèmes de classes afin de consolider leur position sociale. Beaucoup a été dit sur les prétentions de cette technocratie – ses jets, ses clubs, ses stock-options, sa façon de se servir sur le dos des actionnaires comme si c'était un droit. Des études récentes ont commencé à révéler quelque chose de plus grave : un déclin de la mobilité sociale dans les pays développés ; un déclin en ordre inverse, les États-Unis étant devenus plus stratifiés que le Canada ou l'Europe. Même l'Europe, où la mobilité sociale avait augmenté après la dernière guerre jusqu'aux années 1980, semble désormais verser dans une imitation du nouveau rêve de classe américain.

Les réactions des entreprises aux accusations de plus en plus nombreuses de gaspillage éhonté pendant les années 1980 et 1990 en ont plutôt fait un obstacle à la mobilité. Elles ont commencé à dégraisser d'abord leur personnel, puis leurs garanties d'emploi et à passer à tous les niveaux à des relations de travail à temps partiel, occasionnelles et contractuelles. Par suite, elles ont renoncé à leur rôle dans l'apprentissage, la formation et l'enseignement professionnel, renvoyant tout cela aux États-nations, auxquels elles refusent le plus possible les rentrées fiscales nécessaires pour financer de tels programmes. Cela a eu pour effet précis d'affaiblir le rôle d'acteurs du changement social joué par les groupes transnationaux, que ce soit dans les rayons des magasins ou dans les bureaux des cadres [29].

Comme l'écrivait *The Economist*, « les élites maîtrisent l'art de se perpétuer [30] ». C'est une forme classique d'échec dans une structure impériale. Mais la fragilité inflationniste des groupes transnationaux aujourd'hui se voit à la vitesse avec laquelle ils ont transformé le modèle méritocratique – toujours visible dans les grandes entreprises des économies plus récentes – en système autocratique s'autoprotégeant.

La privatisation : c'est selon

Un million de milliards de dollars d'actifs réels mis sur le marché dans le monde ; cela aurait dû avoir un impact. Dans certains cas, il y a moins d'État, le public est mieux servi, et le marché plus sain. Dans d'autres, des milliards se sont évaporés sans autre effet que des gains personnels pour quelques-uns.

À l'arrivée, cela ressemble moins à l'application d'un principe qu'à un salmigondis du type de ceux qu'on peut s'attendre à trouver dans le monde réel. En Grande-Bretagne, certains chiffres montrent que les entreprises privatisées surpassent la moyenne du marché [31]. Certains créditent la privatisation d'avoir révolutionné les communications. D'autres soulignent que cette révolution s'est produite partout dans le monde. Elle a été due à l'avènement de nouvelles technologies, qui ont stimulé les entreprises privatisées tout comme ailleurs elles ont dynamisé les entreprises publiques.

Ce qu'on s'accorde généralement à penser, c'est que ce sont les technocrates et les intermédiaires qui ont partout profité de ces ventes, qui ont créé une nouvelle classe friquée de profiteurs, alors qu'il s'agissait, du moins selon le discours économique officiel, de rendre plus efficaces les nouvelles entreprises privées. L'une des méthodes clés à cet égard a consisté à licencier des milliers d'employés. Puisque ce dégraissage a été mené par les gestionnaires, la tendance a été de se débarrasser des employés qui fournissaient un service ou, d'une certaine façon, se rendaient réellement utiles[32]. L'exemple du démantèlement et de la vente de British Rail a marqué les esprits. Huit personnes sont décédées pendant les cinq années qui avaient précédé la privatisation, et cinquante-neuf pendant les cinq années suivantes. La ponctualité, la propreté et la qualité de service ont aussi chuté. Et pourtant, les entreprises responsables de cette mauvaise gestion réalisent des profits records. Dans un autre secteur – celui de l'énergie –, quinze ans après la privatisation, le *Financial Times* a découvert que l'utopie de la concurrence avait produit une concentration du marché – vingt compagnies n'en formant plus que six. Un observateur s'est plaint en 2005 des hausses de tarifs, de « puissants oligopoles dans cette industrie » et du « potentiel de corruption et de manipulation du marché » qu'elle recèle. Il aurait aussi pu dire que d'autres parties de l'économie étaient plus énergiques.

L'histoire de la Nouvelle-Zélande figure parmi les moins heureuses. L'État a vendu quelque 80 % de ses actifs, surtout à des intérêts étrangers. Et pourtant, la dette extérieure du pays a plus que doublé[33]. Selon l'économiste Gareth Morgan, avant de privatiser, « il faut s'assurer qu'une concurrence équitable est possible [...], qu'il y a bien un marché ». Sinon, « on transfère simplement le privilège d'un monopole d'État ». Et alors, on crée, comme dit Stiglitz, « un monopole privé et sans règle se traduisant par des prix encore plus élevés pour les consommateurs ».

Ce qui n'a clairement pas marché, c'est donc de déplacer les services publics vers le marché. Pourquoi ? Parce que, dans la plupart des cas, il n'y a pas de marché pour ce qu'ils fournissent. Il y a plutôt un monopole naturel, au mieux un oligopole. Et ce qui est fourni, ce n'est pas un produit de marché. C'est du bien public. Les Britanniques se plaignent des systèmes de fourniture d'eau placés entre les mains de technocrates en quête de profits, qui évitent de réaliser les lourds investissements en infrastructures qui s'imposent et auxquels on ne peut se fier pour les contrôles de qualité. Et cette histoire se répète dans le monde entier – de l'Australie du Sud à l'Amérique latine.

Dans certaines régions du monde, les gouvernements se remettent en fait à recréer les industries qu'ils ont vendues il y a quelques années. Les Argentins recréent leur compagnie pétrolière nationale, lancée en 1922 pour lutter contre les trusts. Elle a été vendue dans les années 1990, puis rachetée par des intérêts espagnols. Pourquoi le gouvernement argentin revient-il dans l'énergie ? Parce que c'est un besoin stratégique et, comme d'autres matières premières, difficile à réguler. Les gouvernements raffinés estiment donc qu'ils ont besoin d'une fenêtre leur révélant les manipulations du marché. Ceux qui ne sont pas raffinés ne semblent pas s'inquiéter de ne rien savoir.

En général, la privatisation a-t-elle marché ? Tout dépend s'il existait un marché réel et si le secteur avait une importance stratégique. Réalisée judicieusement, avec ces deux facteurs en tête, il se pourrait que l'effet ait été positif. Effectuée par idéologie – c'est-à-dire de façon brutale et autoritaire –, comme cela a souvent été le cas, il est plus probable que le résultat a été mauvais. Voilà encore l'un des paradoxes produits par cette idéologie :

moins il y avait de marché réel, plus il fallait de nouvelles régulations fortes. La privatisation a donc attiré même les gouvernements qui y étaient rétifs dans le secteur privé où ils sont devenus des régulateurs toujours plus sévères. Aujourd'hui, l'histoire globale est celle de l'avancée progressive des régulations internationales contraignantes visant à rendre aux individus et aux gouvernements individuels le pouvoir dont ils ont besoin pour agir sur le bien public.

Confusion chez les experts

Si les cycles que j'ai décrits sont si évidents, pourquoi une civilisation dominée par les experts éprouve-t-elle autant de difficultés à réagir à la réalité au lieu de suivre l'idéologie ?

Réponse simple : les spécialistes, les consultants et les technocrates, qu'ils aient à gérer des groupes transnationaux ou des ministères, ne sont pas des dirigeants naturels. Ils ne sont pas censés l'être. Leur méthodologie est plutôt étroite et linéaire. Au nom du marché, la globalisation a mis sur le devant de la scène des personnes qui sont effrayées par la complexité de ce marché et celle de la réalité en général. La forme de pensée latérale et de communication ouverte que requiert le fait d'aborder la réalité leur semble non professionnelle et déloyale. Un quart de siècle centré sur une idéologie dédiée à ouvrir la société a curieusement conduit à une épidémie du secret et à un manque chronique de communication.

Si on suit la façon dont l'histoire de la vache folle s'est déplacée de pays en pays, on retrouve les mêmes structures de secret et de déni. Dans chaque cas, au motif de sauver le marché, on l'a détruit. Si on suit la tragédie récurrente des pêcheries internationales, on retrouve encore le même mélange de panique et de déni. Quelque 90 % des stocks de poissons de mer mesurant plus de trente centimètres de long ont disparu au cours du dernier demi-siècle[34]. L'obsession linéaire des détails techniques et la peur de regarder en face la situation générale ont joué un rôle central dans ce déclin.

Ces histoires concernant l'industrialisation agricole sont emblématiques de l'idée que les gestionnaires se font de la globalisation. Tous prennent le contrôle de vieux secteurs économiques endormis à base régionale et en font des industries internationales efficaces menées par la technologie et le management. Ces industries sont à fonder sur un modèle privilégiant la croissance permanente.

Qu'est-ce donc qui empêche les esprits sensés d'identifier les problèmes, puis de les résoudre ? Premièrement, c'est la foi inébranlable dans les impératifs du marché. Deuxièmement, c'est l'arrogance des spécialistes et des gestionnaires, courante dans l'idéologie économique d'aujourd'hui. Résultat : les vrais croyants – en l'occurrence, les gestionnaires et les spécialistes – sont incapables de simplement reconnaître leurs erreurs.

Si on admet ses erreurs, on peut régler le problème. Mais l'ethos managérial a épousé l'idée que les problèmes ne se résolvent pas, mais qu'ils se gèrent. Et donc, des dizaines de milliards de dollars ont été perdus du fait de la dépendance de l'élevage modernisé vis-à-vis du commerce international. Et des gens sont morts. Des fermes et des ranchs sont encore détruits. Et les ressources des océans, qui existent depuis toujours, sont si déstabilisées et ruinées qu'on ne sait ce qui adviendra.

Appelez cela péché d'orgueil, si vous voulez. Je parlerais plutôt de mystification des structures civilisationnelles. L'objectif de cette mystification est de faire croire que nous n'avons pas le choix, que seule joue la fatalité économique. Les personnes sensées perdent confiance en elles et ne peuvent plus compter que sur l'exercice raffiné du pouvoir par des dirigeants qui surfent sur la vague des forces économiques et technologiques globales.

Dit autrement, de plus en plus de gens ont remarqué

qu'une idéologie globale, qui se veut la force du capitalisme et du risque, était en grande partie défendue par des professeurs d'économie et des gestionnaires, tout en étant menée par des technocrates – à savoir les bureaucrates du secteur privé – travaillant pour de grosses entreprises cotées appartenant rarement à des groupements d'actionnaires actifs. Et la plupart des changements qu'ils cherchent à produire visent à réduire la concurrence.

Les marchés monétaires : vers la rerégulation

La Malaisie est restée un paria pendant douze mois environ. À un moment donné en 1999, sa monnaie fixe, ses droits de douanes élevés et ses contrôles des capitaux sont devenus la norme pour la plupart des banquiers et des bureaucrates. Comment ? Et pourquoi ? Parce que les régulations avaient fonctionné. Les réserves de devises du pays avaient commencé à augmenter. Bientôt, le *Wall Street Journal* s'est mis à décrire la situation en l'approuvant à demi et de façon confuse [35]. En 2002, Mahathir a donné des conférences au monde sur la nécessité de se doter d'« un système financier international adapté » et a décrit les sept étapes du déclin financier global qui avait conduit à cette crise, laquelle s'était terminée par un « magouillage des traders de devises ».

En 2003, il a été reçu comme un héros à Davos. À peu près au même moment, l'International Institute of Management and Development a classé la Malaisie quatrième parmi les grands pays sur son palmarès de la compétitivité mondiale. Finalement, même la direction du FMI a apposé son sceau sur ses politiques. En 2004, selon elle, il n'existait « pas de raison convaincante pour revoir la fixation [de la monnaie malaisienne] ». Bien sûr, le FMI n'a jamais admis qu'il a contribué au problème.

Le principe et la réalité de la rerégulation avaient ainsi été démontrés. Comment allait-il être appliqué ailleurs ?

La réponse tient en partie à la rapidité avec laquelle les quelques voix respectables qui plaidaient pour « un meilleur système à long terme » s'étaient multipliées pour donner maintenant le ton. I. J. Macfarlane, le gouverneur de la banque centrale australienne, a attiré l'attention sur les problèmes qui se poseraient à tout le monde dans un monde dérégulé : « Les *hedge funds* sont devenus les enfants chéris de la scène financière internationale ; ils ont le droit de tirer le bénéfice de la libéralisation des marchés sans assumer leurs reponsabilités. Notre reconstitution des transactions que les fonds ont mené en Australie en juin suggèrent qu'ils pourraient s'engager dans des opérations à effet de levier presque infini au cours de leurs transactions hors bilan s'ils choisissaient de le faire. » Si aucune action n'était menée au niveau international, mettait-il en garde, un tel vide pourrait provoquer des régulations nationales préalables. Harold James, qui compare les tendances ayant mené à la Grande Dépression des années 1930 avec celles d'aujourd'hui dans un livre intitulé *The End of Globalization*, avertit : alors que la croissance massive des mouvements financiers accentue l'instabilité, des crises mondiales peuvent être précipitées par des flux aussi réduits que 4 % du PNB (Allemagne, 1931) ou 3 % du PNB (États-Unis, 1971). La crise asiatique de 1997, dans un système dérégulé, a concerné un flux de 10 % du PNB [36]. C'est beaucoup. Mais ce n'est pas un quart ou une moitié du PNB. Sa thèse est qu'une turbulence générale n'est pas nécessaire pour produire une turbulence générale. Toute évolution vers une normalisation de l'instabilité comporte donc des dangers exponentiels. Pendant plusieurs années, certaines institutions internationales ont mis en garde contre « l'opacité croissante du système financier ». Certains économistes ont souligné le retour de « la tension vécue dans les années 1920 entre la finance globale et la gouvernance démocratique ».

Et pourtant, après que la crise asiatique nous eut apporté une expérience dramatique pour le bien-être global, les régulateurs ont avancé avec une insupportable lenteur. En 2004, sept ans plus tard, rien ne semblait avoir beaucoup changé. Des commentateurs influents comme Fareed Zakaria prédisaient « un besoin de nouvelles régulations et une réappréciation du rôle du gouvernement dans le capitalisme [37] ». Les fonds de pension exprimaient eux aussi leur méfiance vis-à-vis de la transparence du marché. Le FMI et les ministres des Finances du G7 étaient tout occupés à attaquer une fois encore les fonds de capital-risque, cette fois pour des manipulations du prix du pétrole.

Pourquoi les gouvernements ont-ils été si lents à bouger ? En partie parce que la crise asiatique avait eu lieu en Asie. Les dirigeants occidentaux n'ont pas bien fait le lien avec leur situation. Certains d'entre eux ont même cru à la manœuvre du FMI qui cherchait à en attribuer la faute au *capitalisme de copains* dominant dans ces pays.

L'explication plus générale est que les idées reçues du jour sont restées globales. Mais les réactions réelles ont été résolument nationales, ou au mieux régionales. Et les dirigeants politiques n'ont redécouvert que lentement le pouvoir qu'ils avaient. Ils pouvaient à peine pas croire qu'ils disposaient du pouvoir d'influer sur les événements. Et leurs technocraties aussi étaient inféodées aux idées reçues globalistes ou, à juste titre, n'avaient pas le pouvoir politique pour prendre l'initiative. D'ailleurs, tous les dirigeants – sauf peut-être Mahathir – étaient encore terrifiés par les critiques qui s'abattraient sur eux de la part du réseau globaliste très organisé s'ils osaient manifester des doutes réels à l'égard des idées reçues.

Par-dessus tout, la corruption des structures de la démocratie formelle par les lobbyistes et les consultants, qui avaient pénétré le cœur de la décision politique, ont empêché les ministres, et à plus forte raison les secrétaires d'État, de développer des raisonnements critiques à l'égard des présupposés globalistes. S'ils demandaient à leurs fonctionnaires des conseils ou des actions, ce qu'ils obtenaient, c'étaient des propos rassurants, des appels à la patience ou, au mieux, le moins de mouvement possible.

Et pourtant. Et pourtant, bien plus de choses avaient été accomplies qu'on ne s'en vantait en général. Le changement le plus évident a été le lancement de l'euro en 1999. Cela a créé une structure de travail, au début pour douze économies, qui constituait aussi un mur protecteur contre le monde de la spéculation. Si l'euro n'est pas resté un vague plan mais est devenu réalité, c'est grâce à la réaction agressive de l'Europe aux attaques contre la livre, le franc et les autres monnaies nationales sur les marchés monétaires dérégulés en 1992. Michel Sapin, le ministre des Finances français d'alors : « Pendant la Révolution française, on appelait ce type de gens des spéculateurs et on leur coupait la tête. » « La France et l'Allemagne combattront cette spéculation qui ne repose sur aucun fondement économique. » Individuellement, les nations avaient été vaincues dans cette bataille internationale. Mais leur défaite les a poussées à faire de la coopération extrêmement régulée leur objectif futur. La victoire irresponsable des spéculateurs a conduit en sept ans à leur exclusion du plus gros marché mondial.

Alors, en 1999 aussi, est venu l'appel du président de la Bundesbank pour un système de surveillance financière international. Deux mois plus tard, il était en place. En surface, le Forum sur la stabilité financière n'a pas de pouvoir régulateur. Et ses membres continuent à prétendre qu'il n'en a pas. Mais il rassemble des représentants importants de vingt-six autorités financières nationales et internationales. Ils ont pour programme clair d'établir au moins une transparence administrative. Et leur objectif est d'identifier les secteurs où des régulations sont nécessaires et lesquelles mettre en œuvre.

Dans ce travail en cours, on présuppose que la foi globaliste poussant à mettre à bas les murs financiers qui entourent tous types d'économie aussi vite que possible est tout simplement une erreur. Que le FMI s'est trompé. Que les adeptes du prisme économique se sont trompés. Et que ce sont eux qui ont causé les crises de 1992 et de 1997.

Bien sûr, personne en position d'autorité ne dirait vraiment cela. Dans un monde de spécialistes et de calme technocratique, personne n'a tort en public. Personne n'est tenu pour responsable de ses erreurs, même si elles ont ruiné la vie des vraies gens. Le professionnalisme implique un ton feutré et une apparence de continuité. Les structures publiques de pouvoir dans le monde financier se sont donc mises lentement à reprendre le contrôle du marché, sans jamais dire qu'il y avait eu changement de direction.

Derrière ce retour de la régulation, il y a une découverte toute simple. Le raisonnement globaliste voulait que l'ouverture vingt-quatre heures sur vingt-quatre et dans le monde entier des marchés, reliés entre eux par une technologie en éveil constant, impliquait que les échanges prendraient une telle complexité et une telle rapidité que les régulateurs seraient dépassés. C'est tout le contraire qui s'est passé. Avant l'apparition de ces technologies remarquables, les marchés étaient semi-oraux et relativement isolés les uns des autres, donc très difficiles à réguler. Aujourd'hui, la technologie étant intégrée et reposant sur l'écrit, les nations ainsi que les régulateurs internationaux responsables devant elles peuvent contrôler en détail les marchés financiers. S'ils décident de le faire.

À un niveau plus élémentaire, les gouvernements occidentaux, en coopération les uns avec les autres, resserrent lentement leurs régulations autour des paradis fiscaux. Cette activité est de plus en plus inspirée par le fait qu'on sait que ces lieux servent à la fois au crime organisé et aux terroristes pour blanchir et déplacer leur argent – en plus des fraudeurs habituels résidant dans les démocraties. Pourquoi nos gouvernements n'ont-ils pas tout simplement rendu ces lieux non pertinents en les boutant hors de nos économies ? Rien ne serait plus facile. La réponse nous ramène à la corruption profonde qui a pénétré nos structures démocratiques pendant l'ère globaliste.

Et pourtant. Et pourtant, en 2002, la Californie a interdit que le gouvernement de l'État travaille avec des entreprises situées dans des paradis fiscaux offshore. Vingt-deux sociétés ont immédiatement été citées. Phil Angleides, ministre du Trésor de l'État de Californie : « Les sociétés qui se cachent derrière une boîte postale aux Bermudes ne font pas leur devoir d'Américains. » Deux messages ici. Les gouvernements, même simplement d'États dans une structure fédérale, ont un pouvoir réel sur l'économie internationale. Deuxièmement, le nationalisme fait son retour comme force réelle dictant la politique économique.

Où que l'on regarde, on trouve des signes tranquilles et discrets de rerégulation. Sous l'égide de la Banque des règlements internationaux, des auditeurs de banque issus du monde entier travaillent à poser des règles globales pour les capitaux bancaires. L'un des outils clés non comptabilisé et non régulé pour imprimer de l'argent – les cartes bancaires – sera concerné d'une certaine manière. Il y aura des dizaines d'exceptions à ces Règles de Bâle. Et de même, l'influence des spéculateurs au sein même des gouvernements implique que des obstacles constants apparaissent mystérieusement pour ralentir le processus. Et pourtant, un certain consensus règne déjà.

Le 2 août 2004, la plus grosse banque mondiale, Citigroup, s'est lancée dans une manœuvre spéculative à la bonne vieille manière globaliste. Elle a vendu assez de bons européens en une fois pour faire s'effondrer le marché. Grâce à nos remarquables technologies, elle a pu vendre pour onze milliards d'euros en deux minutes. Puis, elle les a rachetés à un cours déprécié et a réalisé un gentil petit profit de quinze millions d'euros. Voilà qui se produisait jadis sur une plus petite échelle avec les actions minières à deux sous à la Bourse de Vancouver. Mais c'était une exploitation gigantesque et raffinée des marchés globaux électroniques.

Le système public de régulation a réagi avec rapidité et autorité. Deux jours plus tard, des limites temporaires ont été mises en place au volume de transactions effectuées par le système électronique MTS que Citigroup avait manipulé. Au bout de deux semaines, les instances régulatrices britanniques ont lancé une enquête sur la banque. Les autorités européennes ont ensuite commencé à imaginer un régime de régulation prévenant ce type de spéculation. L'une des idées centrales était de ralentir le processus de transaction ! En d'autres termes, on a admis que la rapidité artificielle, rendue possible par la technologie, n'était pas pertinente pour de vraies valeurs de marché, qu'elle n'était pas inévitable et pas nécessaire. Certes, beaucoup de jeunes traders, emportés par leurs montées d'hormones, aiment bien mêler leurs émotions à l'idée qu'ils se font de la façon de faire tourner les marchés globaux. Mais ce n'est pas la question. Cela n'a rien à voir avec l'économie, et encore moins avec la civilisation.

Le viol est illégal. La spéculation est un viol social. Il est tout aussi facile de l'interdire grâce à des régulations.

La conception nouvelle de la régulation

Rien de magique ni d'idéologique dans la bonne régulation. Cela fonctionne quand c'est adapté au système ; cela exige une constante réinvention. Il n'est guère surprenant que les règles mises en place de façon *ad hoc* entre 1930 et 1971 soient devenues de plus en plus encombrantes et même inadaptées pour certaines. Les temps ont changé. Les régulations doivent changer avec eux. Au bout de quelques décennies, cela cause une petite crise, parce que ce qui a été mis en place pour des raisons éthiques peut ne plus suivre que la logique de l'intérêt ou bien parce que ce qui a été établi de façon utilitariste vire à la suffisance.

À la fin des années 1990, les personnes sensées regardaient avec embarras notre basculement grossier et assez infantile dans un raisonnement manichéen opposant régulation et dérégulation. Les vagues de crises financières, de scandales d'entreprise et d'abus personnels des patrons aux frais des contribuables et des actionnaires nous ont progressivement fait entrer dans une phase de rerégulation.

Selon la théorie globale, les marchés financiers constituaient une réalité toute nouvelle au sein de laquelle la monnaie était transformée en bien commercial. Mais la nature abstraite de ces biens commerciaux virtuels les rendait en théorie très peu aptes à se plier à des régulations. La dérégulation qui en était résultée s'était désormais avérée dangereuse et non nécessaire. Mais si on peut influer sur les marchés de l'argent, il est bien plus facile d'influer sur d'autres secteurs.

C'est pourquoi Fareed Zakaria se sentait à l'aise de postuler que « de nouvelles régulations seront nécessaires [38] ». Pour la même raison, Kofi Annan incitait les groupes transnationaux à se soucier des droits de l'homme et des normes en matière de travail et d'environnement. Et c'était lors d'une réunion à Davos, en 1999, là où les présupposés largement admis avaient changé par rapport aux premières années. Soudain, on croyait que le libre-échange et les flux de capitaux avaient un effet négatif sur de nombreux pays en voie de développement. Le thème général de la réunion était : comment « gérer l'impact de la globalisation ».

Dans cette atmosphère internationale, il n'était pas surprenant que les régulateurs au niveau européen aient voulu se charger de Microsoft. Agissant pour tous les États-nations du continent, ils ont édicté que la société abusait de son « quasi-monopole » et essayait d'« écarter ses rivaux »[39]. Ils ont ordonné qu'elle modifie sa production et divulgue des informations dessus. Face à la plus grosse entreprise mondiale de logiciels, les régulateurs européens lui ont tout simplement dit quel comportement était inacceptable et ils l'ont régulée pour qu'elle adopte un comportement acceptable.

On pourrait dire : *très bien pour l'Europe, mais un simple État-nation n'en a plus le pouvoir*. Paul Keating, l'ex-Premier ministre australien, a souligné fin 2004 que le ratio des dépenses publiques par rapport au PNB et celui des revenus par rapport au PNB n'ont pas baissé dans la plupart des cas sous la globalisation. Le pouvoir du gouvernement sur l'économie reste le même. « Ce qui a changé, c'est la nature de la régulation. Aujourd'hui, les gouvernements s'intéressent plus à ce qu'on appelait *donner le cap* qu'à faire *avancer le bateau*[40]. »

La globalisation : un système de croyance régional

La promesse de la globalisation était que la marée montante porterait tous les bateaux. Mais une marée montante est chose dangereuse. Des doris aux paquebots, les vaisseaux qui sont abandonnés aux aléas des eaux montantes viennent se fracasser sur les rochers, s'échouent, sombrent, se retournent ou sont emportés vers la haute mer. Une marée montante exige des capitaines prudents, des équipages intelligents, des ancres, des lignes, toutes formes de flexibilité et de maîtrise organisées. Rien n'est plus régulé qu'un vaisseau sur une mer agitée.

Observation frappante et pourtant évidente, l'économiste Martin Wolf a souligné que tandis que la plupart des gens croient que l'importance des nations est en déclin, en réalité les frontières n'ont jamais autant compté[41]. Les investissements internationaux des pays à hauts revenus sont de quelque 6 000 dollars par personne ; dans les pays à revenus moyens, ils sont de 1 350 dollars ; dans les pays à faibles revenus de 400 ; la première catégorie recouvre 900 millions de gens ; les deux autres 5,2 milliards. Les frontières au sein desquelles vous êtes né détermineront votre vie. L'issue sera en partie économique. Mais sa cause première aura cependant été la structure sociale de votre État-nation.

L'Amérique du Sud a tenté la globalisation pendant une décennie, et cela a conduit à son effondrement. Pour les vrais croyants, cela s'explique par le fait que ce continent n'a pas essayé assez ; trop de népotisme et de corruption ; des syndicats trop forts. Mais les politiques économiques réelles ne sont pas dépendantes de conditions parfaites. Il n'existe pas de conditions parfaites dans le monde réel. Après tout, la démocratie occidentale est apparue lentement dans des conditions très imparfaites. Aujourd'hui, le Pérou et la Bolivie sont au bord du précipice, comme l'Équateur. Le Venezuela est dirigé par un populiste nationaliste. L'Argentine repart et, cette fois, se cherche une voie convenant à ses besoins. Elle a négocié farouchement la plus grosse régularisation jamais vue d'un défaut de paiement – quelque quatre-vingts millions de dollars. C'est encore un nouvel indice, s'il en était besoin, du fait que la crise de la dette du tiers-monde peut être résolue au lieu d'être simplement gérée. Le Brésil poursuit son réexamen national. Il profite des occasions globales pour adapter sa vision des choix qu'il doit effectuer.

Pendant les cinq premières années du XXIe siècle, sept pays d'Amérique du Sud ont choisi des gouvernements de gauche modérée hostiles à l'économie néolibérale. Ils privilégient des politiques égalitaires de lutte contre la pauvreté, ils sont réticents aux théories globales du commerce, en particulier si elles sont encouragées par les États-Unis, et ils s'intéressent tout particulièrement à la coopération régionale. Le Brésil semble être le fer de lance de ce groupe en expansion. Dans le même temps, le Chili, stable et de plus en plus prospère depuis l'exclusion du général Pinochet, a développé un modèle particulier qui est à la fois nationaliste et attaché au libre-échange. En d'autres termes, le continent n'est plus prisonnier de l'expérience globaliste.

Si l'Amérique du Sud n'y croit plus, quel est l'état d'esprit de l'Afrique après un quart de siècle d'effondrement de la croissance et de la richesse, ainsi que d'épidémies qu'on a laissé se développer et de millions de morts par suite des guerres ? Si l'Afrique a été du côté de la globalisation, alors elle démontre de la façon la plus parlante que c'est un échec idéologique.

Quant à l'Asie du Sud, après la crise de 1997, elle a aussi commencé à retirer les fruits de ses positions internationales. Non seulement les regroupements politiques et économiques asiatico-centristes se renforcent, mais ils privilégient une vision pragmatique des marchés dans laquelle l'implication forte des gouvernements, les systèmes familiaux et la concurrence sont équilibrés pour correspondre à la vision qu'a l'Asie de la façon dont une société doit fonctionner.

Rien dans tout cela ne signifie que l'économie globale vient à son terme. Ce que cela veut dire, c'est que le modèle globaliste des années 1970 et 1980 s'efface. C'est désormais au mieux un projet régional – cette région étant l'Occident. Même là, les mouvements vers la rerégulation et le retour du nationalisme emportent les vingt et quelque vieilles démocraties dans des directions assez inattendues. On pourrait dire que le nationalisme américain est la principale force qui vient miner l'ancien projet global. Le rôle leader que Washington a joué pour inclure les ADPIC dans l'OMC, puis la défense des groupes pharmaceutiques transnationaux au détriment des besoins désespérés des pays pauvres touchés par les épidémies, puis encore la dévaluation du dollar afin de tenter de résoudre des problèmes nationaux, quels qu'en soient les effets sur les autres pays, ont démontré aux pays moins puissants que les États-nations et leur vision de leur intérêt national sont encore bien plus importants que n'importe quelle théorie économique internationale.

CHAPITRE XXI

L'Inde et la Chine

La globalisation n'est pas en danger. L'Inde et la Chine sont là pour le prouver. Deux gigantesques pays en voie de développement – l'un socialiste et bureaucratique, l'autre communiste – ont adhéré aux théories libérales de l'économie et du commerce. Qui plus est, cela leur apporte le bonheur. Tant que leurs exportations explosent, les emplois dans les hautes technologies se développent, la pauvreté recule et la classe moyenne grossit.

Tout cela est d'une certaine manière vrai. La question se pose cependant de savoir si leur réussite tient au globalisme ou à quelque chose d'assez différent. Prenez la crise asiatique de 1997. Ni l'Inde ni la Chine ne l'ont connue. En fait, ils ont fait mieux que la moyenne pendant cette période. Pourquoi ? Ils pratiquaient le contrôle des capitaux et disposaient de divers autres moyens de limiter les mouvements et les investissements. En général, ils se sont bien sortis de la modernisation économique en ne suivant pas les principes économiques de la globalisation [1]. Quelles que soient les réformes de marché qui ont été réalisées, elles sont intervenues dans le cadre des intérêts de l'État-nation.

L'explication tient en partie au fait que ces deux pays considèrent la modernisation d'un point de vue national

– nationaliste même. Le gouvernement chinois contrôle toujours la moitié des actifs industriels du pays. Il investit beaucoup dans les infrastructures et influe sur une bonne partie du développement. Le gouvernement indien en fait moins, mais il est toujours très impliqué.

La principale obsession chinoise n'est ni le libre commerce ni les marchés libres. Elle est de résoudre le problème de la pauvreté intérieure, qui constitue une bombe à retardement politique. Nous entendons beaucoup parler des nouvelles villes modèles bâties autour d'usines de haute technologie. Mais la Chine possède aussi les mines les plus dangereuses au monde, qui font quelque 5 000 morts accidentelles par an. Ce sont de vrais défis pour une économie gigantesque et contradictoire. Dans un tel contexte, les théories globales de l'économie sont assez absurdes. L'Inde connaît des tensions et une complexité semblables ; la pauvreté représente aussi une bombe à retardement. La vision qu'a la Chine de l'économie « est si flexible qu'on peut à peine la ranger parmi les doctrines [...]. En même temps pragmatique et idéologique, c'est le reflet d'une perspective philosophique chinoise ancestrale qui fait peu de distinguo entre la théorie et la pratique. Il s'agit de *tatônner à la recherche de pierres pour traverser la rivière* [2] ».

Le gouvernement indien battu dans les sondages en 2004 a tenté d'adhérer à une bonne partie de l'idéologie de l'économie globale. Résultat : une forte augmentation de la tension entre les riches et les pauvres. Quand les élections sont intervenues, les pauvres des campagnes l'ont mis dehors. Le nouveau gouvernement, bien que dirigé par un technocrate moderne, soucieux d'efficacité et de réformes libérales, est clairement préoccupé par la question nationale centrale. Le Premier ministre Manmohan Singh : « La croissance économique n'est pas une fin en soi. C'est un moyen de créer des emplois, de bannir la pauvreté, la faim et l'absence de toit, d'améliorer les conditions de vie de la masse de notre peuple. » « Cap sur l'équité et la justice sociale [3]. »

Ces deux approches émanent de civilisations extrêmement expérimentées. L'Inde n'est pas, comme certains Anglais aiment à le dire, une invention de l'Empire britannique. Au XVIe siècle, deux empereurs moghols, Babur et en particulier Akbar, ont créé et administré des systèmes extrêmement raffinés chargés de gérer la productivité, de fixer le prix des services et de lever des impôts modérés. À l'époque où la Grande-Bretagne a commencé à prendre le pouvoir, ce système avait été radicalement décentralisé et les princes régionaux prédominaient.

Cette culture riche et complexe explique en bonne partie que l'Inde ait été capable, après son indépendance en 1947, de résister aux pressions l'incitant à suivre les méthodes occidentales. Natwar Singh, avant de devenir ministre des Affaires étrangères en 2004, écrivait : « L'Inde n'a jamais souscrit aux présupposés de la guerre froide. L'Inde ne s'est jamais intéressée à la théorie de l'équilibre des puissances ou à celle des dominos, qui sont devenues parties intégrantes de la mythologie diplomatique américaine pendant les années 1960 et le début des années 1970. Nous n'avons jamais cru aux sphères d'influence et nous n'avons jamais souscrit à aucun autre concept si cher aux penseurs et aux intellectuels européens et américains[4]. »

Quant à la Chine, elle a mené des expériences sur ses propres conceptions du marché avant même que les Européens ne sachent qu'il y avait matière à expérience.

Ces deux pays possèdent les deux armées et les deux industries d'armement les plus puissantes au monde. L'Inde est le troisième importateur mondial d'armes. La Chine est numéro un. Toutes deux croient en « la défense rigide du système westphalien de la souveraineté nationale ».

Et leur capacité à combiner la taille, le soutien public et un vaste éventail de coûts faibles rend non pertinente l'idée globaliste simpliste selon laquelle la concurrence internationale donne des marchés efficients. Les États-Unis et les institutions économiques internationales ont harcelé la Chine pour qu'elle laisse flotter le yuan ou du moins qu'elle en relève le cours fixe. Les Chinois ont changé de sujet.

La réussite croissante de ces deux pays rend absurdes nombre d'idées reçues globalistes.

Le contexte nationaliste dans lequel ce succès intervient dans ces deux pays est particulièrement important. Le nouveau gouvernement indien a une base forte et non sectaire, et il privilégie le nationalisme égalitaire, pour tous. Mais le mouvement nationaliste hindou qui vient d'être battu, le Parti Bharatiya Janata (PBJ), reste le plus important groupe d'opposition et la seule alternative nationale au Parti du Congrès.

Il convient de se rappeler à quel point les quinze dernières années ont été nationalistes et sectaires en Inde. Le vice-président du PBJ, L. K. Advani, a pris la tête d'une croisade d'hindous qui a promené à travers le pays une charrette motorisée transportant des figures religieuses. Elle s'est terminée par la destruction de la Babri Masjid (mosquée) d'Ayodhya en 1992. En retour, cela a donné lieu à des émeutes dans une grande partie de l'Inde en 1993. Un bon millier de personnes ont été assassinées. Sur la base de cette agitation relevant du faux populisme, le PBJ est arrivé au pouvoir au niveau national et l'a conservé jusqu'en 2004. C'était un cas classique de faux populisme dans lequel on met sur le côté la réalité pour la remplacer par un monde de rêve – ou de cauchemar – dans lequel 82 % de la population est censée avoir peur de 12 %.

L'instabilité raciale a continué pendant toute cette période. Au Gujarat, en 2002, le BJP – le parti au pouvoir – a créé l'atmosphère de peur qui a conduit aux massacres de milliers de civils. Au niveau national, ce même parti a poussé le gouvernement à convertir l'Inde au style de développement conforme à la globalisation. Les hautes technologies ont connu une forte croissance. On a donc réussi à appliquer la théorie globale grâce au sectarisme. Mais comme je l'ai remarqué, le nouveau gouvernement dispose d'une base forte et non sectaire, et il privilégie le nationalisme égalitaire, pour tous.

La Chine ne croit pas qu'il existe une quelconque relation entre la démocratie et des marchés industriels efficients et libéralisés ou des échanges massifs. Elle ne croit pas qu'un style particulier d'économie conduit à plus de démocratie. Pour l'instant, le Parti communiste accomplit un travail convaincant pour diriger une révolution économique et commerciale nationaliste et non démocratique à la manière traditionnelle.

L'une des tournures comiques inattendues qui a commencé à se développer au début du XXIe siècle a été la peur incontrôlable chez les dirigeants des marchés occidentaux qu'a suscitée la capacité de la Chine, et celle de l'Inde, à acheter de gros blocs de l'industrie occidentale. Pendant un quart de siècle, les mêmes patrons et les mêmes économistes occidentaux avaient assuré les citoyens et les gouvernements que la localisation géographique des propriétaires n'avait pas d'importance. S'en inquiéter, c'était du nationalisme économique à l'ancienne. Et soudain, il est apparu que ce qu'ils voulaient en réalité dire, c'était que cela ne comptait pas à l'intérieur de l'Occident. Leur but était que les investisseurs occidentaux puissent acheter et vendre n'importe où dans le monde. Vu ainsi, leur globalisme tirait ses racines des vieux modèles du négoce et du commerce industriel, du type de celui qui a conduit à limiter les mouvements du textile indien depuis le XVIIIe siècle, et de la théorie de l'*obligation d'acheter* qui a mené aux guerres de l'opium contre la Chine. Dans une perspective chinoise ou indienne, la globalisation était toujours du régionalisme européo-centré.

Il est important d'examiner dans quelle mesure la Chine en particulier, mais aussi l'Inde voient dans leur réussite internationale grandissante un facteur augmentant la menace politique et même militaire extérieure. Selon le spécialiste de la Chine Joshua Ramo, « il y a un vif débat dans les cercles politiques chinois sur la question de savoir si oui ou non les États-Unis *permettront* à la Chine de monter en puissance[5] ». En 2004, Pékin a introduit sa Nouvelle Conception de la sécurité : « *Pas* d'hégémonisme, *pas* de politique de puissance, *pas* d'alliances et *pas* de courses aux armements. » C'est une formule qui n'est conçue ni pour un monde global éclaté ni pour un monde dirigé par les États-Unis. Elle relève de la vision chinoise traditionnelle fondée sur la géographie, combinée avec la conception chinoise contemporaine de concepts communs à différentes régions du monde. Par exemple, tandis que Washington pousse Tokyo à jouer un rôle militaire dans la protection de Taiwan, la Chine et le Japon travaillent à développer des relations civiles de plus en plus fortes et importantes, et d'importantes structures d'investissement.

Dans le même temps, les deux nouvelles étoiles économiques d'Asie – l'Inde et la Chine – sont présentées en Occident comme des rivales. D'un point de vue asiatique, elles bâtissent des relations économiques complexes fondées sur des flux de capitaux énormes et relativement égalitaires. Leurs échanges mutuels s'intensifient. La Chine représente désormais le deuxième plus gros partenaire commercial de l'Inde.

Plus important peut-être, ces relations se développent sans référence aux conceptions occidentales et dans le cadre de la région. L'idée de rivalité que l'Occident projette sur ces deux pays pourrait n'être qu'un mirage.

Autre élément. Les relations de plus en plus fortes entre la Chine et des pays comme le Brésil ne sont pas seulement économiques. Elles portent sur une vision du monde qui n'est pas fondée sur un prisme économique occidental.

Aux premiers jours du globalisme, la première publication de Davos déclarait que « le nationalisme est économiquement indéfendable ». Désormais, les deux chefs de file de l'économie globale – d'un type nouveau, semble-t-il – sont de farouches nationalistes, à la mode classique.

CHAPITRE XXII

La Nouvelle-Zélande fait encore volte-face

En décembre 1999, tandis que les émeutes faisaient rage à Seattle, que l'OMC se défilait et que Stiglitz démissionnait de la Banque mondiale, autre chose s'est produit. La seule démocratie occidentale ayant pleinement adhéré à l'idéologie de la globalisation a changé de cap.

En 1984 et en 1990, des gouvernements avaient été élus en Nouvelle-Zélande sur des programmes plutôt neutres et ils avaient mené des réformes globalistes et néolibérales radicales. Le gouvernement issu des élections de 1999 était assez différent, lui. Il s'est mis à réalisé précisément ce qu'il avait été élu pour accomplir. De façon assez intéressante, ce renversement était pragmatique, et non idéologique. Helen Clark, le nouveau Premier ministre : « Les Néo-Zélandais ont voté pour un changement, mais une restructuration radicale les inquiète [1]. »

Que s'est-il passé ? Pourquoi les électeurs ont-ils changé d'avis sur la direction dans laquelle ils voulaient mener leur pays ? Comment une population aussi réduite – bien moins nombreuse que celle de Malaisie – a-t-elle pu courir le risque de rejeter le statu quo international ? Les forces de l'inévitable auraient dû transformer ce non-conformisme local en grave crise et balayer les fautifs.

La réponse à la dernière question comporte deux parties. La Nouvelle-Zélande est une vieille démocratie qui a une forte idée d'elle-même et l'habitude d'adopter ses propres voies politiques.

La réponse aux trois questions est très simple, elle. L'expérience néolibérale globaliste n'avait pas marché. Elle avait été tentée pendant quinze ans – soit la durée de trois guerres mondiales – et les résultats étaient clairs. La plupart des industries nationales avaient été vendues à des étrangers, ce qui avait créé une constante fuite d'argent. Le niveau de vie avait stagné pendant quinze ans. L'économie déclinait. Les jeunes émigraient si vite que la population chutait. Dans des secteurs comme la recherche et le développement, le nouveau modèle, en théorie libre-échangiste, avait tout simplement conduit à un effondrement [2].

L'émergence d'une division riches/pauvres en voie d'accélération, si courante dans le monde sous la globalisation, a pris des proportions particulièrement dramatiques en Nouvelle-Zélande, pays de classes moyennes depuis longtemps. John Gray a qualifié cette évolution de « pleine d'ironie [3] ». En effet, selon la théorie globaliste, « les défavorisés sont le produit des effets dissuasifs de la politique sociale, et non du marché libre ».

Cette nouvelle pauvreté est entrée en conflit avec l'atmosphère de fatalité globale. Résultat : deux effets psychologiques inattendus. Des personnalités publiques à l'écoute de la base, comme Graham Kelly, ont pressenti que des contradictions aussi radicales devaient produire une explosion. « L'aliénation, le désespoir et l'impuissance sont tout aussi dangereux » que la pauvreté. Le grand historien Michael King l'a exprimé à sa manière : les hommes politiques avaient perdu la confiance des citoyens parce que « des gouvernements successifs de différentes couleurs avaient mené des politiques discutables pour lesquelles ils n'avaient jamais sollicité ni obtenu de mandat ».

Un mouvement citoyen a surgi comme de nulle part. Il a poussé à des réformes démocratiques qui ont conduit à instaurer un système électoral nuancé ressemblant à celui de l'Allemagne. Cette complexité nouvelle a retiré aux élus la capacité de créer des majorités leur permettant de mettre en danger le bien public, comme cela avait été le cas avec la globalisation. Le nouveau système électoral a été mis en place en 1993, et Ruth Richardson, la ministre des Finances sortante – adepte de la globalisation –, a compris que la partie était perdue. « Les trouillards ont gagné[4]. » Dans le monde des idéologies, les modérés sont toujours des trouillards, des poules mouillées, des mous. La définition de l'homme est extrêmement romantique quant au pouvoir qu'a un système de croyance de façonner le monde à ses fins. Dit autrement, pour un idéologue, la définition de l'homme est l'agressivité, mais d'un type particulier : c'est la passivité agressive devant l'inévitable.

Le deuxième effet psychologique a plutôt été une vague de fond que la Nouvelle-Zélande a partagée avec de plus en plus de pays dans le monde. Dans ce cas, le mélange d'aliénation, d'impuissance et d'angoisse a donné naissance à un mouvement faussement populiste. Il a semblé apparaître en réaction à l'atmosphère globale de fatalité économique abstraite. Mais après 1996, quand les globalistes ont quitté le pouvoir à Wellington, ils se sont alliés avec les populistes – nationalistes et anti-immigrés. Cela n'avait pas de sens. Et pourtant, en Inde, le lien entre le nationalisme hindou et la globalisation n'en avait pas non plus. Et une évolution presque identique a eu lieu dans d'autres pays. Comme si le globalisme avait au début provoqué le faux populisme, puis l'avait épousé à la faveur de relations étrangement manichéennes, peut-être du fait du fondement romantique commun à tous deux.

Après 1995, le type d'angoisse de Ruth Richardson a

pu se faire sentir de plus en plus chez les vrais croyants de par le monde. La Nouvelle-Zélande avait été l'idole. *The Economist* tempêtait sur le retour des vieilles « économies rigides » contre les tout nouveaux « meilleurs schémas monétaires et fiscaux au monde » [5]. La réalité était tout autre. Les salaires réels étaient plus bas à la fin des années 1990 qu'au milieu des années 1970. Les services publics étaient en déclin. En 1997, le gouverneur de la banque centrale a exprimé son soulagement que le gouvernement comprenne enfin que « la politique fiscale n'impose pas une politique monétaire rigoureuse qui serait déraisonnable [6] ». La Nouvelle-Zélande était aux prises avec un déficit international causé en partie par les nouvelles participations étrangères importantes.

Troisième vague de fond, plus positive, sans relation avec les autres. Au cours de la période d'après-guerre, les Maoris avaient progressivement commencé à réaffirmer leur identité et leur culture. Les intrus – les immigrés – ont fini par admettre que « la culture humaine fondatrice de cette terre est maori ». Et que « ce qui était vrai de la culture maori l'était aussi du pays dans son ensemble [7] ». Les immigrés – les Pakehas – ont commencé à s'estimer du pays, tout comme les Maoris ; et ils ont ainsi pu expliquer plus aisément leur engagement pour une idée non européenne de l'égalité et de la justice sociale. C'est là une évolution très difficile pour d'anciennes sociétés coloniales qui ont tant lié leur nouvelle société à ce qu'elles avaient en théorie apporté avec elles. Les contradictions et les tensions sont toujours multiples. De différentes manières, on retrouve presque la même identification au lieu qui monte au Canada, en Australie et dans d'autres pays où de fortes tensions règnent entre la société aborigène et celle des immigrants. L'un des effets de ce phénomène a été d'écarter ces populations d'une conception du globalisme niant le pouvoir du lieu, lequel est en termes démocratiques le pouvoir de choisir sur la base de besoins locaux.

Toute société doit trouver dans sa propre expérience

la force de dire non. L'intégration grandissante des Néo-Zélandais à leur terre, liée à l'idée aborigène de présence naturelle et éternelle, a peut-être été le fondement de la confiance en eux qui les a aidés à changer de cap.

Le moment de choisir approchant, la situation est devenue de plus en plus claire. Sous le globalisme, le pays était passé par deux cycles économiques, sans éviter les hauts et les bas, sans parvenir à atteindre un équilibre naturel. La plupart des entreprises privatisées étaient au plus mal[8]. Onze mille personnes quittaient le pays chaque année. L'épargne était faible.

Dans son premier discours comme Premier ministre en 1999, Helen Clark a dit que le pays avait « un des niveaux d'endettement national les plus élevés des pays développés [...] l'un des taux les plus faibles de R et D privée [et] une augmentation des inégalités plus rapide que la plupart des autres pays développés[9] ». Et ce qui était peut-être plus gênant après quinze années de ce que les globalistes appelaient une modernisation, le pays était toujours aussi dépendant de ses exportations de matières premières.

Bien sûr, la position idéologique voulait que les choses aillent mieux avec un peu plus de temps. Fixation romantique classique sur demain. Disons seulement qu'elle est à l'opposé de la position plus terre à terre de Sénèque dans *De la brièveté de la vie* : « La vie ne s'arrête que lorsqu'on y est disposé[10]. » *A contrario*, « la vie est longue si on sait la remplir ». Un deuxième argument, fondé sur l'urgence, pesait encore. S'ils n'avaient pas fait ce qu'ils ont fait, le pays se serait effondré. Il y avait crise. Il fallait agir. Ils n'avaient pas le choix.

Le concept de crise imminente est central dans de telles situations. Il écarte la possibilité d'une action mesurée fondée sur le soutien des citoyens.

Paul Dalziel, économiste à la Lincoln University, dans l'île du Sud, a comparé la Nouvelle-Zélande et l'Australie sur quinze ans. Cette dernière a été confrontée à des problèmes similaires, mais elle les a abordés avec prudence et modération. La Nouvelle-Zélande elle aussi aurait pu emprunter cette route modérée. Le PNB australien a progressivement monté. Si la Nouvelle-Zélande avait suivi la voie australienne, son revenu serait un tiers plus élevé qu'il ne l'est aujourd'hui.

La question en 1999 était dramatique. Que se passerait-il si un petit pays à l'économie développée abandonnait le projet globaliste ? Le gouvernement d'Helen Clark a répondu en agissant avec prudence. Il a rétabli Air New Zealand et le réseau ferré, il a créé Kiwibank, il a introduit un programme d'apprentissage qui s'est développé de façon constante, il a renationalisé l'assurance-chômage, abrogé une loi sur les relations de travail qui avait joué un rôle central dans la politique néolibérale et il a mis l'accent sur la culture. « La créativité d'une nation libère les énergies[11]. » Son objectif était de « reréguler là où la dérégulation était allée trop loin ». Il voulait « réaffirmer les valeurs néo-zélandaises traditionnelles d'équité, de sécurité et d'égalité des chances dans la politique publique ».

Du temps a passé. Qu'est-il arrivé ?

La population connaît une croissance nette. Le chômage a été diminué de moitié et il est à son niveau le plus bas depuis seize ans. Personne ne nie que nous sommes à un moment favorable du cycle économique. Mais la période globaliste s'est étendue sur deux cycles économiques entiers sans jamais pouvoir tirer parti des phases ascendantes.

En tout cas, le changement n'a porté qu'en partie sur l'économie. Si vous élevez un facteur aussi secondaire au rang de religion, vous vous mettez des œillères, des obstacles, des limites. Vous niez votre complexité. Ce que les Néo-Zélandais ont réaffirmé à la fin du siècle est général : l'économie est un moyen important, mais ce n'est pas la fin de la société.

CINQUIÈME PARTIE

Et maintenant ?

« Ce qui est vieux meurt, ce qui est nouveau lutte pour naître, et dans l'interrègne, nombreux sont les symptômes morbides. »

Antonio GRAMSCI,
Quaderni del carcere, 1930.

CHAPITRE XXIII

Le vide nouveau : un interrègne de symptômes morbides

> VLADIMIR : Qu'est-ce qu'on fait maintenant ?
> ESTRAGON : On attend.
> VLADIMIR : Oui, mais en attendant ?
> ESTRAGON : Et si on se pendait ?
> VLADIMIR : Humm, ça nous donnerait une érection.
> ESTRAGON : Une érection !
> VLADIMIR : Avec tout ce qui s'ensuit.
>
> Samuel BECKETT, *En attendant Godot*

Il est difficile, pour toute société qui atteint un vide, d'admettre qu'elle ne suit plus de direction. Et c'est tout particulièrement dur pour les individus qui détiennent le pouvoir. Leur vocabulaire, l'image qu'ils ont d'eux-mêmes et même leurs compétences se sont affinés pour s'adapter à la certitude de la direction qui ne prévaut plus.

À quoi reconnaît-on les dirigeants médiocres ? Ils croient que les choses continueront comme avant. Pourquoi tiennent-ils tant à le croire ? Parce qu'ils compensent leur manque de compétence, de centre éthique, d'intelligence ou de courage par la conviction que les forces de l'inévitable jouent. Que ces forces soient déclarées divines ou qu'elles soient autre chose qu'on érige en divinité – la rationalité, par exemple, la technologie ou les forces du marché.

Même un dirigeant fort, face à la réalité d'un vide, est entravé par les idées reçues. Nous fonctionnons grâce à des habitudes organisées, notamment dans notre discours. Et nous en changeons avec difficulté. Le vocabulaire, les expressions, les arguments peuvent devenir comme des prisons. Ils peuvent nous empêcher de passer à autre chose – ce que le philosophe Richard Rorty appelle « acquérir des habitudes d'action pour faire face à la réalité [1] ».

Comment adapter nos actions à la réalité si nous ne pouvons reconnaître dans quelle mesure la réalité et donc le langage de la globalisation a été confondu – ou plutôt délibérément mélangé – avec celui du néolibéralisme ? Beaucoup de réformateurs aimeraient humaniser la globalisation. Comment y parvenir si cette idéologie repose en partie sur des présupposés tels que moins d'État, la soumission à l'économie des politiques non économiques, l'affaiblissement de la concurrence par suite de la croyance à la taille, l'aveuglement vis-à-vis de l'évasion fiscale, le renforcement du pouvoir des technocrates du secteur privé au détriment de ceux qui prennent les risques ? Ces contradictions internes, ainsi que des dizaines d'autres, accentuent l'atmosphère de désordre qui est normale à cette sorte de vide.

Le danger, dans une telle situation, est qu'on commence à rechercher des manières sensationnalistes de sortir de la confusion – se pendre et avoir une érection chez Beckett –, au lieu de tenter de faire face à la réalité. Les instruments habituels du sensationnalisme public sont le faux populisme, la guerre, encourager les divisions entre les civilisations, le racisme, en appeler à Dieu comme conseil ultime pour justifier nos actions.

Aujourd'hui, les structures de pouvoir restent alignées sur la méthodologie qui a accompagné le projet trentenaire qu'on appelle en termes larges la globalisation. Et pourtant, dans la société, il n'existe pas de croyance ou de confiance généralisée, et à plus forte raison, dans ses buts. L'OIT parle de déséquilibre « moralement inacceptable et politiquement intenable » dans sa pourtant « grande capacité productive ». Vue à travers les yeux de l'immense majorité des femmes et des hommes, la globalisation n'a pas satisfait leurs aspirations simples et légitimes à occuper des emplois corrects et à proposer un meilleur avenir à leurs enfants[2]. À l'un des extrêmes, les experts pensent que « le système mondial moderne approche de son but ». À l'autre, ils sont toujours persuadés que « le processus de globalisation n'est pas réversible », même c'est « plutôt un chaos qu'un complot ». Après dix bonnes années de déceptions et d'échecs, le mouvement globaliste a adopté une stratégie défensive. Mais ses opposants aussi sont en grande partie sur la défensive.

Même si elles détiennent le type de pouvoir organisationnel et populaire qui fait l'envie de tous les partis politiques en Occident, les ONG ont rarement évolué pour chercher à se hisser à de vrais niveaux de pouvoir, avec le soutien juridique des vrais citoyens de vrais États-nations. Elles restent dans les rues, métaphoriquement, et se satisfont en grande partie d'être appelées à fournir du conseil, des préconisations ou à débattre avec les structures de pouvoir. Cela rappelle étrangement les réformateurs chrétiens aux premiers temps de la Réforme, avant qu'elle ne tourne à la guerre civile européenne.

Quant aux gouvernements, seule une poignée – en Nouvelle-Zélande, en Malaisie, au Brésil – ont adopté un discours clair centré sur des concepts intellectuels révisés et ont publiquement déclaré qu'ils conduiraient leur pays dans une autre direction. Certains autres s'expriment, mais dans le style ancien. Jacques Chirac : « Le monde n'est pas qu'un marché, nos sociétés ont besoin de règles, l'économie doit être au service de l'homme, et non l'inverse. La liberté des échanges ne doit pas s'imposer lorsque la santé publique est en jeu[3]. »

En général, le silence public persiste, en particulier de la part des autorités élues. Mais discrètement, dans toutes les conversations privées des pays développés, les chefs de gouvernement et les ministres se plaignent avec amertume des présupposés globalistes. Et cela fait dix ans qu'ils se plaignent. Ce qui les a frustrés, c'est l'idée sans cesse répétée que les pouvoirs avaient été limités par les forces non démocratiques et non politiques du marché. Peu à peu, ils se sont mis à rejeter ce présupposé.

De façon assez surprenante, ce sont les ministres des Finances du G8 et du G20 qui ont le plus ouvertement soutenu que les États-nations pouvaient agir sur la direction que prenaient les événements mondiaux et qu'ils le feraient de nouveau.

Mais ce regain de courage public reste un processus lent. Et la conviction, largement répandue chez les officiels de toutes sortes – à savoir que la globalisation n'a pas réellement marché, qu'elle est en net déclin ou en mutation radicale –, a été tenue à l'écart de leurs débats publics par le credo des professionnels du management, lequel plaide pour que tout le monde prétende y croire afin d'éviter que le désordre ne soit encore plus grand.

Henry Kissinger, pendant la précédente période de vide, il y a trente ans, disait que le plus grand danger lié à de tels désordres était « l'érosion de la confiance des gens dans l'avenir de la société et, par suite, un manque de foi dans les moyens démocratiques – dans les institutions de gouvernement et les dirigeants[4] ». C'est cette perte de confiance qui encourage la montée du faux populisme, le goût de la guerre, les divisions entre civilisations, le racisme et le recours mal avisé aux dieux. Ce qui peut résumer tout cela, c'est la montée de la peur ou ce que Camus appelait la « technique » de la peur.

L'URSS et son bloc sont tombés alors que la confiance en soi globaliste était à son comble. Le diplomate soviétique Georgi Arbatov a mis en garde : « Nous vous faisons un redoutable cadeau. Vous n'aurez plus d'ennemi[5]. » Et une fois que le globalisme a commencé à s'effilocher, les effets positifs de l'absence de conflit majeur ont commencé à participer de la confusion du vide croissant ainsi créé. L'Américain Samuel Huntington a donné le ton en s'abaissant à encourager la plus élémentaire des peurs en décrétant le choc des civilisations. Après l'effondrement du bloc soviétique, « les distinctions les plus importantes entre les gens ne sont pas idéologiques, politiques ni économiques. Elles sont culturelles. Les gens et les nations s'efforcent de répondre aux questions les plus élémentaires auxquelles les humains sont confrontés : qui sommes-nous [...] ? Les gens se définissent par leurs ancêtres, leur religion, leur langue, leur histoire, leurs valeurs, leurs coutumes et leurs institutions. Ils s'identifient à des groupes culturels : tribus, groupes ethniques, communautés religieuses, nations et, au niveau le plus large, civilisations ».

Au premier abord, cela peut sembler assez inoffensif. Toutefois, écrit en 1996, c'est un autre signe que l'idée de fatalité économique est finie ; que les États-nations sont de retour ; que le nationalisme à l'ancienne revient. Mais l'argumentation de Huntington n'est en réalité que de la technique de la peur. Il décrit les civilisations de la manière qui, dans le passé, a produit les guerres de religion et les guerres raciales. Et si des doutes subsistaient, quelques lignes plus loin, il identifie l'ennemi générique favori : les musulmans remplacent ainsi les communistes. Selon lui, la division entre civilisations, que représentait naguère le Rideau de fer, s'est désormais déplacée vers l'est. Pas loin. De quelques centaines de kilomètres seulement. « C'est désormais la frontière séparant les peuples de la chrétienté occidentale d'un côté et les peuples musulmans et orthodoxes de l'autre[6]. »

Comparez ce catastrophisme au raffinement avec

lequel l'Aga Khan répond à ces arguments : « Tout se passe comme si je disais : "Qu'est-ce que le christianisme fait avec l'Irlande du Nord ?" Vous me répondriez : "Qu'est-ce que le christianisme a à voir avec les relations protestants/catholiques en Irlande du Nord ?" Vous voyez bien, ce n'est pas un reflet du christianisme[7]. »

Cette technique de la peur a été inoculée bien avant le 11-Septembre. Par exemple, les dépenses militaires et les pressions pour les augmenter avaient créé des conditions favorables. Alors que le retour de Dieu en politique est souvent attribué à l'actuel président américain, Bill Clinton avait préparé le terrain en faisant participer les nouvelles formes de christianisme à son système de gouvernement. Les mouvements anti-immigrés aussi étaient déjà forts en Europe.

Mais la description du monde, de la façon dont il fonctionne et de la direction dans laquelle il allait a radicalement changé après les attentats de New York. Soudain, l'économie et le globalisme ont été délibérément remis au deuxième plan. Des esprits sensés comme le Premier ministre néérlandais Jan Peter Balkenende, lorsque son pays a pris la présidence européenne en 2004, ont déclaré que « les principales questions globales de notre époque » sont de « combattre le terrorisme, développer les droits de l'homme et la démocratie, favoriser le développement économique et agir contre la pauvreté[8] ». Notre attention s'est clairement déplacée, même si elle n'était pas encore fixée.

Un processus de décastration

L'année 2001 a été marquée par un grand pas vers plus de courage public, mais pas pour les raisons normalement invoquées. La première partie de l'année a été riche en nouvelles annonçant un effondrement économique. Les hautes technologies dans le monde entier étaient en net déclin depuis l'année précédente. Le secteur des puces était au pire de sa forme au cours de sa courte vie. Les transports aériens, même selon les normes désastreuses de la dérégulation, licenciaient à tout va. Les gouvernements renflouaient des compagnies.

Alors est venu le 11-Septembre. Il a eu pour effet de faire passer les économies nationales et l'économie internationale du déclin à la chute vertigineuse. Les patrons du monde entier ont fait ce qu'ils font toujours en période d'incertitude dangereuse. Ils ont taillé dans les investissements et dans tous les secteurs possibles aussi vite qu'ils le pouvaient. L'effet a été, comme toujours, d'accélérer la chute générale.

Quid de l'idée globaliste selon laquelle les groupes transnationaux étaient les nouveaux États-nations, que les vieux États-nations, de plus en plus impuissants, suivaient les marchés ? Les P-DG restaient injoignables. Ils se terraient dans leur bureau et faisaient ce pour quoi ils étaient payés – s'occuper des intérêts des actionnaires.

Et pourtant, nous ne sommes pas en dépression. Qu'est-ce donc qui nous a sauvés ?

Les présidents, les Premiers ministres, les ministres des Finances, les gouverneurs de banques centrales et une armée de hauts fonctionnaires se sont mis à l'ouvrage. Ils ont voyagé partout, ont discuté avec tout le monde, ont dépensé d'immenses quantités d'argent et se sont débrouillés pour stabiliser la situation. En d'autres termes, les rôles mythologiques se sont brutalement inversés. Les gouvernements des États-nations ont recouvré leur plein pouvoir d'agir. Ils n'étaient pas castrés. Ils n'étaient pas dépendants des forces inévitables de l'économie, s'ils ne voulaient pas l'être. Et les P-DG étaient revenus à leur rôle réactif historique. Cela ne signifie pas que leur énorme pouvoir avait été affaibli. Ou que le système de lobbying avait changé. Mais le leadership et l'aptitude des dirigeants élus à agir comme dirigeants primordiaux pour le compte du bien public avaient été rétablis. De nouveau, les citoyens jugeraient les dirigeants à leur capacité à le faire bien.

La fin annoncée du globalisme

Que quelque chose s'était passé, on pouvait le voir dans les activités de cour, à la mode de Versailles, qui avaient lieu à Davos. À mesure que sa taille avait augmenté au fil des ans, la facture de sécurité aussi. L'idée de club de dirigeants globaux ne pouvait survivre s'ils ne bénéficiaient pas d'une atmosphère sûre et calme. Se posait déjà le problème du nombre de plus en plus grand de manifestants protestant à ses portes, un peu comme la populace parisienne à Versailles. Le 11-Septembre a apporté en plus le risque terroriste. Dans ce climat d'incertitude élevée, les dirigeants de Davos n'ont pu négocier des dispositions de sécurité durables. Les autorités suisses n'étaient pas certaines de vouloir prendre la responsabilité et assumer le coût d'une affaire aussi risquée [9]. Davos a donc fui à New York. Dans une tentative honteuse pour travestir la réalité, cela a été présenté comme un acte de solidarité avec les New-Yorkais.

En 2003, le gouvernement suisse avait décidé qu'il voulait bien que Davos revienne à Davos. Et c'est cette session qui a illustré de façon dramatique ce qu'était le monde postglobaliste. J'ai déjà mentionné l'apparition spectaculaire de Mahathir Mohamad, qui a prononcé l'allocution d'ouverture en 2003. Il a dénoncé la politique économique globale, a vanté à juste raison la réussite de la Malaisie, qui avait suivi un modèle national de régulation, et a été ovationné. Le message qu'ont applaudi les courtisans était assez clair – les États-nations de taille moyenne avaient le pouvoir de forger leur propre modèle économique fondé sur leurs besoins sociaux et économiques particuliers, pourvu qu'ils le fassent intelligemment. L'assistance a admis sans le dire que les théories de la globalisation s'étaient révélées n'être ni des vérités absolues ni inévitables. Elles semblaient surtout liées à un moralisme assez usé et à un conformisme désespérant.

Quelques jours plus tard, Luiz Inœcio Lula da Silva, le nouveau président brésilien, a reçu un accueil équivalent. Son message était celui d'une forme de populisme fondé sur l'État-nation. C'était encore un rejet des idées reçues globalistes. Il s'agissait encore de politiques particulières développées pour des besoins particuliers. Ses implications confuses mais fascinantes dans tous les domaines, des épidémies à la propriété intellectuelle et aux nouvelles alliances régionales impliquant une approche sino-brésilienne, se révéleraient vite les deux années suivantes.

Tout de suite après Lula est venu le secrétaire américain Colin Powell. Il était pris dans les dernières manœuvres complexes précédant l'invasion américaine de l'Irak – pour former une alliance, dans la mesure où l'alliance occidentale traditionnelle depuis soixante ans avait éclaté sur cette question.

D'une seule phrase, Powell a déclaré la mort de la globalisation. « Nous agirons même si les autres ne sont pas prêts à nous rejoindre [10]. »

En d'autres termes, la démocratie moderne modèle a décrété que c'est l'État-nation qui décide, et non l'économie. Elle a décrété que les États-Unis agiraient seuls (en l'occurrence pour envahir l'Irak), selon leur vision de leur intérêt national, s'ils le décidaient. Le fait qu'il parlait pour la nation la plus puissante du monde soulignait simplement le message : les autres pays étaient libres d'agir à leur façon s'ils le souhaitaient. Avec la distance, Powell, Lula et Mahathir ont dit exactement la même chose : les États-nations, l'intérêt national, en particulier contre l'approche globale, étaient de retour en tant que prisme à travers lequel concevoir l'action internationale.

Chaque dirigeant, pour des raisons propres, avait

sous-estimé ce changement. Le monde luttait encore dans la confusion qui va de pair avec le vide.

On pouvait observer certains autres phénomènes dans l'évolution de Davos, considéré comme un miroir de la globalisation. L'atmosphère n'était plus aux dirigeants politiques venant se prosterner pour attirer l'attention des nouveaux princes économiques. Soudain, ce n'était plus qu'une foire de plus où les dirigeants politiques venaient confronter leurs messages. Les P-DG, quand ils n'étaient pas en train de vendre leurs produits – après tout, une fois retiré le clinquant, Davos est une foire pour représentants de commerce –, étaient là pour écouter. Et comme dans une cour renversée, ils étaient là pour faire leur cour.

Deuxièmement, bien des P-DG, choisis dans les premières années de Davos pour incarner les « jeunes dirigeants globaux » de l'avenir, avaient été éliminés par les réalités de la politique, de l'économie et du vide nouveau [11].

Troisièmement, la perte générale de croyance dans le pouvoir prédestiné de l'entreprise et le retour de la politique pour remplir le vide ont conduit à ce qu'on attend dans une atmosphère de cour : la venue de célébrités.

En 2005, elles étaient en force. Au lieu de cultiver l'ancien présupposé régalien de la fatalité économique, on lorgnait sur les stars. On a pu voir l'actrice Sharon Stone, par exemple, se précipiter pour demander aux P-DG de donner de l'argent afin de combattre la malaria en Tanzanie [12]. Son intervention, relevant de la charité religieuse, a permis de réunir un million de dollars. Cette forme de sensation peut permettre à tout le monde de se sentir bon. Certains diraient que cela attire l'attention sur un problème. Mais de façon plus réaliste, cela détourne de la réalité du gouvernement et des responsabilités des entreprises pour organiser les centaines de millions, souvent les milliards, de dollars nécessaires pour vraiment traiter de la dette du tiers-monde, des épidémies et d'autres grands problèmes. On voit bien le déclin de Davos, naguère temple de la globalisation et désormais cirque ouvert à n'importe quelle mode pouvant attirer quinze minutes l'attention, que ce soit pour une bonne cause ou pour de l'autopromotion.

Les économistes finissent par s'étriper

Autre signe de vide : les divisions de plus en plus grandes de par le monde entre économistes, et pour cette raison, entre les autres adeptes. Pendant des décennies, l'idée de dissensus autour de la globalisation avait été impossible. Maintenant, les idées surgissaient de tous côtés. Les vrais croyants réagissaient souvent avec une angoisse incontrôlable. Les accusations volaient contre les non-croyants – *absurdité, diatribes, rhétorique vide, hystérie, non-sens*. Même lorsque les manifestants étaient pris au sérieux par les globalistes, ce n'était pas un signe de respect intellectuel. Joseph Nye, le doyen de la John F. Kennedy School of Government, à Harvard : « Les institutions internationales sont trop importantes pour être laissées aux démagogues, même bien intentionnés [13]. » Ce type d'angoisse chez les croyants est souvent proche de ce que Joseph Conrad appelait « la triste imbécillité du fanatisme politique » ou de ce qu'Aristote aurait décrit comme un manque de prudence : « L'homme capable de délibérer sera prudent. Mais personne ne délibère sur les choses qui ne varient pas [14]. » Gouverneur Morris, représentant américain en France, le 14 juillet 1789 : « Hier, c'était la mode à Versailles de ne pas croire qu'il y avait des troubles à Paris. »

En vérité, il y avait partout des signes de troubles intellectuels et éthiques.

Prenons les grandes questions économiques. La grande majorité des macro-économistes sont contre la dérégulation des marchés monétaires internationaux, tout comme la plupart des banques centrales. Et pourtant, les économistes institutionnels s'accrochent à ce désordre. Pourquoi ? Personne ne le sait. Ils usent de toute leur influence sur les dirigeants politiques, faisant obstacle aux conseils favorables à la régulation que pourraient leur donner leurs structures administratives. À la réunion de 2004 du G8, à Sea Island, dans le Sud américain, on a ostensiblement évité le sujet. Sans compter la pression politique constante de l'Occident sur la Chine pour qu'elle affaiblisse sa position économique en dérégulant sa monnaie et ses marchés de capitaux.

Les désaccords sont tout aussi radicaux sur la propriété intellectuelle traitée comme une affaire commerciale, sur le rôle de la privatisation, sur la taille et le rôle de l'État, sur la dette publique.

Les réformes du système social allemand fournissent un exemple fascinant. Une bonne moitié des économistes et des patrons occidentaux sont persuadés que l'économie allemande stagne du fait d'un droit du travail et d'une protection sociale lourds et inflexibles. Ils pensent que la réforme de ces lois libérera les énergies allemandes. Et parce que l'Allemagne est puissante, ils croient que cela explique l'atonie européenne. Et ils n'ont pas totalement tort.

Mais ils évitent de reconnaître ce que l'autre moitié des experts indique. L'Allemagne de l'Ouest a injecté plus de 1,25 million de milliards d'euros en Allemagne de l'Est depuis 1980. L'État donne 90 milliards d'euros par an à l'Est. Quel État au monde pourrait continuer à fonctionner plus ou moins bien en versant une telle quantité d'argent chaque année ? L'économie de la plupart des pays deviendrait atone. Elle s'effondrerait. N'être qu'atone dans de telles conditions est une preuve de la force du système allemand. La question de savoir si cet argent a été bien dépensé à l'Est et celle de savoir si certaines réformes ne sont pas nécessaires pour alléger tout le système social sont deux questions distinctes. Klaus von Dohnanyi, le président d'un panel d'experts ayant examiné les problèmes du pays : « La reconstruction de l'Est est responsable des deux tiers au moins de la faible croissance allemande [15]. » Et pourtant, jour après jour, les partisans internationaux de la vérité néolibérale globaliste ignorent purement et simplement ce fait.

L'une des divisions les plus fondamentales est l'opposition entre ceux qui croient et ceux qui ne croient pas que considérer le monde à travers le prisme économique est nécessaire, même si un milliard et demi de personnes restent de plus en plus en arrière selon toutes les mesures de la pauvreté et de la richesse. Martin Wolf imagine que cette coupure, qui était de 10 contre 1 il y a cent ans et qui est aujourd'hui de 75 contre 1, pourrait bientôt être de 150 contre 1 [16]. La division porte sur le type d'intervention publique qui pourrait inverser la tendance, à la fois au plan international et national. Au lieu d'entrer dans ce genre de débat, nombre d'économistes en restent à un déni qui frise la violence intellectuelle. On peut le voir à la façon dont les partisans du marché ont chassé de la Banque mondiale Ravi Kanbur, son grand expert de la pauvreté, parce qu'il suggérait que la croissance économique à elle seule ne serait pas suffisante pour réduire la pauvreté ; qu'il faudrait une politique et une fiscalité redistributrices.

La conviction qu'*il ne faut pas mentionner les impôts comme instrument de redistribution sociale parce que cela met en danger les principes de la compétitivité globale* est de plus en plus ténue. De moins en moins d'économistes croient qu'elle est vraie. Ils regardent la Suède, *success story* économique et sociale, qui a la charge fiscale la plus élevée. Quand, en 2005, la Suède a suggéré qu'elle pourrait relever un peu ses impôts, il y a eu indignation et catastrophisme, mais peu.

En général, le niveau moyen de la fiscalité au sein de l'OCDE augmente. Et même si la politique américaine actuelle consiste à diminuer les impôts par le haut, les économistes sont profondément divisés quant à savoir si cela marchera. En 2004, cent cinquante des principaux économistes américains ont écrit au gouvernement pour le presser d'inverser cette politique.

L'une des évolutions les plus inattendues a été la confusion grandissante chez maints apôtres néolibéraux s'agissant de l'équilibre à trouver entre impôts allégés et dette publique. Ils avaient toujours estimé que des impôts faibles étaient une très bonne chose et que la dette publique en était une très mauvaise. Mais soudain, beaucoup d'entre eux penchent si fort dans le camp des allégements fiscaux qu'ils ne peuvent qu'approuver la montée de la dette publique. Comme s'ils avaient oublié l'idée qu'ils se faisaient du mal. Même le président du conseil des gouverneurs de la Réserve fédérale, Alan Greenspan, a ajusté ses idées sur les impôts et l'endettement afin de ne pas critiquer le déficit américain qui monte.

Dans le même temps, dans des pays comme la Chine, le discours est à la nécessité d'accomplir des efforts massifs de redistribution grâce à des politiques publiques financées par l'impôt, équilibrées par les succès du marché et un contrôle régulateur. « Les problèmes de la Chine sont si massifs que seules des améliorations exponentielles de la santé publique, de l'économie et de la gouvernance peuvent faire tenir ensemble la Chine [17]. » L'objectif est un développement « durable et équitable ».

Dans le monde des experts des monnaies, une division presque irréconciliable monte. Malgré la presque mort qu'a connue l'économie mondiale en 1997-1998, en bonne partie du fait de groupes financiers dérégulés et non transparents, peu de choses ont été réalisées pour les contrôler. Les *hedge funds* n'ont jamais été aussi puissants et n'ont jamais autant échappé à tout contrôle. *The Economist* les a appelés les « nouveaux rois du capitalisme [18] ».

En même temps, le discours économique dominant

est désormais à la création d'emplois, à la transparence, à la responsabilité sociale et, en l'absence de régulation, à l'autorégulation. Mais on ne peut avoir un secteur privé qui soit dirigé par des *hedge funds* et qui croie à la responsabilité sociale.

De même, nous entrons dans une nouvelle ère de dépenses militaires en hausse radicale. Elles sont vendues au public en partie au motif qu'elles constituent une stratégie de croissance économique, alors qu'en même temps, un grand nombre d'économistes et de dirigeants penchent pour une théorie opposée, qui fait du développement social la clé du développement économique. Amartya Sen, prix Nobel d'économie : « L'apport du mécanisme du marché à la croissance économique est bien sûr important, mais cela ne vient qu'une fois reconnue la signification directe de la liberté d'échanger – des mots, des biens, des cadeaux[19]. » L'idée que les dépenses militaires constituent une politique économique est à l'exact opposé du spectre théorique, au-delà même du pur néolibéralisme.

Peut-être est-ce dans le domaine du commerce et de la concurrence internationale que la confusion se répand le plus vite. Maints experts restent convaincus par l'argument commercial classique. Mais ils sont de plus en plus nombreux à être gênés par les anomalies internationales. Les avantages que représentent des salaires faibles ne durent que peu de temps. Il y a toujours quelqu'un qui travaille pour moins cher ; c'est donc une théorie qui encourage les cycles à la hausse et à la baisse. Et la compétitivité internationale peut de plus en plus venir non d'un avantage concurrentiel, mais de la taille du système de production et de son intégration verticale – approche combinée. On peut être le moins cher et le plus efficient, et perdre quand même.

Cela induit un discours de plus en plus protectionniste. Mais un discours nouveau et très raffiné apparaît aussi. Il dit que le besoin primaire n'a jamais été d'échanges internationaux. Cela nous détourne des vrais problèmes, qui tiennent à une approche rudimentaire des marchés intérieurs. Stiglitz : « C'est l'incapacité à créer de la concurrence intérieure, plus que des protections vis-à-vis de l'étranger, qui a été la cause de la stagnation. » « La libéralisation du commerce n'est donc ni nécessaire ni suffisante pour créer une économie compétitive et innovatrice [20]. » L'économiste néo-zélandais Tim Hazeldine : « Nous aurions bien mieux fait d'exporter moins (mais à un meilleur prix) et de faire attention à approvisionner le marché intérieur. »

Sous cette perspective plus complexe sur la production, le commerce et la concurrence, il y a l'idée qui se développe que le modèle actuel du commerce international est fondé sur une conception plutôt grossière de la production de masse visant à créer un marché oligopolistique – à savoir anti-choix. C'est une vision presque schématique du commerce, plutôt qu'une conception dans laquelle les consommateurs réels jouent un vrai rôle dans le choix de ce qu'ils souhaitent réellement consommer.

Englobant tout cela, on trouve enfin un nouveau désaccord sur la question de savoir où réside le pouvoir – dans les dirigeants politiques ou bien économiques. Fait des plus surprenants, un débat sur le pouvoir commence même. Après trente ans d'oubli, les économistes et les dirigeants sérieux se demandent soudain si trop de participations étrangères ne constitue pas une gêne pour avoir une économie équilibrée et une démocratie stable. Et ceux qui posent ces questions ont partout tendance à venir de l'ancienne école globaliste.

Des crises qui ne sont pas nécessaires

Deux points précis illustrent l'état général de confusion qui règne. Le premier a trait au rôle que les gestionnaires jouent dans notre société – les gestionnaires de toutes sortes, qu'ils gèrent des ministères, de grandes entreprises ou des institutions. Il semble que leur méthodologie, qui s'étend de plus en plus, et leur confusion, subtile ou pas, entre l'argent privé et le service public – qu'on appelait jadis la corruption, mais qui se terre désormais dans le conseil, le lobbying et le bâtiment – ont fait de la technocratie un obstacle au renouvellement de la pensée, du débat et de l'action publiques.

L'obsession chez le gestionnaire moderne de la structure, de l'expertise et du contrôle – qui prend en général l'allure de la bonne façon de faire – est souvent portée à l'extrême. Cela empêche la démocratie et la créativité du marché de fonctionner. Il n'en sort le plus souvent que des actions à court terme, très utilitaristes. Mais cette application de la doctrine selon laquelle la forme prime le contenu favorise aussi l'obsession des détails d'un côté et de grandes organisations paresseuses de l'autre. De plus en plus, ces organisations sont les groupes transnationaux sans direction. Il suffit de regarder la maladresse avec laquelle l'Occident aborde le réchauffement global pour voir ce que cela veut dire. Tout le débat s'est enlisé dans l'irréalité des détails techniques au détriment du monde réel.

Les critiques de cette approche managériale parlent de l'absence de principe de précaution – méthode utilitariste pour limiter les risques en imaginant ce qui peut arriver et ce qui peut représenter des tendances irréversibles si on laisse trop longtemps faire. Mais, à la lumière du principe aristotélicien de prudence – qui est une approche bien plus large de la réalité –, cette obsession managériale de créer sa propre réalité devient positivement téméraire. La prudence est la capacité à vivre dans la réalité. L'approche managériale du réchauffement global, par exemple, ignore tout simplement la réalité et la remplace par des conflits d'intérêts et par l'idée de preuve qui, parce qu'elle est projetée dans le passé et non dans l'avenir, est un déni de la capacité humaine qu'est la prudence.

À une échelle moins grandiose, on peut voir l'effet

destructeur de la prédominance des gestionnaires dans l'augmentation progressive des détails qui font l'ordinaire de la vie des salariés. Les nouvelles technologies ont eu pour effet de renvoyer les cadres supérieurs aux détails. Les personnes payées pour penser et pour diriger passent désormais l'essentiel de leur temps sur leur clavier et à recevoir ou envoyer un flot ininterrompu de messages superflus, simplement parce que les technologies de la communication envahissent chaque seconde et chaque recoin de leur vie. Cette bureaucratisation à la fois du pouvoir et du processus créatif fait que la pensée semble irresponsable et que l'action claire passe pour non professionnelle. Cela donne la sensation d'agir alors que cela crée un sentiment d'impuissance. On se noie dans les détails.

Le deuxième point clé est peut-être l'illustration ultime de ce processus. Vingt-cinq ans après son début, la crise de la dette du tiers-monde continue de s'aggraver. L'obsession managériale pour la réalité imaginaire des détails – en l'occurrence, les obligations contractuelles – et la peur d'admettre des erreurs ou des échecs alimentent encore et toujours la crise. George Bernard Shaw : « Quand un idiot fait quelque chose dont il a honte, il déclare toujours que c'est son devoir. »

En novembre 2001, Anne Krueger, la numéro deux du FMI, une néoconservatrice, a courageusement tenté de mettre un terme à cette crise. Elle a annoncé une solution simple et brillante. Une procédure de faillite, équivalente à celle qui s'applique au secteur privé, serait créée pour les États-nations. Dans les cas extrêmes, ils seraient libérés de leurs obligations contractuelles s'ils se réorganisaient. Les banques centrales de par le monde ont approuvé. De même que beaucoup d'économistes, réformistes ou conservateurs. Mais la contre-attaque a commencé. Elle a été menée par ceux qui gagnent de l'argent en revendant à moindre prix des emprunts impossibles à couvrir. Un an plus tard, avec l'aide de la technocratie, le plan a été jeté bas, puis mis de côté.

En janvier 2005, nouvelle tentative. Les Britanniques avaient eu une idée impliquant de revendre l'or réévalué du FMI. D'autres s'y opposaient, par crainte pour le marché de l'or. Washington a plaidé pour effacement complet. Mais à y regarder de plus près, cette merveilleuse proposition était entourée de plans pour gérer qui en bénéficierait, dans quelles conditions, selon quelle perspectives. À la fin de la réunion, un mois plus tard, des ministres des Finances du G7, il y avait sept positions distinctes.

Pour autant, des progrès ont eu lieu. Pour la première fois, les sept pays ont admis qu'une solution était nécessaire. C'est probablement dû aux larmes de Nelson Mandela devant les caméras du monde entier et aux vingt mille personnes rassemblées à Trafalgar Square la veille de la réunion des ministres des Finances à Londres : « La pauvreté des masses et les inégalités obscènes sont les fléaux si terribles de notre époque – époque au cours de laquelle le monde se vante de ses époustouflantes avancées dans le domaine des sciences, de la technologie, de l'industrie et de l'accumulation de richesses – qu'ils se rangent aux côtés de l'esclavage et de l'apartheid parmi les maux de la société. Surmonter la pauvreté n'est pas un geste de charité. C'est un acte de justice. C'est la protection d'un droit de l'homme fondamental, le droit à la dignité et à une vie décente [21]. » Les dirigeants savent tous que l'influence de Mandela peut jouer au sein même de leur régime. Ils ont donc fait chacun la promesse de résoudre le problème et ils se sont séparés.

L'idée est la suivante : après un quart de siècle, une crise qui tue des gens et continue à détruire un continent persiste. Ce qui reste de la globalisation, de la théorie de l'économie globale et de la technocratie régnante est toujours bloqué par un problème qui aurait pu, n'importe quand, se résoudre en une nuit. Cela pourrait être le problème qui nous apprendra que nous serons sortis du vide. Si les gouvernements d'Occident retrouvent la clarté d'esprit et le courage de tout simplement annuler la dette, alors nous serons vraiment entrés dans une nouvelle ère.

CHAPITRE XXIV

Le vide nouveau : l'État-nation est-il de retour ?

Si la confusion qui règne dans le monde restait limitée aux différences entre le Nord et le Sud, il serait possible de dire que ce serait la forme que revêtirait l'ère nouvelle. Mais autant de confusion entoure le renouveau de l'État-nation.

La plupart des esprits sont surpris par la résurgence au sein de l'Occident de cette institution désuète en théorie. Mais il est encore plus difficile aux Occidentaux de comprendre qu'elle fleurit ailleurs. Dans leur imagination, l'État-nation moderne est une invention européenne qui date de la fin du XVIIe siècle et du début du XVIIIe. Son invention formelle est même liée à un seul et unique traité signé en un lieu particulier à un moment donné. Le traité de Wesphalie, en 1648, a clos la guerre de Trente Ans et a officiellement reconnu l'existence des Provinces-Unies – aujourd'hui les Pays-Bas – et de la Confédération helvétique. Il y est parvenu en reconnaissant ce que l'Occident a appellé un État-nation. Le fait que d'autres parties du monde connaissent ce mode d'organisation est sans doute dû aux empires formels et informels qui ont commencé à s'étendre depuis l'Occident à partir du XVIIIe siècle. Et lorsque ces empires ont été abandonnés il y a un demi-siècle, l'Occident a créé des organisations internationales comme le FMI pour encadrer une évolution continue suivant la même voie dans les pays non occidentaux.

Quid alors de puissances gigantesques comme la Chine, l'Inde et le Brésil, qui émergent sur la scène globale et relèvent de projets d'États-nations suivant leur propre logique – et non la *vérité* wesphalienne ? Partout, j'entends les Occidentaux dire que ce phénomène est *dangereux*. N'est-il pas dangereux parce que ces pays échappent à la logique occidentale ? L'exemple de la domination par la Chine d'un nombre de plus en plus grand de marchés, autrement qu'en vertu des prix ou même d'un avantage comparatif, effraie les globalistes occidentalo-centristes. Le Brésil, qui résout ses problèmes en ignorant l'idée occidentalo-centriste de propriété intellectuelle globale, est tout aussi troublant. Et comme dans un immense banc de poissons, ces baleines sont entourées d'un nombre de plus en plus grand d'États-nations non occidentaux plus petits.

Laissons cela de côté pour l'instant. Les Occidentaux ont assez de problèmes comme cela à reformuler leurs idées reçues pour rendre compte du renouveau de l'État-nation wesphalien classique en Occident. Les fondateurs de ce qu'on appelle désormais l'Union européenne, sous l'effet de la dernière guerre mondiale, voulaient plus que tout changer les modèles politiques. Et ils y ont réussi. Une contradiction latente a cependant subsisté. L'Europe a toujours eu plusieurs frontières intérieures. Et dès qu'on en traverse une, l'expérience historique, les attentes, les tensions changent.

Le 2 novembre 1959, le général de Gaulle, qui venait d'être élu président, s'est rendu à Strasbourg, ville qui chevauche l'une de ces frontières que l'Europe nouvelle avait réussi à traverser. Il y a prononcé un discours prophétique sur un sujet qu'il comprenait bien. « Oui, c'est l'Europe, depuis l'Atlantique jusqu'à l'Oural, c'est l'Europe. C'est toute l'Europe qui décidera du destin du monde[1]. » L'Europe de l'Atlantique à l'Oural – tel était l'avenir. Considérant l'histoire passée et future, il imaginait ce qui se produirait quand le Rideau de fer serait abattu et que l'Europe prendrait ses frontières naturelles. De Gaulle pensait que la frontière naturelle à l'Est était l'Oural. À l'ouest de ces montagnes, la Russie européenne ; à l'est, la Russie asiatique. Entre 1959 et 1989, l'Europe a franchi quelques frontières difficiles, mais l'idée dominante est restée continentale et post-État-nation, parce que personne n'a encore été confronté à la réalité exprimée par de Gaulle. Le rêve initial d'un continent intégré a persisté.

Plus important encore peut-être, en quarante-quatre ans de débat interne, de 1945 à 1989, l'Allemagne de l'Ouest a renforcé son intégration continentale et profondément démocratique à ce projet. Comme l'expliquait l'historien allemand Heinrich Winkler, les Allemands aussi ont été libérés en 1945 – ils ont été affranchis d'une mythologie qui les écartait de l'évolution occidentale[2]. En 1986, le philosophe Jürgen Habermas a décrit « l'acceptation sans réserve par la République fédérale de la culture politique de l'Occident comme la plus grande réussite intellectuelle de l'après-guerre en Allemagne de l'Ouest[3] ». Et puis, en 1989, le bloc soviétique s'est effondré, et une frontière très différente s'est ouverte. Ou bien était-ce un gouffre ? Le 10 novembre, le lendemain de la chute du mur de Berlin, le grand Willy Brandt, l'un des architectes de cette révolution, depuis longtemps en retraite, a déclaré : « Ce qu'il nous appartient de faire ensemble, c'est de grandir ensemble. »

Mais ce qui s'est passé n'est pas si facile à saisir. En quelques mois, vingt-cinq États-nations ont été créés. Certains ne s'attendaient pas du tout à ce que cela arrive. Certains avaient lutté pendant des siècles pour leur indépendance ; depuis les promesses du président américain Woodrow Wilson, en 1918-1919, ils avaient attendu leur heure nationale légitime. Les formules de Wilson étaient aussi gênantes qu'optimistes : « L'autodétermination n'est pas une simple expression. C'est un principe impératif d'action. » Mais quel était le principe ? « Une race, un territoire ou une communauté » ? Son secrétaire d'État lui-même estimait que cette promesse susciterait « des espoirs qu'on ne pourrait jamais réaliser. Cela coûtera, je le crains, des milliers de vies [4] ».

De 1919 à 1989, certaines expériences de courte durée ont eu lieu et elles ont coûté non pas des milliers, mais des millions de morts. En général, ces pays ont été soumis – de la Pologne à l'Ukraine, de la Lituanie à la Slovénie, de la Tchécoslovaquie à la Bulgarie. Ils ont été frustrés, martyrisés, découpés, piétinés. Et soudain, d'un coup, c'est arrivé. En plein monde voué au dépassement de l'État-nation, des dizaines de millions de personnes sont apparues sur la scène internationale qui saisissaient leur première – au mieux leur deuxième – occasion d'édifier leur État-nation. Après quarante-quatre ans de communisme, ils étaient aussi attirés par le marché. Beaucoup d'entre eux, par défaut à la fois d'expérience et de régulations, ont vite plongé dans la pire des corruptions.

Si une chose ne les attirait pas, c'était bien de mêler leurs nouveaux États-nations à des systèmes globaux ou continentaux qui affaibliraient leur autorité nationale au lieu de la renforcer. Qui plus est, ils n'estimaient pas qu'ils provenaient des marges. Selon la formule de De Gaulle, ils étaient au centre de l'Europe. Ou encore, comme l'écrivait le penseur Aurel Kolnai, ils constituaient « la vraie Europe, sa quintessence [5] ». Ils avaient donc depuis longtemps réfléchi à la façon dont il fallait organiser le continent.

On a pu observer cette attitude quelques années plus tard, en 2004, lorsque beaucoup ont tenu à envoyer des troupes en Irak. C'était leur première occasion d'être des acteurs indépendants sur la scène mondiale. En termes historiques, *indépendant* veut dire distinct de la Russie, de l'Allemagne et de l'Autriche, même de la France. Envoyer des troupes en Irak était donc une déclaration hautement publique d'indépendance. Ils savent aujourd'hui qu'ils doivent travailler avec la Russie et l'Allemagne, mais ils sont aussi enclins, tel Vaclav Havel en 2004, à mettre en garde contre « des signes inquiétants d'autoritarisme » en Russie [6]. La Pologne est prompte à menacer l'Allemagne pour toute action que les Polonais considéreraient comme un dérapage. En 2004, l'organisation représentant les Allemands chassés de Pologne en 1945 s'est servie de l'entrée de ce pays dans l'Union européenne pour réclamer des réparations sur les biens perdus. Le parlement polonais a aussitôt répliqué en votant une motion qui en revendiquait encore plus de l'Allemagne. Plusieurs autres incidents se sont déjà produits, et ils sont dus aux étirements musculaires des nouveaux venus, tandis que les puissances historiques se laissent aller au paternalisme.

Ce qui rend si compliqué ce retour de l'État-nation, c'est qu'on ne peut sortir de la dictature et de l'administration étroite, via la corruption qui s'ensuit presque automatiquement, et passer à la démocratie modérée, le tout d'un coup. Le processus a été long en Occident. Il sera long au centre de l'Europe. Ces pays sont donc pris dans des tragédies dont beaucoup de pays de classes moyennes sont sortis il y a un demi-siècle.

Ce que nous vivons désormais, ce n'est donc pas un petit accès de nationalisme ou un renouveau éphémère. Ce sont vingt-cinq tentatives distinctes pour accomplir tout le processus. Certains pays, comme la Roumanie et la Bulgarie, se hâtent de remplir assez de caractéristiques indiquant une démocratie qui fonctionne pour qu'on les traite pleinement comme des États-nations européens. D'autres, comme la Biélorussie ou le Tadjikistan, ont beaucoup de chemin à faire. Quelques-uns, comme le Turkménistan, vont dans la direction opposée.

Pour ceux d'entre nous qui font partie de la Moyenne-Europe, il est difficile de ressentir en profondeur l'émotion que ces vingt-cinq expériences provoquent dans chacun de ces pays. La nuit qui a précédé la cérémonie marquant le soixantième anniversaire de la libération du camp d'Auschwitz-Birkenau, on a donné un dîner à Cracovie pour les chefs d'État ou de gouvernement en visite. Il a été dominé par le nombre important de ceux qui venaient des vingt-cinq pays libres depuis peu. Une grosse tempête de neige a compliqué l'arrivée des dirigeants venus de tout le continent ; ils sont donc arrivés un par un, tout au long de la soirée. Tard dans la soirée, Viktor Youschchenko, qui venait de prêter serment comme président d'Ukraine, est apparu, le visage noirci par la tentative d'empoisonnement dont il avait été l'objet. Toute la salle s'est levée avec une chaleur et une sympathie inhabituelles dans les cercles politiques. On aurait dit une famille dispersée par une catastrophe, qui se retrouvait lentement, et voilà que réapparaissait l'un des derniers fils perdus. Tous savaient que Youschchenko avait un dur chemin à parcourir. Mais on pouvait ressentir une pointe de ferveur révolutionnaire. La révolution ukrainienne, avec ses citoyens descendus dans la rue pour y rester jusqu'à ce que la démocratie triomphe, a tourné autour de la force de l'État-nation et de l'indépendance, ainsi, on l'espère, que du développement de la démocratie.

Quels que soient les accords continentaux ou globaux que ces pays concluent, ils sont et seront centrés sur le renforcement de l'indépendance. Quelques jours auparavant, Youschchenko s'était adressé au peuple ukrainien sur la place de l'Indépendance, à Kiev : « Notre culture forcera le monde à voir notre singularité. » Et aussi : « Notre avenir est l'avenir d'une Europe unie. Notre place est dans l'Europe unie. Nous ne sommes plus au bout de l'Europe. Nous sommes au centre de l'Europe. »

Et il y a la Russie elle-même, privée d'empire, dépouillée désormais même de ses frontières du XVIIIe siècle après le départ réel de l'Ukraine. Elle doit désormais se regarder comme la nation Russie au plein sens du terme. Cela a d'immenses implications mythologiques. Et elle doit le faire tout en pansant les blessures liées à ses pertes de territoires et en tirant les leçons de systèmes nouveaux. Le tout avec peu de sympathie de l'extérieur. On n'excuse guère les ex-empires. Tout cela ne peut que renforcer l'élan pour l'État-nation parmi les citoyens russes.

Quand, en septembre 2004, Vladimir Poutine a mis un terme au processus électoral pour quatre-vingt-neuf gouverneurs régionaux russes et a pris le pouvoir direct de recommander directement des candidats aux parlements régionaux, il y a eu des critiques et de l'angoisse en Occident. Et pourtant, l'atmosphère générale en Russie – y compris chez les gouverneurs – a semblé être au soulagement. Ils ont vu là un mouvement visant à renforcer la légitimité de l'État-nation. Et aussi l'État de droit.

L'Europe change de direction

En 2004, l'Union européenne a admis parmi ses membres dix pays, dont un premier groupe de huit nations d'Europe centrale ayant appartenu à l'ex-bloc soviétique. Les anciens membres ont vite découvert que la frontière qu'ils avaient franchie était un gouffre. L'Union était devenue différente. Le rêve d'une Europe fédérale semblait d'un coup envolé. Les fondateurs, qui étaient intégrationnistes, paraissaient avoir perdu. La nouvelle coalition intergouvernementale semblait assez forte pour réorienter le projet européen.

Des pays comme la Grande-Bretagne estimaient qu'ils avaient gagné leur combat pour ralentir l'européanisation. Le chancelier de l'Échiquier disait que « le vieux projet intégrationniste était fatalement ruiné[7] ». Mais une fois que les Britanniques auront mis de côté leur rhétorique, il se peut qu'ils découvrent qu'ils sont plus intégrationnistes qu'ils ne le croyaient et que leurs désirs penchent quelque part entre ceux de l'Europe de l'Ouest et ceux de l'Europe centrale. Ils pourraient même regretter leurs efforts pour faire dérailler le projet d'une Europe plus vaste et plus sérieuse, ainsi que l'affaiblissement possible de l'Union sur la scène internationale.

Pour l'instant, le problème est aussi simple qu'il y paraît. Huit des membres les plus récents sont entrés dans l'Union précisément pour la raison inverse de celle des fondateurs : pour protéger l'indépendance de leur État-nation. Plus spécifiquement, ils veulent être protégés à long terme de la Russie et de l'Allemagne. Leur deuxième raison était d'ordre simplement économique. D'un autre côté, la dernière chose qu'ils permettraient, ce serait une Europe à deux vitesses comptant un noyau intégré et une périphérie intergouvernementale. Si, comme ils le prétendent, ils forment le centre de l'Europe, ils n'autoriseront aucun système les rejetant à la périphérie [8].

Il se pourrait que Robert Cooper ait été un peu trop optimiste quand il a dit que « l'Europe, pour la première fois peut-être en trois cents ans, n'est plus une zone de vérités rivales ». Le Premier ministre néerlandais était sans doute plus proche de la vérité : « Il devient de plus en plus clair qu'une telle coopération et un tel sentiment de solidarité ne sont plus évidents pour beaucoup de gens. Il semble que nous trouvions de plus en plus difficile d'identifier notre fondement commun, comme si nous avions perdu de vue ce qui nous lie au niveau le plus profond. »

Les nouveaux membres resteront longtemps différents et à part des anciens [9]. L'idée la plus pessimiste que j'aie entendue est peut-être que, durant toutes ces années où l'Europe centrale protestait qu'elle appartenait à l'Europe et non au bloc soviétique, ce n'était en réalité pas à l'Europe qu'elle rêvait, mais aux États-Unis [10]. Mais petit à petit la réalité se fait sentir ; on a beau rêver, il y a une vérité de la géographie.

Maintenant qu'elle fait partie de l'Europe, elle doit sortir de sa mythologie contradictoire.

L'entrée de ces dix pays dans l'Union a témoigné du retour non seulement de l'État-nation, mais aussi du nationalisme de base le moins intéressant. Par exemple, comment un corps aussi puissant que l'Union européenne a-t-il pu permettre à Chypre de rentrer sans d'abord résoudre le problème que pose la division raciale de cette petite île ? Comment a-t-on pu permettre le simple transfert de ce nid de serpents au sein de l'Union ?

Réponse : Chypre n'est que le premier d'une série de rivalités de ce type. Une polémique encore plus profonde a commencé autour de l'entrée de la Turquie. D'un côté, on a un continent ne sachant pas bien comment gérer la normalisation relativement simple de la présence de seulement 17 millions de musulmans déjà établis depuis longtemps parmi 450 millions d'Européens non musulmans. Et ce même continent procède maintenant à l'entrée d'un pays de quelque 70 millions de musulmans. L'embarras en Europe est en bonne partie dû à l'absence de débat culturel sérieux au niveau du continent.

La réorientation consciente de l'Europe à l'opposé de son projet intégrationniste est apparue lors d'un dîner, le 17 juin 2004, au cours duquel les dirigeants, réunis pour un sommet, se sont battus pour savoir qui serait le nouveau président européen. On a finalement choisi José Manuel Barroso, ex-Premier ministre portugais, et il a rapidement montré qu'il croyait aux relations intergouvernementales. Il est sorti de son rôle pour déclarer publiquement qu'il n'était pas un « fédéraliste naïf ».

Ce que cela signifiera à cinq ou dix ans n'est pas parfaitement clair. Nous traversons un vide. Il se peut que les structures fortes de l'Europe continuent à intégrer le continent. Il se peut aussi que les tendances nationalistes se renforcent. Ou bien encore, le continent peut pencher pour une nouvelle conception de ce qu'il doit être, laquelle ressemblerait à la vision médiévale : des frontières multiples s'interpénétrant à l'intérieur d'un seul et unique continent, bâti par couches successives, sur de la diversité.

Un empire embarrassé

L'embarras de l'Europe est contrebalancé par celui des États-Unis. Dans les cercles gouvernementaux de Washington, parler d'empire est désormais une idée reçue. Mais la finalité de cet empire est remarquablement peu claire. Ou plutôt, sa tactique est claire, mais sa stratégie ne l'est pas.

Par exemple, à l'aube du siècle nouveau, il y avait quelque 725 bases américaines à l'étranger [11]. Dans quel but ? Être ainsi présent partout quand ses forces armées représentent la moitié des militaires du monde semble au premier abord sans ambiguïté. Mais s'étendre partout sur le globe, version terrestre de l'ancienne présence navale de l'empire britannique, place dans une position statique, sur la défensive – on devient une cible bien visible, sans but évident. L'ancienne tactique militaire britannique était liée aux colonies ; elle impliquait la capacité légère et flexible de frapper, ce qu'on appelle la diplomatie des cannonières ; elle traduisait une politique industrielle et commerciale internationale qui était claire. Les colonies produisaient des matières premières pour l'industrie britannique. Ce n'est pas du tout évident pour les États-Unis parce qu'il règne une confusion théorique profonde entre l'alliance de ce pays avec les groupes transnationaux, qui peuvent ou non servir les intérêts américains, et le besoin de faire marcher l'économie américaine intérieure.

On s'illusionne quand on croit aujourd'hui que la présence militaire américaine dans le monde est liée au 11-Septembre. Elle a existé longtemps avant les attentats. Et la dizaine d'années écoulées entre la chute du Rideau de Fer et le 11-Septembre ont été particulièrement violentes à l'échelon international. Donc, les tactiques de Washington ont été essayées et ont échoué – et pourtant, elles persistent.

Parallèlement, les États-Unis ont bizarrement décidé de dévaluer le dollar en 2004. Les technocrates en charge de la politique monétaire ne peuvent se résoudre à le dire si franchement, mais les autres gens si. *The Economist* dit que si la chute du dollar devait continuer, cela pourrait être « le plus gros défaut de paiement de l'histoire [12] ». On n'a rien vu de tel depuis 1971, date à laquelle Nixon a dévalué pour des raisons équivalentes : réduire la valeur de la dette extérieure, rendre les exportations meilleur marché et les importations plus coûteuses. Les Européens et d'autres ont immédiatement commencé à se plaindre : ils ne devaient pas supporter le déficit américain sur le marché des devises [13].

La politique militaire américaine et la dévaluation sont toutes deux défensives. Les interventions militaires dont on parle tant ont le défaut d'être particulières et de s'empêtrer dans la situation générale. En même temps, le monde semble aller dans le sens de regroupements nationaux et régionaux. L'empire n'y est guère adapté. Comme l'écrivait Michael Lind, « un nouvel ordre du monde émerge – mais son architecture s'est ébauchée en Asie et en Europe au cours de réunions auxquelles les Américains n'ont pas été invités ». Pour le dire autrement, un empire n'est jamais international. C'est toujours une extension d'un nationalisme de fond. Le système étendu de Washington est bon pour avoir une influence partout, mais il est presque impuissant pour gérer des situations régionales à long terme et sur une base institutionnelle.

Un dédale de facteurs

Ces situations occidentales spécifiques nous éloignent d'une multitude de confusions sociales et technologiques qui ont pris des proportions importantes durant la même période. Elles n'ont pas de configuration particulière et on ne peut connaître leur impact. Certaines auraient pu se produire avec ou sans la globalisation, certaines en sont le produit, mais toutes ont un effet du simple fait qu'elles existent.

Par exemple, les frontières africaines tracées en fonction des empires européens il y a un siècle ou un siècle et demi semblent de plus en plus disparaître. Le Kenya, la Tanzanie, l'Ouganda, le Rwanda et le Burundi discutent sérieusement pour se regrouper. Voilà trois pays issus de l'empire britannique et deux de l'empire français qui tentent d'échapper au prisme politique et culturel – à la prison ? – qu'on leur a imposé. Ils sont las des divisions artificielles qui contribuent à leurs dysfonctionnements. Cette forme de restructuration pourrait radicalement modifier la situation africaine.

Qu'est-ce qui les guide, à part la crise ? Peut-être le vide international apporte-t-il assez d'embarras et d'obscurité pour qu'ils puissent dépasser les sempiternelles projections occidentales quant aux solutions parfaites aux crises. Une fois celles-ci dépassées, il se peut qu'ils redécouvrent des habitudes historiques qui ont fonctionné pour eux dans le passé. Peut-être réagissent-ils aux arguments avancés par la Chine, le Brésil et l'Inde, qui proposent une perspective plus sensée pour les économies en voie de développement en opposant l'idée contextualiste et humaniste de qualité de la vie à la perspective plus linéaire et abstraite en termes de PNB.

Mais d'autres facteurs plus généraux sont à l'œuvre.

Prenons les évolutions religieuses sur le continent africain. En cent ans, les mouvements pentecôtiste, charismatique, évangéliste et autres sont passés de zéro à un demi-milliard de fidèles. Leur développement aussi est exponentiel, sans doute sous l'effet de l'accumulation de problèmes que connaît le continent. Soudain, la religion de la globalisation est rattrapée par un système de croyance en sérieux renouveau qui implique des dieux plus anciens, plus expérimentés. Qui dominera ?

Prenons les tendances durables à l'urbanisation dans le monde. En cinquante ans, les vingt plus grandes villes sont passées de cinquante millions à deux cents millions d'habitants. Dans certains cas, l'évolution est encore plus nette : Istanbul, de 1 à 12 millions ; Mumbai, de 1,5 à 12,5 millions ; Sao Paulo, de 1,3 à 10 millions. Bientôt, les citadins représenteront 60 % de la population mondiale.

Les implications ne devraient pas être moins évidentes. Elles pèsent désormais sur chaque aspect de notre vie – de la production de masse au développement continu des bidonvilles déjà innombrables dans les pays en voie de développement. Les contrôles de sécurité, un renforcement probable du faux populisme, une croissance accrue de l'agriculture industrielle avec des effets graves sur l'environnement – tout cela peut influer sur notre civilisation aussi puissamment qu'une théorie économique.

Après trente ans d'idéologie dérégulatrice, le mouvement pour la rerégulation devient chaque jour plus fort. Le grand économiste conservateur Samuel Brittan évoque « le danger de la vague régulatrice ». « Le consulting sur la façon de faire face aux régulateurs pourrait bien devenir l'activité connaissant la plus forte croissance[14]. »

Dans l'évolution de la technologie, il y a bien davantage de mystères que de réponses. Les concepteurs de systèmes informatiques ouverts en sont aux premiers stades de leur lutte contre le monopole de Microsoft. L'issue de ce combat aura de réelles implications sur le pouvoir des gouvernements et la liberté des personnes. Ici ou là, des gouvernements commencent à opter contre le système fermé. Persisteront-ils ou bien perdront-ils courage ?

On commence à suggérer qu'une sorte de taxe sur les ventes de technologie – une taxe automatique sur chaque bit d'information numérique véhiculée – pourrait radicalement modifier la capacité des gouvernements à lever des fonds. Mais cela accroîtrait aussi le pouvoir que les États-nations ont d'administrer la technologie et ses détenteurs. Car ceux-ci se servent aujourd'hui de la liberté internationale à la fois pour être libres et pour créer des monopoles – c'est-à-dire des dictatures qui, bien qu'inspirées par des motifs commerciaux, ont de sérieuses implications politiques.

L'ampleur de l'embarras social qui nous environne tous se voit aux mouvements politiques qui sont récemment arrivés au pouvoir dans le but exprès d'accroître l'influence du gouvernement sur la vie humaine. Beaucoup mettent désormais en place une surveillance des citoyens plus grande que jamais : cela va de la prise d'empreintes digitales chez toute personne qui passe une frontière aux droits individuels bafoués.

Paniqués en apparence par le terrorisme, les gouvernements demandent aux nouvelles technologies de nouveaux pouvoirs de surveillance plus invasifs. Les caméras de sécurité banales, qui semblent désormais se trouver partout dans nos villes, évoluent petit à petit pour être reliées à des programmes informatiques qui peuvent théoriquement interpréter le mouvement humain selon qu'il est normal ou anormal. Ce *système de reconnaissance de structures aberrantes* est déjà utilisé à l'extérieur de certaines banques, en particulier en Grande-Bretagne, pays leader en la matière. Les voleurs de banques ont apparemment des structures de comportement juste avant d'attaquer. Les experts de la sécurité disent que les terroristes aussi. Dès lors, les millions de caméras qui se trouvent dans les rues de la plupart des démocraties occidentales pourraient rapidement être adaptées à cette idée de reconnaissance de structures aberrantes. D'un autre côté, l'idée que nous agissons tous normalement sauf si nous sommes des voleurs de banques ou des terroristes repose sur celle qu'il faut contrôler les individus et la société. Elle rappelle la façon dont les sociétés étaient jadis dominées par un code religieux monolithique. Des amants trahissent-ils un comportement aberrant quand ils se rencontrent ? *Quid* de quelqu'un qui tente d'éviter une personne qu'il n'aime pas ? D'un employé qui s'écarte un moment de sa tâche ? Qui pique discrètement un petit roupillon au travail ? Qui fume en cachette ? Qui exprime en privé son angoisse ou son insatisfaction ?

Cet exemple peut au premier abord sembler marginal en comparaison de l'élargissement de l'Europe ou du rôle des groupes transnationaux. Mais les sociétés n'évoluent pas de façon linéaire. Et les civilisations en proie à un vide prennent souvent une forme nouvelle sous l'effet des forces les plus inattendues. La disparition de la sphère privée est un changement profond pour la société occidentale.

Qui, dans la seconde moitié du XIXe siècle, au milieu des clameurs entourant le changement industriel et politique, avait vu dans le faux populisme et le chauvinisme les forces qui allaient contribuer à entraîner la civilisation occidentale dans le bain de sang suicidaire des tranchées en Europe ? Regardez aujourd'hui un phénomène en apparence mineur – l'évolution des jeux vidéos –, et vous verrez à quel point ils peuvent aller au-delà de la pure et simple distraction. Soudain, pour le meilleur comme pour le pire, ils sont devenus un instrument d'entraînement pour tout, de la cuisine à l'assassinat. Voilà un merveilleux outil pour redonner vie aux langues minoritaires. Mais cette même méthode est aussi un outil extrêmement efficace et difficile à contrôler pour le renouveau de ce qu'il y a de pire dans le nationalisme – le chauvinisme. Pour presque rien, ces jeux peuvent toucher des centaines de milliers de personnes, en particulier les jeunes, et véhiculer des messages qui, presque sans effort, mêlent l'imaginaire aux rodomontades nationalistes les plus vulgaires.

Le même outil facile qui a un simple rôle utilitaire peut devenir un merveilleux support pour l'expression nationaliste de cultures plus faibles ou représenter le plus efficace des outils qu'on ait jamais vus pour la manipulation populiste de la propagande.

Le nationalisme

À la fin du XXe siècle, le nationalisme et les États-nations étaient plus forts que lorsque la globalisation a commencé. Cela reste prépondérant tandis que nous sommes en proie au vide. La foi dans les vérités économistes globales s'en est allée. Les signes de désordre économique international sont de plus en plus nombreux. L'admiration pour les dirigeants désignés du projet globaliste s'est évaporée. Les ONG et leurs dirigeants restent en grande partie sur la défensive parce qu'ils ont tendance à s'imaginer qu'ils sont des spécialistes et des opposants à ceux qui détiennent le pouvoir.

Comme pour remplir le vide créé par ces échecs, le nationalisme est réapparu. Ainsi va l'histoire. Ce n'est ni sympathique ni pas sympathique. C'est là, voilà tout. Les vides ne durent jamais, ils se remplissent un jour ou l'autre. En l'occurrence, le nationalisme sous sa meilleure comme sous sa pire forme s'est remarquablement rétabli.

Peu de gens l'ont vu venir parce que nous avons commis l'erreur fatale de rejeter le nationalisme derrière nous. Ou plutôt, nous avons supposé que nous l'avions rejeté derrière nous. Pour des raisons évidentes, l'Allemagne de l'Ouest avait été à l'avant-garde de ceux qui déclaraient que l'État – à savoir le leur – était *postnational*. Et l'Allemagne était au cœur du projet d'intégration européenne[15]. En 1988, l'un de ses principaux hommes politiques, Oskar Lafontaine, parlait d'« aller au-delà de l'État national ». C'était tout juste trois ans avant que la

Yougoslavie n'explose dans un conflit nationaliste ethnique et que l'Allemagne, avec d'autres démocraties en théorie postnationalistes, ne tente d'intervenir en soutenant un groupe ethnique contre les autres. Comment des États postnationaux raffinés ont-ils pu réagir à une crise européenne mineure au début en puisant dans leurs souvenirs datant de 1914 ? Pour être plus précis, chacun a soutenu les mêmes groupes raciaux qu'il avait soutenus pendant les guerres du XXe siècle.

Quelques années plus tard, après une expérience comme administrateur d'un Kosovo encore divisé selon des lignes raciales, Bernard Kouchner nous a rappelé que le nationalisme – même de la pire sorte – était une réaction nullement étonnante à des situations catastrophiques. « La première chose qu'une population pauvre, souffrant des années et des années de l'oppression, attend, c'est la sécurité. La sécurité et la sécurité. La deuxième est plus importante que la première, mais elle vient après. C'est la dignité [16]. » Comment obtiennent-ils la sécurité et la dignité ? En appartenant à un groupe. Un groupe national.

La Yougoslavie a été un cas extrême de nationalisme. Mais partout on voit les signes de son retour. Un quart des jeunes Anglais interrogés disent qu'ils s'estiment anglais et non britanniques [17]. C'est deux fois plus que chez leurs enseignants. En Allemagne, les débats publics sur la question de la *place* sont désormais hantés par le concept de *leitkultur* – le sentiment de repère que nous devons trouver dans la culture dominante. Dit autrement, le *leitkultur* est l'ensemble des valeurs caractérisant la culture dominante. Dès 1998, Richard Rorty critiquait la gauche américaine parce qu'elle pensait que « l'orgueil national ne vaut que pour les chauvinistes ». « Ils commencent à penser qu'ils étaient des sauveurs – qu'ils étaient les *happy few* ayant l'intuition leur permettant de dépasser la rhétorique nationaliste pour percevoir la triste réalité de l'Amérique contemporaine. Mais cette intuition ne les a pas conduits à formuler un programme électoral, à rejoindre un mouvement politique ou à partager un espoir national [18]. »

L'idée de Rorty a été soigneusement développée par l'historienne Liah Greenfeld dans un des rares examens contemporains du nationalisme dans son sens complet. Elle nous rappelle que son sens a changé au cours du temps, mais qu'il signifie toujours le meilleur dans nos sociétés ou le pire : « Le nationalisme a été la forme sous laquelle la démocratie est apparue dans le monde. [...] Le principe national était collectiviste [19]. » Et pourtant, sous sa forme ethnique, c'était aussi un facteur de guerre et de massacre racial.

On pourrait dire que, dans le nationalisme, il s'agit d'appartenance, de place, d'imaginer autrui. Il peut prendre une forme positive et civique, dans laquelle appartenir comporte l'obligation d'atteindre et d'imaginer autrui de façon inclusive et multiple. Mais il peut aussi prendre une forme négative, surtout ethnique, où le fait d'appartenir devient l'expression d'un privilège et d'une exclusion.

La forme positive que peut prendre le nationalisme est liée à la confiance en soi et à l'ouverture, ainsi qu'à une certaine conception du bien public. Le nationalisme négatif dépend de la peur, de l'angoisse et de la conviction désespérée que les droits d'une nation existent en comparaison de ceux d'une autre, comme dans une compétition qui produit des gagnants et des perdants.

À partir de 1995, il a été facile de suivre la montée de ces deux nationalismes, qui représentaient la force se développant avec le plus d'évidence dans le vide provoqué par le déclin du globalisme. Cela veut-il dire que nous entrons dans une nouvelle ère durant laquelle les deux formes – positive et négative – devront une fois encore en découdre ? Réponse : nous ne le savons pas encore. Mais ce que nous savons, c'est que les forces qui formeront cette nouvelle ère semblent être visibles et encore assez malléables pour qu'on puisse influer sur elles.

CHAPITRE XXV

Le nationalisme négatif

> On veut pas se battre
> Mais crénom d'une pipe [1], si on y va,
> On a les bateaux,
> On a les gars,
> Et on a les sous aussi.
> « Chanson guerrière de MacDermott »,
> chantée au Pavilion de Londres, 1878

Le nationalisme négatif a atteint un sommet de clarté intellectuelle en 1878 durant l'une des crises russo-turques où Londres a tenté de jouer un rôle de médiation pour son propre compte. Cette chanson de music-hall populaire a fixé le concept de *jingoism* (chauvinisme), expression d'une certaine affirmation nationaliste – bravache, égoïste, indifférente aux intérêts des autres ou les ignorant, politiquement utile dans le pays et exprimant souvent une peur inconsciente. Dans d'autres pays, il existe d'autres mots. Les États-Unis, eux, ont le *spread-eaglism* – l'envergure de l'aigle américain qui couvre des milliers de kilomètres de Manille à Porto Rico.

L'insécurité, la pauvreté, l'ambition : voilà trois des racines de ce nationalisme destructeur. Il exprime la loyauté à l'égard de son ethnie, le fait de s'approprier

Dieu, un certain orgueil fondé sur l'ignorance et la conviction qu'on a été meurtri pour toujours – autrement dit, il traduit une mythologie construite autour du fait d'avoir été meurtri de façon irréparable. Parfois, c'est plus prétendu que réel. Une telle ignorance volontaire permet à des sociétés extrêmement raffinées de rester bloquées sur des blessures spécifiques. Au pire, cela peut virer au cynisme psychotique. Giambattista Vico, le grand philosophe italien, dénonçait cet égarement au XVIIIe siècle juste avant que le mouvement nationaliste moderne ne démarre : « Dès que l'esprit humain est dans l'ignorance, l'homme se croit la mesure de toutes choses. [...] La rumeur suit son propre cours. [...] L'inconnu est toujours magnifié. [...] Quand les hommes ne peuvent se former d'idée des choses qui sont éloignées et inconnues, ils les jugent d'après ce qui leur est familier et à portée de main [2]. »

Ce qui est le plus à portée de main, c'est sûrement la famille ou la race. Les uns après les autres, les orateurs de la Convention républicaine de 2004 aux États-Unis ont invoqué la famille, parce que, disaient-ils, c'est elle qui vient en premier et est la mesure d'une société. Bien sûr, la famille est centrale pour la vie humaine et pour notre vie affective dans toute sa complexité. Mais faire de la famille la mesure ou la structure de la société est un argument mafieux ou d'extrême droite, pour laquelle deux choix seulement sont possibles : ou bien la famille sacrée ou bien la nation sacrée. Dans les deux cas, la loyauté se mesure à la façon dont elle représente une situation fermée. Ainsi, les idées démocratiques et humanistes de civilisation, de société et de communauté, qui dépendent toutes de notre aptitude à imaginer autrui – celui qui n'est pas proche – sont repoussées aux marges.

Un tel nationalisme de proximité repose sur la peur. Le psychanalyste Erich Fromm a renvoyé son existence à l'incapacité à se rétablir de la perte de nos structures sociales prémodernes. C'est ainsi qu'on embrasse « une nouvelle idolâtrie du sang et du sol[3] ». Le nationalisme est alors une culture de l'appartenance plutôt qu'une civilisation de la culture. L'ignorance devient une protection contre la peur qui nous habite. Souvent présentée avec le charme de l'innocence, elle devient un état qui sanctifie. Érasme mettait en garde contre ce phénomène presque avant qu'il n'apparaisse : « Le manque de culture n'est pas de la sainteté, non plus que l'intelligence n'est de l'impiété. » Bien sûr, il s'agit là d'un nationalisme dans lequel « la *nationalité* devient synonyme d'*ethnicité* ». En somme, ce nationalisme est une foi, une religion.

Après 1945, un tel dévoiement était censé avoir disparu faute de soutien. Le quart de siècle qui a suivi a progressivement promu un modèle civique du nationalisme. Du moins dans les démocraties, le nationalisme comme expression du bien public s'est développé et a abandonné sa forme négative aux expressions superficielles d'enthousiasme et d'émotion. Les sports, les cérémonies publiques, des effusions plus innocentes d'appartenance ont remplacé ce qui aurait pu être négatif. Et puis est venue la période globaliste, et on a perdu de vue l'idée de nationalisme. Le mentionner au Canada, c'était être simpliste, protectionniste et hors du temps. En Europe, il appartenait à un passé sombre. Ce qui comptait, c'était de se concentrer, tels des spécialistes, sur la réorganisation économique, administrative et politique de l'Europe. Pendant soixante ans, on n'a littéralement pas discuté de la culture et de la citoyenneté européenne, de la façon dont ces Européens si divers allaient réellement vivre ensemble. Aux États-Unis, alors que le nationalisme était palpable, le discours dominant était économique.

Et puis, comme revenu de nulle part, il a commencé à réémerger. Et peut-être est-ce parce qu'il y a eu un tel déni des possibilités positives du nationalisme – déni de la société en tant que projet humaniste – que ce qui se faisait jour désormais était en grande partie négatif.

C'était lié aux vieux démons de la peur, de l'ethnicité, de l'aliénation culturelle et de la religion mal placée. D'un point de vue américain, Richard Rorty croit que c'est « le manque de confiance dans l'humanisme, qui s'est retiré de la pratique pour rester dans la théorie, [qui produit] le type d'effondrement nerveux conduisant les gens à rompre avec la laïcité pour croire au péché[4] ». Que son analyse soit vraie ou fausse, qu'elle puisse se généraliser ou non, il a certainement raison à propos du péché. Le nationalisme négatif qui monte est plein de tous les vieux shibboleths de la foi, de la loyauté, de la peur et de la culpabilité.

Quels signes ? En 1994, une coalition réunissant trois partis italiens, chacun représentant une facette du nationalisme négatif à l'ancienne, a presque pris le pouvoir. Le dirigeant de l'un de ces partis, Gianfranco Fini, ex-fasciste, a qualifié Mussolini, dans un entretien avec un magazine, de « plus grand homme d'État du siècle[5] ». Depuis, cette coalition est arrivée au pouvoir et le signor Fini a travaillé dur pour prendre ses distances avec son passé fasciste. Il a été vice-Premier ministre, puis ministre des Affaires étrangères et, beaucoup le pensent, il sera bientôt Premier ministre. Si cela se produit, l'atmosphère générale en Europe a tellement évolué que son arrivée au pouvoir sera considérée ici et de par le monde comme un événement normal.

Au cours de la même période, Jörg Haider, qui n'a adouci aucune de ses opinions sur les immigrés et sur la nature de la race en Autriche, a acquis assez de poids pour faire entrer son parti dans un gouvernement de coalition, puis il a perdu de sa popularité, pour finalement commencer à remonter en 2004. Les schémas sont les mêmes dans les pays les plus improbables, là où on n'a rien à craindre – en Norvège, en Suisse, au Danemark, en République tchèque. En France, un quart de la population est déjà d'accord avec les idées de l'unique parti ouvertement raciste[6]. Même en Irlande du Nord, où tous les efforts ont été accomplis pour arranger la situation, les extrémistes des deux camps continuent de rassembler assez de suffrages pour bloquer tout progrès à long terme.

En Allemagne, il y a plus de mille attentats et incidents antisémites par an. L'ex-chancellier Schröder s'est servi du soixantième anniversaire de la libération d'Auschwitz-Birkenau en 2005 pour tenter d'éveiller la population aux dangers qui se présentent et pour évoquer la perpétuation de l'antisémitisme : « C'est à nous tous ensemble de mener la confrontation politique avec les néonazis et les anciens nazis[7]. » Quelques semaines auparavant, le parti néonazi avait gagné des sièges à l'assemblée de Saxe.

Cela ne veut pas dire que le nazisme ou le fascisme sont en passe de prendre le pouvoir en Occident. Loin de là. Toutefois, l'atmosphère qui entoure dans la société ces polémiques a radicalement changé. Elle a changé en ce qui concerne de manière générale les personnes de couleur ou de religion différentes. De nombreux partis politiques centristes ont ajusté leur politique pour occuper par exemple l'espace politique anti-immigrés des partis nationalistes au sens négatif. Le président du Congrès juif mondial, Israel Singer, a choisi ce même anniversaire de la libération d'Auschwitz-Birkenau pour faire le lien entre la nécessité de nous souvenir de l'Holocauste et « le passé récent du Rwanda, le présent du Soudan et le futur du Nigeria. Les gouvernements, les religions et les institutions d'Europe doivent susciter la volonté de regarder l'histoire en face et l'utiliser pour protéger l'avenir[8] ». Kjell Bondevik, l'ancien Premier ministre norvégien, disait quant à lui : « Je suis très inquiet de la tendance actuelle à la polarisation et à l'extrémisme. C'est lié au problème de l'exclusion, et cela incite souvent à chercher un bouc émissaire. »

Un récent rapport du Département d'État américain estime que le nombre de skinheads en Occident est passé de très peu en 1992 à au moins cinquante mille en 2004. En Russie, les partis nationalistes extrêmes rassemblent presque un quart des suffrages. Ils sont maintenant devenus respectables. Plus de la moitié des Russes interrogés sont d'accord avec l'idée de « Russie aux Russes » et près de la moitié pensent que les juifs ont trop d'influence et que le mouvement populaire dans le Caucase doit être limité [9].

Si on considère le monde entier, on note la même évolution presque partout : un gouvernement plus nationaliste en Corée du Sud ; un gouvernant classiquement nationaliste à Tokyo ; la montée du Parti de l'Indépendance en Grande-Bretagne, qui a obtenu 16 % des voix aux élections européennes de 2004. En Chine, l'interprétation officielle de l'histoire veut que « le peuple chinois ne doive plus jamais être humilié par des agresseurs étrangers. Seule une grande et forte nation garantira la survie de la race chinoise ». L'écrivain Ian Buruma dit que ce patriotisme est « fondé sur un sentiment de victimisation collective » et qu'il « en est venu à remplacer le marxisme-léninisme et la pensée de Mao comme idéologie officielle de la République populaire de Chine » [10]. L'Inde a été continuellement nationaliste de 1947 à aujourd'hui, mais la montée du PBJ, même s'il se trouve désormais dans l'opposition, est un signe que le nationalisme négatif se développe. En Amérique latine, la plupart des études semblent montrer que la moitié environ de la population estime que la démocratie libérale – qui est au service de la globalisation – a été un tel échec qu'elle préfère encore un régime autoritaire [11].

Quant aux États-Unis, l'atmosphère générale semble être, selon l'expression de l'historien Simon Schama, celle d'« une lutte manichéenne entre le bien et le mal, la liberté et la terreur ». Pourquoi une société aussi complexe et riche est-elle tombée dans le simplisme manichéen ? Pour Rorty, c'est parce que la globalisation du marché du travail sans les protections apportées par l'État-providence laisse les Américains « bien plus vulnérables au populisme d'extrême droite que la plupart des pays européens[12] ».

En tout cas, la vision manichéenne représente la façon dont presque tous les officiels américains importants présentent leur conception du monde. Francis Fukuyama, l'un des grands fournisseurs d'idées reçues à Washington, a publié à la hâte en 2004 un pamphlet expliquant qu'il est nécessaire de changer de cap[13]. Il a admis d'emblée que sa position pouvait surprendre : « L'idée que reconstruire l'État, au lieu de le limiter ou de le restreindre, doit être une priorité peut sembler perverse à certaines personnes. » Mais son message est parfaitement logique si on est dans un état d'esprit manichéen. Il faut renforcer les États-nations afin d'apaiser « les sociétés tourmentées par le conflit ou hantées par la guerre », de « couper l'herbe sous le pied du terrorisme », « dans l'espoir que les pays pauvres auront la possibilité de se développer économiquement ». « Ce que les États seuls sont capables de faire, c'est d'agréger et de déployer dans un but précis un pouvoir légitime. Ce pouvoir est nécessaire pour renforcer l'État de droit à l'intérieur, et il l'est aussi pour préserver l'ordre mondial à l'échelon international. » Cette intervention coïncide avec les regrets exprimés récemment par Milton Friedman pour avoir conseillé aux pays sortis du bloc soviétique de « privatiser, privatiser, privatiser ». « J'ai eu tort, a-t-il admis. Il s'avère que l'État de droit est sans doute plus fondamental que la privatisation. »

Le règne de l'idéologie globaliste étant terminé, le message politique dominant adressé par ceux qui la soutenaient est que les choses ont changé. La crise militaire et politique actuelle exige de rétablir l'autorité de l'État-nation. Mais ces gens qui plaidaient pour le déterminisme économique au détriment de la volonté consciente de l'État-nation restent silencieux ou continuent à être critiques quant au rôle positif que l'État-nation peut jouer pour modifier les conditions qui auraient en premier lieu créé la crise d'aujourd'hui. Ils ne disent rien du bien public. Fukuyama, encore lui, sert de guide à cette tentative pour instaurer de nouvelles idées reçues. Et il en appelle au rétablissement énergique de la partie du nationalisme qui devient vite négative si elle ne s'accompagne pas de son complément social, centré sur le bien public, la justice et l'inclusion de tous.

Dans le même temps, en certaines parties du monde, l'islam ne cesse de se radicaliser. Mais dans le reste des civilisations musulmanes complexes – qui constituent la majorité –, les musulmans sont victimes de l'ignorance persistante de la plus grande partie de ce qu'est l'Occident. De même, dès que, dans une université, je tombe sur un programme de culture générale, je demande aux professeurs ce qu'ils enseignent à propos de l'islam ou s'ils enseignent autre chose que le canon gréco-latino-judéo-christo-occidental. Presque toujours, la réponse est : rien. Une petite frange de spécialistes a réagi à cette crise intellectuelle. Mais dans le monde enseignant, je ne vois presque aucune tentative pour comprendre ce que pourrait être cette autre religion et ce que sont ces autres cultures.

Ce dont on ne parle pas nous en apprend beaucoup sur la rapidité avec laquelle le nationalisme négatif est monté. Mais on note aussi divers autres petits signes, la plupart tenant au faux populisme, lequel est au service du nationalisme négatif. Par exemple, dans tout l'Occident, les structures d'opposition sont encore en crise, bien qu'il y ait pleinement matière à s'opposer. Les syndicats sont bloqués par les pesanteurs et les rigidités ; les ONG restent sur la défensive. Et pourtant, la participation aux émissions de radios, aux campagnes de relations publiques, aux sondages se développe, ainsi que le respect pour eux ; tout cela reste, à court terme, fondé sur des réactions très affectives, et il est facile de s'en moquer comme de l'an quarante.

La structure des financements publics dans les démocraties est touchée aussi. Les rentrées fiscales issues des entreprises ne cessent de diminuer. Elles sont organisées pour permettre aux sociétés de minimiser ce qu'elles payent, si toutefois elles payent. La théorie veut que les entreprises investissent ce qu'elles économisent en impôts, ce qui stimulerait la croissance économique pour la société. Pour l'instant, cela n'a fonctionné nulle part. En termes de finances publiques, leur contribution qui fait défaut doit être remplacée par toute une gamme d'impôts cachés, des taxes sur les ventes aux jeux régis par l'État. L'absence croissante de transparence en matière d'impôts a créé une aliénation des citoyens vis-à-vis de leurs structures gouvernementales. Les gouvernements dépensent des dizaines de millions de dollars, d'euros et de livres pour faire de la publicité incitant les faibles revenus à payer des impôts en jouant. Cette réalité est honteuse pour les gouvernés comme pour les gouvernants.

C'est d'autant plus honteux pour les élites gouvernantes que les faibles revenus ont été bloqués un certain temps ou bien chutent. Le salaire moyen américain en 1999 était inférieur de 10 % à son niveau de 1973. La situation est similaire, bien que moins extrême, dans la plupart des pays de l'OCDE. Cela participe de l'énigme du faux populisme qui contribue au nationalisme négatif.

L'un des domaines les moins explorés est celui de l'effet qu'a l'addiction consumériste dans une démocratie solide. Les fascistes croyaient que les sociétés obsédées par le consumérisme leur permettraient de prendre le pouvoir. Cela vaut aussi pour celles qui sont tombées entre les mains de ce que nous appelons les groupes transnationaux. Mussolini : « Quand une activité capitaliste cesse-t-elle d'être un phénomène économique ? Lorsque sa taille la transforme en phénomène social[14]. »

Autre petite observation : Érasme a représenté la

grande force de l'humanisme juste avant la Réforme. En 2004, une édition grand public de sa correspondance a été rééditée en Hollande, où il existe onze mille bibliothèques. Dix ont commandé l'ouvrage. L'atmosphère générale est au faux populisme, lequel nourrit en retour le nationalisme négatif.

Plus important encore, dans cette atmosphère de confusion qui fait le jeu du nationalisme négatif, nous avons vu le retour de l'idée de race, qui définit l'appartenance. Tout se passe comme si le monde était divisé en deux groupes, pas nécessairement organisés géographiquement. Il y a ceux qui sont plus indifférents à la couleur et à la religion que jamais dans la société moderne. Il y a des pays ou des franges de pays qui parviennent aujourd'hui à agir comme si la division en races n'existait pas. Et dans ces pays, des écoles permettent à cette confusion positive de devenir une force créative.

Mais une autre tendance est à l'œuvre – par exemple, la Ligue du Nord, qui exerce le pouvoir, « croit toujours en une Italie *blanche* mythique, qu'elle appelle la Padanie, où l'immigration serait interdite [15] ». L'un des pays les plus ouverts, le Danemark, possède une loi qui interdit aux citoyens de moins de vingt-quatre ans d'épouser un étranger et de vivre sur le territoire. Les pays européens, qui avaient il y a longtemps séparé l'Église et l'État, se mettent soudain à dire que la culture européenne est fille de la Grèce, de Rome et du christianisme. J'ai déjà mentionné les difficultés qu'ils éprouvent à imaginer comment faire de dix-sept millions de musulmans de vrais Européens, même s'ils sont là depuis longtemps – plusieurs générations parfois – et représentent un faible pourcentage de la population totale de l'Europe, qui est de 450 millions de personnes. Les solutions qu'ils se débrouillent pour trouver – comme l'allégement progressif des lois sur l'immigration – se mettent lentement en place, à contrecœur. La citoyenneté inclusive ne suscite guère d'enthousiasme, même si c'est la seule façon de faire que l'idée inclusive d'appartenance puisse fonctionner.

Le problème n'est pas dans les détails. Les uns après les autres, on peut surmonter les obstacles raciaux dans les démocraties. Le problème tient au retour du mythe de la race et de la division raciale. Louise Arbour, après son expérience comme procureur pour les crimes de guerre en ex-Yougoslavie auprès de la Cour pénale internationale, mettait en garde contre « les multiples mythes et légendes, indéniables parce que invérifiables [...] mythes alimentant le discours extrémiste qui ne conduit pas seulement à la guerre, mais aussi au génocide, à l'extermination, à l'assassinat, au viol, à la torture, à l'esclavage, à la déportation et à la persécution sur des bases ethniques, raciales ou religieuses[16] ». Nous nous racontons que tout cela est derrière nous. Mais la Yougoslavie, c'était hier. Et la loi danoise, c'est aujourd'hui, tout comme Gianfranco Fini, tout comme les intellectuels français qui, lorsqu'ils voient une jeune fille islamiste porter un foulard, disent que c'est un voile, tout comme la stigmatisation des musulmans dans des États-Unis en proie à la peur, tout comme la réapparition de la torture, en grande partie fondée sur la peur raciale, tout comme ces écoles islamiques qui confondent islam et différence raciale, tout comme les droits de l'homme bafoués dans les démocraties qui en ont les premières fait des lois. Là-dessous, on retrouve les peurs issues, pendant une bonne part de l'époque moderne, de l'obsession liée à l'idée que la différence humaine est négative.

Robert Cooper souligne à juste titre qu'« aujourd'hui, la primauté de la sphère nationale est évidente dans presque tous les pays. Ce qui maintient les gouvernements au pouvoir, c'est la politique intérieure, pas les relations extérieures[17] ». Le fait que le national prime sur le global nous révèle à quel point nous avons abandonné derrière nous l'idéologie globaliste et avançons à l'aveuglette. Des formes émergent dans l'obscurité. Mais une chose est claire. Pourquoi le national primerait-il sur l'international si les citoyens n'estimaient pas que l'expérience globaliste a échoué et les a égarés ?

Rien d'intrinsèquement négatif dans la prédominance des affaires intérieures. Cependant, le nationalisme négatif en est une conséquence bien réelle, nullement exclusive.

Est-ce si grave ?

Il suffit à quiconque exerce une autorité en Occident de revenir aux années 1990 et à des pays comme le Rwanda, ou de songer à hier au Congo pour constater que des millions de personnes sont mortes dans ces deux pays sans que la civilisation occidentale y prête attention. Comme l'a indiqué le général Dallaire, le commandant des forces des Nations unies au Rwanda, il est difficile de trouver une autre cause à ce silence que le racisme.

S'il fallait une confirmation, il suffit de revenir à l'analyse que Huntington a donnée en 1996 du monde en proie au choc des civilisations. En masse, les disciples de la globalisation ont lu son livre et exprimé leur accord avec son idée que les sociétés sont inspirées et cimentées, non par leur économie, mais par leur culture. Ils ont aujourd'hui compris ce qui est arrivé et pourquoi les choses n'ont pas marché comme ils l'escomptaient. Dans le cas précis des États-Unis, leur survie dépend, selon Huntington, de « la réaffirmation par les Américains de leur identité occidentale [18] ». L'accueil immense que ces idées ont reçu en Occident a révélé à quel point nous sommes dans un vide obscur et confus. Mais il nous apprend aussi à quel point les gens sont effrayés par le désordre croissant de l'ère globaliste, à quel point les grands changements globaux, réputés inévitables, les mettent mal à l'aise. Il y a quelques années encore, on ne jurait que par la fatalité économique. Et soudain, les mêmes personnes ou leurs amis déclarent que c'est la culture spécifique qui est la clé.

Le père Andrea Riccardi, du mouvement Sant'Egidio, n'a pas peur, lui. Il a fait remarquer que Huntington, qui divise les cultures en groupes exclusifs devant en découdre, ne s'est pas soucié d'assigner une civilisation à l'Afrique. D'un coup, on comprend que son raisonnement raffiné en théorie est en fait grossièrement raciste. L'Aga Khan perd encore moins de temps : « Le choc, si toutefois il existe bien une collision civilisationnelle générale, *n'est pas des cultures, mais de l'ignorance*[19]. » En l'occurrence, ce ne peut être de la simple ignorance ; elle doit être volontaire ou issue de la peur.

La manifestation la moins attendue et la plus évidente du nationalisme négatif a été la bonne volonté de Dieu, lequel s'est régulièrement rangé du côté des divers participants à ces chocs nouveaux entre civilisations. Ce retour de la divinité ne peut avoir été voulu par les fidèles du globalisme.

Que ce soit voulu ou non, Dieu a clairement repris son ancien rôle public, quoique non religieux, d'appui politique, prêt à justifier tout ce qu'on veut.

À sa participation de plus en plus lointaine – par ennui peut-être – aux guerres qui font rage, comme en Irlande du Nord, ont succédé des apparitions comme *guest star* dans les massacres partout en Afrique. Il a erré dans les montagnes afghanes avec les talibans et les guérilleros d'Al-Qaïda. Il a brisé des temples et mené des émeutes en Inde. Il a soutenu des campagnes anti-immigrés en Europe. À ses moments perdus, il inspire la rhétorique de ceux qui veulent plus de peines de mort, plus de mariées vierges, plus de drapeaux. Il accompagne les présidents américains, et pour cette raison la plupart des élus américains, dans toutes leurs apparitions publiques. Dans le Discours sur l'état de l'Union de 2003, vingt-deux références religieuses !

C'est dans le style de l'époque. Une série de romans dont Dieu est le héros très actif est aujourd'hui en tête de la liste des best sellers de tous les temps aux États-Unis : douze volumes, quatre-vingt-huit millions d'exemplaires vendus [20]. Presque plus important que Dieu dans ces livres, il y a Satan, qui se reconnaît au fait qu'il parle plusieurs langues, est particulièrement policé et veut unifier le monde. En clair : la position antinationaliste est présentée comme satanique.

Illustration parfaite du modèle manichéen, les États-Unis comme leurs pires ennemis estiment qu'ils ont directement accès au divin. C'est dans ce contexte qu'on peut comprendre la déclaration du secrétaire américain à la Justice, John Ashcroft, en 2004 : si son pays a évité une deuxième attaque depuis le 11-Septembre, c'est parce que le gouvernement a été assisté par « la main de la Providence ». Dieu est avec nous ; donc nous sommes les meilleurs [21] ! Dans la plus grande partie du monde, le Dieu politique revient – en Afrique, en Amérique du Sud, en Asie du Sud-Est.

Il faut cependant dire aussi que, dans beaucoup de pays, Dieu adopte une voix très différente. On peut l'entendre parler à travers les gens qui organisent les bidonvilles de Bangkok ou de Nairobi. Ces personnes sont souvent à l'initiative d'hôpitaux et d'écoles. Elles parlent pour le Dieu qui n'a jamais disparu – la force de l'amour qui travaille au bien commun, divinité très différente de celle qui conduit des armées au nom de nécessités politiques.

Rien de neuf dans le Dieu politique qui soutient désormais activement la cause nationaliste. Il a été très actif durant la période postnapoléonienne. Dans la première moitié du XIXe siècle, le tsar russe Alexandre Ier a été en contact direct avec lui et il a reçu de lui ses instructions pour faire pencher la plupart des réformes politiques et sociales en faveur de l'autorité monarchique. Dieu l'a convaincu d'agir comme il l'a fait parce que ses ennemis étaient inspirés par le « génie du mal [22] ».

C'est pourtant une voix assez différente qu'ont entendue certains rois. En 1598, Henri IV a signé l'édit de Nantes pour tenter de régler l'opposition catholiques/protestants. Il voulait « ôter la cause du mal et troubles qui peut advenir sur le fait de la religion qui est toujours le plus glissant et pénétrant de tous les autres ». Le but de cet édit était d'écarter la religion, et Dieu avec elle, du débat politique. Lorsqu'il a été révoqué quatre-vingts ans plus tard, Dieu est réapparu en politique et a suscité une incertitude destructrice. Il semble bien en effet que, dès qu'il s'agit de politique, les contributions divines soient plutôt négatives.

CHAPITRE XXVI

La normalisation des guerres irrégulières

Entre le nationalisme négatif et le nationalisme positif, il y a la guerre, toujours possible. Sa présence nous en apprend beaucoup sur l'état de toute idéologie et sur les lieux où l'on pourrait lui tenir tête. L'une des ultimes mesures de l'état dans lequel se trouve un système, ce sont les conflits.

Les questions qu'on pourrait se poser aujourd'hui sont étonnamment simples. Sommes-nous réellement en guerre ? Si c'est le cas, avons-nous bien identifié la nature du conflit ? Quel en est le but ?

Les réponses à ces questions devraient nous éclairer sur le fait de savoir si cette guerre était inévitable, si elle est le produit de l'échec de la globalisation et de la confusion qui règne à la faveur du vide durable dans lequel nous nous trouvons, ou bien s'il y a des deux. Enfin, si nous pouvions répondre à ces questions, nous pourrions commencer à comprendre comment mieux faire face à ce conflit afin qu'il n'engendre pas davantage de violence.

Après tout, l'histoire est remplie de guerres accidentelles mal conduites ou de victoires brutales qui confirment les préjugés et les plaintes des perdants. Dans les deux cas, la paix est source d'amertume et d'autres conflits.

Ces derniers temps, les Occidentaux ne savent pas bien s'ils sont vraiment en guerre, parce que leur conception du conflit grave n'a guère changé depuis 1945. D'un autre côté, les conflits eux-mêmes ont évolué depuis les premiers temps des empires occidentaux. Si on regarde en arrière, on peut voir que l'importance aujourd'hui des guerres non régulières n'est pas un accident. Toute l'évolution des conflits sur deux siècles tend vers la confusion actuelle. Au niveau le plus visible, les grandes armées formelles n'en sont pas moins entrées en conflit jusqu'à ce que leurs rapports de force soient clairs. Mais même au sein de ces forces armées, le vainqueur est en général celui qui a agi de façon flexible et parfois irrégulière.

Les armées formelles mises à part, les guerres irrégulières ont connu une expansion bien réelle. Comme les grosses armées deviennent toujours plus invincibles dans les combats déclarés, du fait de leur équipement remarquable, ceux qui sont plus petits ou trop petits et trop pauvres pour posséder le même équipement restent dans l'ombre afin d'attaquer de façon irrégulière et inattendue. La guerre moderne n'a donc pas lieu entre deux États-nations qui se valent à peu près. De grands États n'en défont pas des petits sur le champ de bataille. Des faibles – qu'elles fassent partie ou non d'un État-nation – apprennent à combattre les forts. Cela peut exiger d'ignorer d'importantes questions éthiques, mais l'histoire de la guerre est riche en armées formelles ayant fait de même. Le comportement non éthique n'est pas propre à une forme particulière de guerre. Considérer la guerre non régulière comme si elle était non éthique, c'est s'empêcher de la comprendre.

La majorité des 40 millions de morts depuis 1945, dont les 22 millions de tués depuis 1970, n'ont pas péri dans des batailles formelles, mais dans des guerres irrégulières et leurs conséquences.

Depuis les années 1960, un aspect particulier de la guerre irrégulière – le terrorisme – a fleuri en Occident. Plus de huit cents personnes ont déjà disparu en Espagne du fait des terroristes basques. Le mythe de la bande à Baader divise encore l'Allemagne. Plusieurs milliers de morts en Irlande. Rien qu'en 1978, 2 498 attentats terroristes en Italie. Oklahoma City en 1995 : 165 morts, 850 blessés. De 1968 à 2000, 14 000 attentats terroristes dans le monde, pour 10 000 morts. Aux États-Unis, de 1980 à 1990, 457 attentats terroristes, principalement par des Américains sur des Américains.

Ce sont des chiffres très faibles, et bien des régions ne sont ni comptabilisées ni analysées.

Tout cela vient en droite ligne des premiers attentats anarchistes du XIXe siècle. L'année 1881 a marqué leur premier vrai succès, de type moderne, lorsque le tsar Alexandre II a été assassiné.

Sommes-nous en guerre ? Depuis des décennies, on dénombre bien 5 000 attentats terroristes chaque année. Encore le terrorisme ne forme-t-il qu'une petite branche de la guerre non régulière, qui comprend les guérillas, les guerres asymétriques, les insurrections, les répressions, l'espionnage, la résistance, les guerres de libération, les guerres dans la jungle, les armées secrètes, les opérations spéciales. Tout cela combiné, plus le traditionnel choc militaire occasionnel entre deux armées régulières, produit la statistique très vague de deux mille morts liées à la guerre par jour.

Alors, oui, nous sommes en guerre, mais cela ne veut pas dire qu'il existe un ennemi particulier. Selon le ministre britannique des Affaires étrangères, Jack Straw, seuls 10 % des 120 guerres des années 1990 ont opposé des États[1]. Pour l'instant, j'ai donné des exemples occidentaux de ces conflits, mais le même phénomène se rencontre au Népal, en Indonésie, au Sri Lanka, en Inde, au Mexique, dans une bonne partie de l'Amérique latine, en Tchétchénie, etc. Certains pays sont musulmans, mais ils ne représentent nullement la majorité. Et même parmi les conflits qui impliquent des musulmans, les causes sont multiples.

Ils ne forment pas une structure, sauf peut-être en ce que la tendance est aux guerres des *outsiders* contre les puissants. Cela ne veut pas dire que tous les *outsiders* souffrent ou sont vertueux. Certains sont des monstres, et leur cause est monstrueuse. D'autres représentent des minorités. Les guerres non régulières, estiment-ils, constituent leur seule possibilité d'expression publique. D'autres encore se trouvent entre les deux. Dans certains cas, la cause est bonne, mais le dirigeant ne fait que l'exploiter à son profit.

Où est le lien entre tout cela ? La méthode, peut-être. Hors de l'Occident, on pourrait dire que la réaction au pouvoir établi se répand. Quel pouvoir ? Sans doute une prolongation des intérêts occidentaux, reformulés après l'effondrement de leurs empires sous forme de théories abstraites portant sur la gestion administrative, le développement et l'économie. La structure de pouvoir visée en l'occurrence est l'aptitude de l'Occident à préserver son influence en projetant un mode de vie et la méthode nécessaire pour l'assurer.

En tout cas, la plus grande surprise tient aux difficultés que les institutions militaires occidentales éprouvent à s'ajuster à cette normalisation nouvelle et pourtant évidente de l'irrégulier. Elles tiennent absolument à déployer toute leur machinerie contre des pays et à vaincre des ennemis qui ne peuvent même pas faire décoller un avion de chasse. Une fois la guerre facile arrivée à son terme, les forces non régulières locales se manifestent telles des ombres, et la vraie guerre – la guerre non régulière – commence.

Le général Michael Rose, qui a commandé les forces spéciales britanniques avant de diriger celles des

Nations unies en Bosnie, a résumé ainsi la situation : « Il faut de toute urgence remplacer la conception clausewitzienne de la guerre, qui sous-tend la stratégie militaire américaine et britannique, par la guerre contre-révolutionnaire[2]. » Il est assez déprimant de constater que c'est précisément ce que le général français Gambiez disait, il y a un demi-siècle, à propos des Britanniques pendant la guerre des Boers en Afrique du Sud : « Les Boers, qui n'ont pas lu Clausewitz, ont essayé toutes les méthodes indirectes. » Et les Britanniques, qui l'avaient lu, ont presque toujours perdu contre eux. Pourtant, le but de ce type de guerre était assez clair à l'époque et il l'est parfaitement aujourd'hui. Il est de déstabiliser l'ennemi à un point tel qu'il commette des folies, afin de créer encore plus d'ennemis et ainsi de déstabiliser le régime. Mahathir Mohamad s'est moqué de l'amateurisme avec lequel l'Occident s'est laissé prendre dans ce piège : « Nous vivons aujourd'hui dans la peur. C'est vrai de chacun de nous. Nous craignons les terroristes, et ceux-ci, ainsi que leurs partisans réels ou supposés, nous redoutent. Nous avons peur de prendre l'avion. Nous avons peur d'aller en voyage dans certains pays, nous avons peur des boîtes de nuit, nous avons peur des lettres, des paquets et des containers. Nous avons peur de la poudre blanche, des chaussures, des musulmans, des canifs, des couteaux, etc. Eux, de leur côté, ont peur des sanctions, de la famine, des pénuries de médicaments. Ils ont peur d'une invasion militaire, d'être frappés par des bombes et des missiles, d'être capturés et détenus[3]. »

L'incapacité des démocraties industrialisées à imaginer cette autre forme de guerre, irrégulière, est évidente. Pendant des années, les divers gouvernements occidentaux ont déclaré la guerre aux drogues. Aucune de ces campagnes n'a eu d'effet, parce que le trafic de drogue est fondé sur les mêmes principes stratégiques que la guerre non régulière. Il n'y a pas de structure réelle à attaquer. On peut passer une année à travailler à découvrir comment mettre au jour et détruire une cellule de trafiquants. Mais il suffira d'un seul jour aux trafiquants pour la recréer. Aujourd'hui, à la place de la drogue, les gouvernements occidentaux déclarent la guerre au terrorisme. Les terroristes sont ravis. C'est exactement ce qu'ils veulent – inciter de grandes organisations structurées et établies à les traiter comme s'ils étaient aussi importants et aussi lents.

En d'autres termes, il est difficile de suivre à la trace le but de telles guerres. Repensons à celle des Britanniques contre le mahdi Muhammad Ahmad ibn 'Abd Allàh, qui a commencé avec le désir de Londres de déposer les régimes d'Égypte et du Soudan en 1874. Cela a produit une guérilla menée par un chef messianique, le mahdi. Il a réussi à déclencher un soulèvement en 1884 et a pris Khartoum l'année suivante, tuant le célèbre général anglais Gordon, star des médias d'alors. Comme beaucoup le désiraient, les Britanniques ont estimé qu'ils ne pouvaient abandonner. Leur prestige était en jeu. Et ils n'appréciaient guère le fanatisme religieux mahdiste. Toute l'affaire a traîné jusqu'en 1898 et à la bataille d'Omdurman, où est intervenue la célèbre charge de cavalerie à laquelle le jeune Winston Churchill a pris part. Résultat : quelques pertes britanniques et un massacre dans l'autre camp. Il a fallu dix-sept ans pour en arriver là, mais en un seul jour, tout a été terminé ; de même, la rivalité avec Saddam Hussein a duré des années et puis, sans presque d'opposition militaire, ça s'est arrêté brusquement.

Sauf que la rivalité ne s'est pas vraiment arrêtée, elle. Au Soudan, cela a fait naître de grandes attentes. Omdurman n'a pas marqué la fin, mais le début du nationalisme arabe et islamique moderne : à savoir le rêve, dans les nations islamiques, de ne plus dépendre des nations occidentales. Cette bataille a aussi conduit les Occidentaux à toujours se retrouver du mauvais côté de l'islam. Le succès, dans ce genre de conflits, ressemble souvent à un échec.

Autre exemple : la guerre de Crimée, dans les années 1850. Elle est souvent présentée comme une tragicomédie, à travers ses généraux très particuliers et la charge de la Brigade légère. Mais le point central est ailleurs. Il est lié à l'alliance de quatre pays formalisée après la défaite de Napoléon, quarante ans auparavant. Soudain, avec la guerre de Crimée, la Grande-Bretagne s'est alliée à la France, et, tout aussi brutalement, les trois autres se sont sentis libérés. La guerre n'a pas mis un terme technique à leur alliance, mais un terme bien réel. La Grande-Bretagne, la Russie, l'Autriche et la Prusse étaient restées ensemble pendant tout ce temps, même si les Britanniques trouvaient les autres trop conservateurs et les autres estimaient les Britanniques trop libéraux.

Cette libération presque accidentelle a incité chaque pays à réexaminer ses ambitions. Ce n'est pas alors qu'ils ont choisi de devenir ennemis. Ils ont tout bonnement découvert le plaisir d'avoir un carnet de bal vierge. Ainsi a commencé une période nationaliste agitée qui a duré jusqu'à la Première Guerre mondiale.

La foule de réunions politiques et diplomatiques qui ont conduit à la guerre d'Irak en 2003 et qui ont continué ensuite jusqu'à aujourd'hui, comme si les implications stratégiques ne passaient jamais, sont toutes des répétitions virtuelles des années 1850. Comme pour le pacte postnapoléonien, des nations qui avaient pensé pendant quarante ans devoir agir d'une certaine manière sur la scène internationale et l'avaient fait ensemble se sont demandé s'il n'existait pas d'autres manières de faire et avec d'autres peuples. En pleine discussion en Occident, Pascal Lamy, alors commissaire européen au commerce, s'est jeté dans la bagarre : « Arrêtons de prétendre que les États-Unis et l'Europe ont une vision commune du monde ; admettons que nous avons des visions du monde et des intérêts différents, et gérons nos relations en fonction de cela[4]. »

Comme pour les ex-alliés de la Grande-Bretagne après

la guerre de Crimée, la tâche a consisté à découvrir si on partageait une cause commune avec ses anciens alliés. Depuis le 11-Septembre, bien avant l'invasion de l'Irak menée par les Américains, Condoleezza Rice, alors conseillère à la sécurité nationale, avait clairement dit que le peuple américain s'allierait selon sa propre logique : « Le président des États-Unis n'a pas été élu pour signer des traités qui ne vont pas dans le sens des intérêts américains. » Les autres alliés ont donc de plus en plus laissé parler leurs propres intérêts. Même les Britanniques, si étroitement liés à Washington à propos de l'Irak, ont eu à cœur d'adopter d'autres positions sur le développement d'une force de réaction européenne rapide, le réchauffement global et la Cour pénale internationale.

Washington n'a jamais été aussi puissant ; et pourtant, d'autres démocraties ne se sont jamais senties aussi libres de décider depuis la fin de la dernière guerre mondiale. Ce paradoxe est clairement apparu en 2005, lorsque Washington a nommé John Bolton ambassadeur aux Nations unies – institution multilatérale en échec, sans doute, mais toujours clé. Bolton est bien connu pour son opposition à cette organisation et pour sa foi dans l'unilatéralisme, qui est une autre façon d'appeler le nationalisme d'hier. Cette nomination a été suivie par celle de Paul Wolfowitz en remplacement de James Wolfensohn à la tête de la Banque mondiale. Il y a été placé sans concertation avec les autres membres clés de la Banque. Le point clé ici n'est pas de savoir s'il effectuera un bon travail, mais la vision nationaliste qu'a Washington des affaires multilatérales.

À la question des buts des guerres non régulières les plus récentes, la réponse du côté des non-réguliers est : déstabiliser l'Occident, créer dans ces sociétés une peur et une incertitude chroniques jusqu'à ce qu'elles commencent à restreindre les droits individuels garantis par le droit et à décourager le débat au motif qu'il n'est pas patriotique. Une vieille comédie musicale le disait bien :

> Ils le cherchent ici,
> Ils le cherchent là,
> Les Français le cherchent partout.
> Est-il au ciel ou en enfer,
> Ce satané mouron si fuyant[5] ?

Dans l'autre camp, le but doit être très clair. Le conservateur autoritaire athénien Xénophon l'a parfaitement exprimé. « La violence, en rendant ses victimes sensibles à ce qu'ils ont perdu, suscite leur haine ; mais la persuasion, par laquelle on donne l'impression d'accorder une faveur, gagne la bonne volonté de celui qu'on persuade[6]. » Le but doit être de changer le contexte, de passer de la haine à la bonne volonté.

Aux yeux des combattants non réguliers, de nombreuses causes de guerre sont tristement évidentes. Nous pouvons aligner des noms de dictateurs et leur en imputer la faute ; nous pouvons aussi voir les choses de plus haut et établir un lien entre la montée des guerres non régulières et la logique colonialiste du siècle dernier. Les fusils automatiques qui ont fauché les combattants madhistes à Omdurman expliquent que les plus faibles aient commencé à attaquer autrement l'Occident, si riche en haute technologie. La longue histoire des démêlés de l'Occident avec le commerce du pétrole a marqué chaque moment de l'évolution globale au siècle dernier, déformant, comme seule peut le faire une matière première stratégique, ce que les gens normaux auraient voulu faire.

Depuis le 11-Septembre, une polémique stérile fait rage : on oppose les *causes profondes* du terrorisme aux chefs fortunés des groupes terroristes. L'argument stipule qu'on ne peut considérer les guerres non régulières comme une expression sérieuse de la pauvreté ou de l'exclusion si ses chefs sont aisés et ont fait des études.

Mais il n'y a rien là d'étonnant. Tous les types de chefs se trouvent des causes, et vice versa. Dès le début, les guerres non régulières ont été imaginées par les classes moyennes ou moyennes supérieures. C'est central à leur nature. Repensons aux anarchistes du XIXe siècle ou aux dizaines de mouvements d'indépendance coloniale. Les guerres non régulières vont du courage à la monstruosité, mais elles sont presque toujours sophistiquées.

Le globalisme, lui, ne l'a guère été dans les pays développés. C'est une idéologie qui a fait plonger des régions troublées du monde dans un quart de siècle de mécanismes économiques vagues et usés, de théories monétaristes abstraites et de technocratie bidon au détriment de l'humanisme. Dans certains cas, cela a effectivement marché et la population va mieux. Mais même alors, cette prospérité peut diviser la société dans laquelle elle est apparue. Parfois, c'est même la société tout entière qu'elle déstabilise. Ce n'est pas étonnant. La plupart des pays occidentaux ont connu l'instabilité et la violence au moment de leur industrialisation. Mais parfois, cet intérim a duré un demi-siècle et a coûté des millions de vies.

Les questions sociales et économiques que tout cela pose sont compliquées. Les implications militaires, elles, sont assez simples. Dans le contexte moderne, appliquée aux pays développés, cette approche économique a été un cadeau généreux ou une provocation pour tous les groupes disposés à se lancer dans une guerre non régulière.

Parfois, les motifs d'incompréhension sont très profonds, même en Occident. Par exemple, en 1961, Robert McNamara, alors secrétaire à la Défense, s'est rendu à une réunion de l'OTAN pour présenter la décision de Washington : la stratégie nucléaire devait passer de la réponse massive à la réponse graduée. La réponse massive relevait du tout ou rien. Or les États-Unis voulaient développer des armes nucléaires de toutes tailles afin de pouvoir réellement les utiliser. McNamara estimait que cela rendrait la guerre nucléaire rationnelle. Les Européens – en particulier les Allemands – n'étaient pas du tout d'accord. L'échiquier rationnel de cette guerre nucléaire, c'était leur terre. À ce moment de l'histoire, l'Allemagne de l'Ouest dépendait tant de la protection américaine qu'elle s'en remettait à la France pour parler au nom des pays européens.

Résultat : une poussée soudaine de divers nationalismes. La France a fini par quitter presque complètement l'OTAN, entre autres pour cette raison. D'autres coalitions plus réduites, plus informelles, ont été créées, et elles se sont souvent opposées à la politique américaine. Le développement de l'Union européenne a avancé, plus conscient de ses besoins et de ses intérêts.

Fait assez intéressant, le penseur clé et l'inspirateur de la réaction graduée fut Albert Wohlstetter, qui fut aussi l'une des deux figures tutélaires – avec Allan Bloom – pour les membres du cabinet et les conseillers qui, après la première élection de Bush en 2000, ont créé la stratégie de réarmement sans précédent de Washington. Ces deux stratégies, séparées par quarante années, se ressemblent. Elles impliquent toutes deux un système de croyance binaire fort. Premièrement, on trouve la conviction que l'armement de haute technologie prendra le pas sur toutes les autres stratégies militaires. Deuxièmement, on note une heureuse coïncidence, peut-être inspirée par Dieu : les milliards de dollars dépensés pour cet armement de haute technologie rendront très riche un groupe bien précis de gens. Et en retour, ils soutiendront les élus qui défendent cette stratégie.

Au début des années 1960, la décision par les États-Unis et la France, suivis par la Grande-Bretagne, puis par l'Union soviétique, de convertir la production d'armes en industrie fortement exportatrice a créé un terrain favorable pour la violence et l'insécurité apparues depuis lors. Cette industrie a connu une pause après 1989, mais à la fin du XXe siècle, la production a commencé à remonter avec une certaine urgence. En 2003, le monde a officiellement dépensé un million de milliards de dollars en armements, la moitié provenant des États-Unis.

Quand on pense à la normalisation des guerres non régulières ces dernières décennies, il est important de garder cette inflation internationale des armements présente à l'esprit. Ajoutons-y la chute de la croissance en Afrique pendant la période de la globalisation. La mauvaise gestion de la dette du tiers-monde. Et une multitude de problèmes non résolus dans des pays souvent bâtis à l'intérieur de frontières conformes aux seuls intérêts coloniaux.

Cela s'est globalement traduit par le développement intense des guerres irrégulières, si intense même qu'il est aujourd'hui la donnée stratégique dominante. Dans le même temps, les forces occidentales s'arment et s'entraînent toujours pour charger dans les plaines de Pologne. Il est fascinant de voir combien on a peu réfléchi à la stratégie adaptée à la guerre non régulière. On a encore moins envisagé ce que cela signifie, si c'est aujourd'hui le type dominant de conflit. L'atmosphère globale grandiose propre à la globalisation a sans doute contribué à détourner de réfléchir sérieusement à un type de guerre qui est dangereuse précisément parce qu'elle n'est pas grandiose et globale, et qu'elle ne fait pas appel à la haute technologie. Elle est locale et faite maison.

Que faire avec les guerres irrégulières, alors ? Ce n'est pas particulièrement mystérieux. Seuls les idéologues les plus délirants ne croient pas qu'on doive se concentrer sur les réalités du désordre social et de la pauvreté. Ce fut la solution au problème du gin à l'époque de la révolution industrielle britannique, lorsque les structures communautaires et familiales se sont écroulées dans les nouveaux taudis ouvriers en proie à l'alcoolisme [7]. Ce fut la solution à la violence sociale si présente en Amérique du Nord et en Europe à la fin du XIXe siècle.

En se concentrant sur le bien public, les gouvernements ont pu bâtir des sociétés bien moins divisées et bien moins violentes.

Sur le versant militaire, une bonne partie de la solution, semble-t-il, est liée à la rapidité d'intervention. Les démocraties industrialisées n'ont pas du tout bougé au Rwanda, très lentement en Bosnie, assez rapidement au Kosovo et maintenant, une fois encore, extrêmement lentement au Darfour. Si une force internationale peut se projeter rapidement, des vies sont sauvées.

Depuis l'invention par le Canada de l'idée de maintien de la paix en 1957 pour résoudre la crise de Suez, les armées de ce type ont petit à petit délaissé leur rôle passif au début, séparant les belligérants, pour adopter un rôle plus sophistiqué d'apaisement, d'encadrement militaire, de reconstruction et de combat si nécessaire. C'est cette forme de gestion des guerres non régulières, il faut qu'un nombre important de gens le comprennent, qui explique à quel point la guerre est devenue quelque chose qu'un soldat classique ne reconnaîtrait pas instantanément. C'est l'un des domaines clés dans lequel se joue la transition de la globalisation vers autre chose, via le vide.

C'est sur ces champs de bataille du désordre social que les tensions inhérentes à notre système en échec sont les plus évidentes. Pour le moment, ce que nous savons, c'est que les événements du début du XXIe siècle ont attisé le nationalisme négatif comme positif. Nous avons vu comment quelques erreurs ou quelques moments d'inattention peuvent donner ce qu'ils veulent aux terroristes et comment, si les gouvernements occidentaux ne sont pas vigilants, le monde pourrait assister au sinistre et violent retour des cycles de guerres nationalistes non régulières qu'il a connus au XIXe siècle, les hautes technologies d'aujourd'hui venant remplacer la canonnière de Joseph Conrad tirant à l'aveugle dans la jungle.

Il y a dix ans, on croyait encore que la globalisation

permettrait de sortir de la pauvreté. C'était l'un des attendus du développement du commerce international. Ces quatre dernières années, même les plus convaincus ont été obligés de remarquer le retour des guerres liées à la pauvreté, à l'aliénation, au mauvais fonctionnement de certains États-nations et à des dirigeants catastrophiques.

La survenue de guerres non régulières, qui domine notre vie, constitue une indication très claire que l'idée de globalisation n'a pas marché. Après quelques années d'agonie, les fidèles intelligents de la globalisation se penchent désormais sur le milliard au moins de gens très pauvres et sur les problèmes qu'il faut prendre à bras-le-corps si on ne veut pas que le monde redevienne un univers fermé, traversé de frontières négatives et en proie à toujours plus de guerres. Quand d'autres reviendront sur tout cela dans quelques années, il se pourrait qu'ils émettent des commentaires historiques déplaisants sur notre manque d'imagination et de finesse. Ils pourraient aussi souligner qu'il a fallu la normalisation de la guerre pour que nous résolvions des problèmes aussi simples que celui de la dette du tiers-monde.

CHAPITRE XXVII

Le nationalisme positif

Nous sommes pris dans un jeu humain qui n'est pas près de s'achever.

Par certains côtés, la situation est pire que nous ne voulons bien l'admettre. Les signes de nationalisme négatif nous cernent de toutes parts, chez chacun de nous ; et pourtant, nous prenons bien garde à n'y voir que du coup par coup, afin d'éviter d'avoir le sentiment d'une évolution générale. Nous minimisons en imagination les niveaux de violence organisée de par le monde. Comment ? En suivant les recommandations de Huntington. Nous ne comptons réellement que nos propres morts ou du moins ceux dont il estimait qu'ils appartenaient à notre civilisation.

Quant à l'instabilité profonde des marchés financiers, à la soudaine nécessité pour les classes moyennes occidentales de disposer de deux revenus par foyer, aux incertitudes qui entourent les rentrées fiscales, la façon de définir ce qu'est un bien commercial ou comment préserver la concurrence réelle, aux mastodontes transnationaux qui jouent de leur poids pour contrôler les marchés – tout cela flotte autour de nous comme autant de bulles microscopiques. On ne fait jamais le lien, ce qui permettrait d'évaluer si l'idéologie régnante et ses élites ont bien ou mal fait.

La réponse à la question de savoir ce qu'il en est, nous la connaissons bien, du fait de nos expériences, de nos observations et de nos intuitions personnelles. Mais un faux air de complicité avec la façon dont nos sociétés sont dirigées est entretenu par les gestionnaires agités, les marchés en ébullition, les propos rassurants des spécialistes et les flots d'informations désordonnés qu'on nous déverse. Non seulement nous savons, mais le désordre lui-même nous rassure, puisque nous ne sommes plus victimisés ou sauvés par une certitude monolithique.

Au moins cette confusion est-elle entourée d'une certaine réalité humaine. Nous avons l'habitude de trouver notre voie à travers une telle obscurité.

Au niveau le plus élémentaire de la connaissance sociale, nous savons que la globalisation – annoncée, promise et déclarée inévitable dans les années 1970, 1980 et 1990 – a tourné court. Des bribes restent. D'autres se sont effondrées ou s'effondrent. Certaines sont bloquées. Et un flot d'autres forces sont entrées en jeu, qui nous tirent dans une multitude de directions.

Beaucoup de commentateurs professionnels ou de hauts responsables des questions économiques, utilisant leur terminologie, s'efforcent de se colleter avec ce qui se passe. C'est ainsi que la Chine et l'Inde sont présentées comme des *success stories* de la globalisation, alors que leur situation reflète en réalité une théorie très différente de la façon dont fonctionne le monde. Les économistes qui ont lié leur carrière à la vérité globaliste sont très protégés de la réalité par leur tendance à surtout parler entre eux, et ce, dans des dialectes à l'épreuve des balles qui contraignent ce qui se passe à rentrer dans le cadre de leurs méthodes étroites d'analyse. Ils restent donc persuadés que tout est affaire de définitions, d'ajustements techniques ou d'ouverture des marchés.

Bien sûr, les universitaires doivent se préoccuper de définitions. Et beaucoup reste à faire en termes d'ajustements ou de marché. Toutefois, les défis centraux sont ailleurs. Il faut comprendre ce qui se joue aujourd'hui et quels sont nos choix.

Pitt le Jeune a dit un jour que l'excuse pour toutes les tyrannies, c'était la nécessité. Autre façon de nommer l'inévitable. L'inévitable vire à la tyrannie, qu'il soit militaire, politique ou économique. Aujourd'hui au contraire, l'idée de choix est de retour. Elle est pour beaucoup liée à l'idée de pouvoir national. Et à la réalité démocratique du choix. Pour les citoyens. Pour les pays. Pour les coalitions de pays. Et avec le choix va de pair toute l'incertitude qui provoque la peur chez certains et libère les énergies et l'imagination des autres.

Qu'est-ce que le nationalisme positif ? C'est premièrement avoir foi en la tension positive créée par l'incertitude et en l'importance du choix. C'est ne pas être marié avec des absolus étriqués. C'est douter en particulier des réponses générales apportées aux questions pratiques. Ainsi, la conviction selon laquelle la vision liée au marché doit primer sur toute autre considération – qu'elle soit marxiste ou néolibérale – est de peu d'intérêt. L'utilitarisme est une méthode à utiliser avec autant de variations et de complexité que l'exige la réalité. Par-dessus tout, il est fait pour servir, pas pour qu'on lui voue un culte.

Les citoyens se sentent à l'aise avec cette complexité parce qu'ils sont ancrés dans une vision fondamentale d'eux-mêmes et d'autrui qui participe d'un engagement civique. Ce nationalisme civique ou positif a traversé l'histoire. Chaque époque le réinvente. Mais les liens entre l'idée qu'avait Cicéron de la République romaine, l'image de quarante mètres de long qu'Ambrogio Lorenzetti a donnée au XIVe siècle du *bon gouvernement* à l'hôtel de ville de Sienne, l'application par Adam Smith des sentiments moraux du XVIIIe siècle, la démocratie au XIXe siècle selon Alexis de Tocqueville et l'humanisme du XXe d'après Richard Rorty sont très étroits [1]. Et il y a des équivalences entre les *Discours et conversations* de Confucius et le Coran, pour ne mentionner que ces deux approches non occidentales.

Smith est parfaitement clair quant aux priorités pour le bon citoyen : « L'homme sage et vertueux est toujours prêt à ce que son intérêt privé soit sacrifié à l'intérêt public de l'ordre ou de la société auxquels il appartient en particulier. Il est toujours prêt aussi à ce que l'intérêt de cet ordre ou de cette société soit sacrifié à l'intérêt plus grand de l'État ou du souverain. » Tocqueville l'est tout autant quant à la façon dont la démocratie et le choix se développent – non pas par utilitarisme ou pour le commerce : « La poésie, l'éloquence et la mémoire, les grâces de l'esprit, le feu de l'imagination, la profondeur de la pensée et tous les dons que le Ciel répand au hasard ont tourné à l'avantage de la démocratie. » Tout cela cadre avec le sens commun de Rorty : « Le pays de rêve doit être un pays dont on puisse imaginer qu'il a été bâti, au fil du temps, par la main des hommes. »

Ce que nous avons vu ces dernières années, c'est le désir renouvelé et croissant de bâtir nos sociétés à tous les niveaux de nos propres mains – c'est-à-dire de trouver comment être impliqués. C'est ce que Bernard Kouchner voulait dire quand il disait que Médecins sans frontières était né de la volonté de jeunes médecins de ne pas rester passifs. De même pour le mouvement des ONG en particulier.

En un sens, bien qu'elles soient souvent internationales, elles ressemblent aux mouvements sociaux et politiques du XIXe siècle et du début du XXe. Elles sont liées à une autre tendance née de l'échec de la globalisation. Beaucoup de gens veulent être ouverts à l'international, mais ils veulent vivre dans leur communauté.

Ou plutôt, ils y vivent bel et bien. Ils veulent que leur civilisation reflète cette réalité et repose dessus. Ils ne veulent pas qu'elle soit considérée comme récalcitrante ou comme un accident.

Ils ont traversé une période au cours de laquelle les élites étaient obsédées par les théories abstraites sur la façon dont devait fonctionner l'économie au niveau global. On en déduisait que les citoyens étaient les premiers sujets de ces théories et devaient faire de leur mieux pour s'y adapter. Nos décideurs étaient incapables de penser en partant de la vie réelle des citoyens réels. Quand ils se heurtaient à de la résistance populaire, ils étaient portés à attendre ou bien à concéder des bagatelles, des distractions.

Le mépris des théoriciens pour la réalité humaine a été ahurissant. Périodiquement, on en revoit une bouffée, la plupart du temps dans l'utilisation du sport comme substitut à la participation civique. Mais même là, comme le montre Franklin Foer dans son analyse du football, de l'argent et du nationalisme, ce type de manipulation tourne court, parce qu'elle provoque du nationalisme négatif ou parce que le public se détourne progressivement de l'aspect commercial global de ce sport[2].

Le désir qu'éprouvent beaucoup de gens de réorganiser leur vie autour de la réalité de là où ils vivent est central dans le retour du nationalisme. Le prince Hassan de Jordanie a maintes fois soutenu que la clé de la démocratie musulmane, c'est une approche très décentralisée. La tradition musulmane est fondée sur la communauté. Une démocratie saine doit provenir de la communauté. Or leurs élites, toujours très influencées par les approches occidentales du XXe siècle, continuent de centraliser. Le modèle occidental a un temps tourné autour de la conception managériale du pouvoir, et cela exige de la centralisation. Mais le pluralisme civique a toujours été aussi central pour l'islam que fondamental pour les traditions occidentales.

Le globalisme a visé à dégraisser l'expérience humaine, ce qui empêche la démocratie de traiter des réalités individuelles de façon constructive. Les institutions internationales comme la Banque mondiale se sont réformées, mais elles recherchent toujours de grandes solutions à tout faire.

Si on considère notre histoire, on constate que les changements qui ont le plus apporté ont le plus souvent été locaux. L'enseignement public, l'école obligatoire, l'eau potable, les systèmes d'évacuation des eaux usées, les lois sur le travail des enfants, les salaires plus élevés pour les adultes – tout cela, et plus encore, est fondamentalement local et parfois national. Ce sont les fondements du bien-être des classes moyennes.

On peut aujourd'hui voir une partie de cette conception humaniste de l'appartenance commencer à réémerger à mesure que la grande marée globaliste recule. Je me souviens d'avoir eu l'occasion d'entendre en 2003, à Chicago, une remarquable nouvelle personnalité publique américaine, un an avant son élection au Sénat. Barack Obama avait déjà une idée sereine et claire de la façon dont fonctionnait une communauté et il estimait que c'était le cadre général qui devait s'y ajuster. Au fur et à mesure qu'il a avancé sur la scène nationale, il a continué à indiquer qu'« au lieu d'avoir un ensemble de politiques qui arment les gens pour la globalisation de l'économie, nous avons des politiques qui accélèrent les tendances les plus destructrices de l'économie globale [3] ». En cela, il reprenait Adam Smith : « Cette disposition à admirer les riches et les puissants, et presque à leur vouer un culte, et à mépriser ou du moins à négliger les personnes de condition pauvre et humble [...] est, en même temps, la cause majeure et la plus universelle de la corruption de nos sentiments moraux. »

Ce qui a changé, c'est que le message d'un Obama est de plus en plus courant dans le monde. L'obsession des Chinois, des Indiens et des Brésiliens pour « le développement durable et l'équité » en participent [4]. De même que les *success stories* comme la Suède et la Finlande, qui ont réussi à sortir de l'ère préglobale, à survivre à une petite crise et à se réformer sur une base locale tout en restant capables de faire face à la situation internationale.

Ils ont démontré dans quelle mesure la crise globaliste a été causée par un mélange d'idéologie, qu'on ne devrait prendre qu'à moitié au sérieux, et de mauvaise gestion, qu'il ne faut pas du tout prendre au sérieux. Mais les gestionnaires étaient si séduits par ce qu'ils pensaient être des théories globales abstraites nouvelles qu'ils ont perdu le contact avec ceux dont la vie était affectée par leurs méthodes administratives.

L'atmosphère générale aujourd'hui est bien plus calme. La Chine n'est pas seule à rechercher un « développement équilibré », défini selon ses propres termes. De l'OMC et de l'OCDE viennent des signes montrant que la ruée vers des accords commerciaux bilatéraux entre les grandes économies développées et les plus petites en voie de développement commence à faire long feu. Le commerce ne marche que si le contexte est bon. En général, à part les fidèles, de plus en plus de personnalités publiques font davantage attention à ce que pourrait être ce contexte dans leur cas particulier. Seuls les plus obsédés croient encore que la seule croissance amène la richesse.

Surtout, les priorités des citoyens et de leurs gouvernements se déplacent à mesure que le mythe globaliste s'évapore. Quand Helen Clark, le Premier ministre néo-zélandais, a essayé de redresser son pays sans céder à la panique globaliste, elle a déclaré que son objectif était une vaste politique « qui réduit les inégalités, privilégie la gestion durable de l'environnement et améliore le bien-être social et économique » de ses citoyens [5]. En 1999, c'était un programme risqué. Aujourd'hui, cela ressemble à un lieu commun.

Sur la même période, un petit nombre d'activités économiques internationales se sont réellement régulées elles-mêmes. En réaction à des campagnes soutenues menées par des ONG et des associations locales de citoyens. Deux des plus intéressantes concernent les grands magasins et les distributeurs de café. L'Association internationale des grands magasins s'est mise d'accord sur un ensemble de règles éthiques concernant des questions comme le travail forcé ou celui des enfants. Le processus a débuté lorsque Hudson's Bay Company s'est fait traiter, ainsi que Wal-Mart, d'« exploiteur de l'année ». Le P-DG d'Hudson's Bay, George Heller, a été choqué par cette distinction et il a commencé à organiser le secteur afin d'améliorer les normes en vigueur [6]. La difficulté avec l'autorégulation, c'est que seule une partie du secteur a signé. La liste est impressionnante, mais Wal-Mart [7], par exemple, n'y figure pas. Il n'en a pas besoin, parce qu'il se moque bien de sa réputation internationale.

L'accord sur le café semble porter sur des règles plus dures et impliquer la plupart des acteurs majeurs. Il pourrait même réussir à stabiliser une matière première connue pour être instable. Voilà un cas où, si tout va bien, un cartel international intégré verticalement aura été créé pour servir le bien commun. Qu'est-ce que le bien commun en l'occurrence ? La surproduction sera découragée de sorte que les agriculteurs des pays sous-développés ne seront pas pénalisés. La réduction consécutive de la production devrait amener une amélioration des méthodes environnementales. Et les consommateurs devraient payer une part plus réaliste des coûts du secteur.

Mais, là encore, ce modèle est difficile à reproduire. En 2000, l'OCDE a abouti à un ensemble de Recommandations pour les entreprises multinationales. C'est une liste impressionnante de règles, mais elles sont volontaires. Notre expérience au sein de nos États-nations nous a appris que les normes éthiques, dans un contexte concurrentiel, doivent être contraignantes. Ce que ces traités démontrent, c'est que les relations internationales ne doivent pas être inspirées par le marché. Si des accords obligatoires sur de telles questions délicates sont possibles, alors les traités internationaux établissant les taux de prélèvement fiscal et organisant les conditions de travail aussi. Il n'est pas vrai de dire que de tels traités doivent désavantager les pays en voie de développement. Bien calibrés, ils pourraient au contraire aider ces sociétés, tout comme l'Espagne a été aidée au moment de son entrée dûment planifiée dans l'Union européenne.

Est-il réaliste d'escompter un tel progrès ? Si on regarde l'évolution intervenue ces dix dernières années, on peut voir que le processus est incroyablement rapide, vu le blocage qui est venu, dans la plupart des cas, des pays les plus puissants. Mais cela nous rappelle que même la puissance remarquable des États-Unis ne peut se refuser à déterminer la politique mondiale. Il y a trop de nations et de groupes régionaux qui ont leurs propres objectifs. Si les grandes puissances choisissent de ne pas entrer dans les nouveaux accords internationaux obligatoires, tôt ou tard, elles se retrouveront en mauvaise posture sur les questions politiques ou économiques.

Est-ce une réussite du globalisme ? Ou du globalisme réformé ? Ni l'un ni l'autre. C'est un processus complètement différent, fondé sur des présupposés différents. L'un d'entre eux est le pouvoir de l'État-nation. Il convient de le répéter en revenant sur le sujet de l'Ukraine et du poète favori du président – le poète national Taras Chevchenko. Son poème le plus connu est une ode nationaliste intitulée « Aux morts, aux vivants » :

> Reprenez-vous ! Soyez humains,
> Ou vous vous en repentirez amèrement,
> Le moment est proche où sur nos plaines
> Un peuple entravé brisera ses chaînes [8].

Le monde est rempli d'États-nations qui ont beaucoup d'activités économiques encore en germe. La question n'est pas : que faire pour l'intégration économique globale ? Elle est de s'assurer que cette nouvelle ère nationaliste sera centrée sur les citoyens, préoccupée du bien commun national et d'accords de développement obligatoires dans toute une gamme de domaines au niveau international.

Les milliers d'ONG de par le globe semblent être les chefs de file logiques de ce processus. Elles peuvent revendiquer de nombreux partisans, des directions raffinées et des compétences pour les bagarres politiques internationales. En mai 2004, Monsanto, le groupe agro-alimentaire transnational, a fait machine arrière dans ses plans pour les céréales génétiquement modifiées. Il faut le porter en partie au crédit des ONG. On trouverait des dizaines d'autres exemples, en plus de celui-ci, de l'accord sur le café et de l'accord sur les grands magasins.

Mais la position des ONG est plus fragile qu'il ne semble. C'est une position d'influence, pas de pouvoir. Et elles ne sont que rarement intégrées aux systèmes démocratiques nationaux. Les lois sont faites par les parlements, les assemblées, les congrès. Et il y a des milliers de lobbyistes dans tous les camps. Si les victoires des ONG sont souvent si limitées ou partielles, c'est dû à ces influences concurrentes. Si elles étaient capables de réussir à faire entrer leurs organisations dans la politique courante, leur aptitude à créer des changements serait bien plus claire. Et alors que les États-nations resurgissent, leur pouvoir au niveau international serait plus grand.

Il y a aussi des ouvertures pour des institutions pratiques puissantes – comme des coopératives révisées – qui pourraient jouer un rôle majeur dans les économies développées comme en voie de développement. Il y en a parce que les technocraties transnationales ont abandonné ou à demi délaissé toute une série de domaines qui exigent trop d'attention et de proximité pour les intéresser. En d'autres termes, on a toujours besoin de gens qui cherchent à avoir de l'influence. Mais le vrai besoin aujourd'hui porte sur l'implication existentielle. Le fait que nous soyons dans un vide implique que le cap, au cours du prochain quart de siècle, sera donné non par ceux qui auront de l'influence, mais par ceux qui gagneront le pouvoir. Les néoconservateurs et les militants religieux aux États-Unis l'ont bien compris. C'est pourquoi Richard Rorty est si préoccupé par l'approche de la gauche américaine, qu'il trouve éloignée des réalités, abstraite.

Et pourtant, l'occasion est là – momentanément – de proposer un nouveau cap. Remarquons par exemple que le *Financial Times* de Londres, quotidien économique conservateur, adopte une position plus progressiste sur la pauvreté internationale et les questions éthiques en général que la plupart des hommes politiques centristes : « [La pauvreté de masse] est sans aucun doute le grand impératif moral de notre époque. Mais se polariser sur la libéralisation des échanges globaux, la réduction de la dette et le système financier international ne sera pas suffisant[9]. » Ils en appellent à une forme d'action échappant au marché, que les globalistes classiques, la technocratie internationale et la plupart des patrons des groupes transnationaux ont qualifiée d'irréaliste. Mais ce n'est plus la conception publique dominante. Le désir croît parmi les citoyens de voir leurs démocraties prendre l'initiative sur des questions concernant la justice et l'égalité. Et ce désir ne s'exprime plus en termes de gauche et de droite au sens classique du XIXe siècle.

Le penseur espagnol Victor Pérez-Diaz nous rappelle à juste titre que « ce n'est pas par son être seul que [la *civitas*] persévère dans son être[10] ». Il entend la vie citoyenne, la confiance en soi requise pour entreprendre de tels changements.

Un dernier aspect de cette implication empreinte de confiance en soi exige énergie et implication. Nous sommes pris dans une tension négative artificielle entre une théorie de l'économie globale et la réalité dans laquelle nous vivons. Et nous vivons dans des lieux bien réels.

Troisième facteur : un grand nombre de personnes se déplacent entre ces lieux à une vitesse formidable, c'est une réalité. Et la plupart se déplacent pour changer de nationalité. Cette fluidité est peut-être sans précédent. Elle correspond à ce qui est certainement l'une des périodes les plus complexes des migrations humaines, parce que, à la différence de son équivalent au XIXe siècle ou à d'autres périodes, elle ne suit pas un schéma établi.

Les Européens se débattent encore avec une petite portion de ce mouvement, bien que des changements comme la réforme de la citoyenneté allemande en 1999 montrent qu'on procède à des ajustements. Mais les experts de la démographie disent que les 20 millions d'immigrés qu'a l'Europe ne sont rien. Vu le faible taux de naissances du continent, elle aura besoin de 160 millions d'immigrés en 2025 pour que ses sociétés continuent à fonctionner. Imaginer que ces gens pourraient venir en Europe simplement en tant que travailleurs immigrés serait désastreux pour la vision qu'a le continent de l'éthique et du bien public. À l'opposé, il y a ceux qui croient que l'immigration minerait la culture européenne. Mais, comme l'a démontré la dernière guerre mondiale, rien ne peut la ruiner plus vite que d'agir de façon incohérente avec les normes de cette culture.

En tout cas, cette migration est bien davantage qu'une question européenne. Certains pays, comme le Canada, sont à la pointe quant à la façon de bâtir une société avec un ensemble de citoyens et de cultures en constante évolution. D'autres sont dans le déni complet de ce qui leur arrive et de ce qui leur arrivera bientôt. Le ministre britannique Gordon Brown a tenté de réorienter le débat national autour des *valeurs* [11]. C'est désormais une tendance courante, un terme presque amorphe qui est censé désigner des normes culturelles partagées.

Le défi aujourd'hui est à la fois plus complexe et plus intéressant. Il se pourrait que nous soyons désormais non seulement à la fin de la période globaliste, mais aussi à la fin de la période rationaliste occidentale et de son obsession des structures claires et nettes dans tous les domaines.

Peut-être vivons-nous les débuts d'un grand rééquilibrage à la faveur duquel d'autres cultures, dotées d'idées plus complexes de ce qui fait une société, se mettent en avant. Et nous autres Occidentaux n'aurons qu'à apprendre à faire avec et à comprendre ce qui rend un tel grand changement positif pour nous.

L'une des idées qui s'est un temps développée, c'est que nous entrons dans une ère qui ressemble au Moyen Âge – dans son aspect positif. Une époque où la nature des frontières et la définition des peuples ne sont ni claires ni exclusives. À certains égards, c'était le rêve d'Érasme : une idée lâche mais unifiée de l'Europe. Aujourd'hui, c'est plus large et plus complexe que l'Europe, même si la direction la plus sensée pour l'Europe serait précisément celle-là – un continent de peuples séparés mais liés ensemble.

Hedley Bull évoquait naguère « un système d'autorités se recoupant et de loyautés multiples [12] ». C'est en réalité ce qui se produit sur tous les fronts.

L'idéologie monolithique fondée sur des truismes économiques s'efface. On nous a maintes fois dit que nous devions accepter le caractère inévitable de ce système ou alors sombrer dans une sorte de chaos. À la place, si nous y veillons, nous pourrions aller vers un système de complexité intentionnelle. L'État-nation fera son retour. Mais nous pouvons déjà voir que le résultat est bien différent du passé, parce que les obligations et les contraintes des pays sont nombreuses. L'aspect économique de cette complexité est important, mais nullement dominant.

Le facteur démographique en évolution est sans doute l'élément primordial. Les questions que cela pose quant aux habitudes et aux croyances sociales nous occuperont longtemps. Développer un enseignement qui fonctionne dans une situation si complexe exigera beaucoup d'imagination et une démarche générale et égalitaire. On nous a promis une ère dominée par l'anglais, ou on nous met en garde à cet égard. À des fins techniques et contractuelles, cette domination restera probablement vraie. Mais si on va au-delà du technique et du contractuel, nous entrons probablement dans une période de multilinguisme soutenu par toutes les cultures qui vont de pair avec les langues.

Aucune culture en particulier n'est mal adaptée à ce qui se passe. Seuls les mouvements politiques peuvent l'être. L'islam, religion qui préoccupe tant l'Occident ces temps-ci, est fondamentalement ouvert et a une histoire plus flexible que le christianisme. Comme le dit le Coran, « nous vous avons faits nations et tribus, afin que vous puissiez vous connaître les uns les autres (et non pour que vous puissiez vous mépriser les uns les autres)[13] ».

Ce que notre situation appelle, c'est précisément l'intérêt public d'Adam Smith, l'imagination qu'invoquait Tocqueville, l'humanisme de Rorty. Une lecture traditionnelle de ces mots pourrait inciter certains à dire que je n'ai commencé à souligner le retour de l'État-nation que pour mieux l'écarter. Pas du tout. Plus les relations nationales et internationales sont compliquées, plus nous aurons tous besoin de nous appuyer sur notre sentiment d'appartenance le plus sophistiqué, à la fois pour nous sentir chez nous et pour trouver de multiples modes d'être chez nous avec les personnes et dans les situations les plus diverses.

On en appelle partout aujourd'hui à un examen des valeurs. Je ne sais guère ce que cela veut dire. Cela a un petit accent rappelant le nationalisme autocentré du XIXe siècle. Il vaudrait mieux se concentrer sur quelque chose de plus réel, comme servir le bien public. Adam Smith disait que « n'est certainement pas un bon citoyen celui qui ne veut pas promouvoir, par tous les moyens en son pouvoir, le bien-être de la société tout entière de ses concitoyens[14] ».

Si les gens qui se connaissent bien servent le bien-être de leurs concitoyens, ils peuvent apprendre quelque chose d'inattendu les uns des autres, à quel point ils sont différents peut-être. Si les gens qui ne se connaissent pas bien, peut-être parce qu'ils viennent de différentes cultures, servent le bien-être de leurs concitoyens, ils peuvent découvrir à quel point leurs valeurs sont similaires.

Voilà, dans les deux cas, ce que serait le processus du nationalisme positif.

REMERCIEMENTS

Ce n'est qu'en la replaçant dans son contexte global qu'on doit écrire sur la globalisation et en juger. David Davidar de Penguin Canada et Michael Levine ont joué un rôle central pour ce livre sans frontières ; je leur suis reconnaissant pour leurs conseils, leur imagination et leur soutien. Je tiens aussi à remercier Toby Mundy et Bonnie Chiang d'Atlantic Books, Peter Mayer d'Overlook Press, Christophe Guias de Payot, Bob Sessions chez Penguin Australia, Geoff Walker chez Penguin New Zealand, et tout particulièrement Lewis Lapham et Luke Mitchell, de *Harper's*, qui ont été au cœur de la publication et de l'édition de cet ouvrage.

Rien n'aurait été possible, comme on dit, sans les conseils intellectuels, les compétences et l'inventivité dans les recherches, la rapidité, la précision et le calme de Thomas Hodd. Je veux aussi remercier Carrie Hodd, qui l'a accompagné à tout instant.

Grand merci à Jean-Luc Fidel pour son imagination, son style et sa précision. Merci aussi, pour leurs commentaires et leur aide, à Timothy Lewis, Maurie Barrett, Thomas de Konninck, David Young, Jordan Bishop, Yves Chevrier, Lachlin McKinnon, Bob Jickling sur la Snake River, Marci MacDonald, Piotr Dutkiewicz,

Jonathan Nitzan, David Longworth à la Banque du Canada, John Kirton et Madeline Koch, du Groupe de recherche du G8. Et à David Staines.

Je suis aussi reconnaissant à Joe Ingram à la Banque mondiale, au haut-commissaire Graham Kelly, à Shaoshua Chen du Groupe de recherche de la Banque mondiale du développement, à Mark Leonard, du Centre pour la réforme européenne, à l'historien Heinrich Winkler, à Berlin. À Berlin aussi, au partisan de la globalisation Hans Olaf Henkel, à Ingrid Spiller de la Fondation Heinrich Böll, à Jürgen Stetten de la Fondation Friedrich Ebert, à Jean Fredette et Heike Echterhölter de l'ambassade canadienne.

Ma gratitude éternelle va aussi à ceux qui m'ont procuré des lieux où j'ai pu écrire à l'écart de toute forme de communication : Gregg et Donna Horton, du ranch Double H, Beverley McLachlin et Frank McArdle, du lac Brogan, Bill et Cathy Graham, du Hockley Valley, et Laura et Sandro Forconi, à Sienne.

Et merci à tous ceux qui ont dû me supporter tout au long de ce parcours, en particulier Adrienne, avec tout mon amour.

NOTES

CHAPITRE PREMIER
Un serpent au Paradis

1. John Morley, « Democracy and reaction », *Nineteenth Century*, avril 1905.
2. John Maynard Keynes, *Les Conséquences économiques de la paix*, Paris, Gallimard, 2002, p. 17.
3. *Ibid.*, p. 25-26. C'est moi qui souligne.

CHAPITRE III
Voici comment cela va se passer, disaient-ils

1. Michael Oakeshott, *Rationalism in Politics and Other Essays*, Indianapolis, Liberty Fund, 1991, p. 403. Karl Polanyi, *The Great Transformation : The Political Origins of Our Time*, Boston, Beacon Press, 1944, p. 3 ; trad. fr. *La Grande Transformation*, Paris, Gallimard, 1998.
2. Alfred E. Eckes, « Is globalization sustainable ? », allocution au CMRE, Charlotte, N. C., 27 octobre 1999.
3. Anthony Giddens, voir Martin Wolf, *Why Globalization Works*, Londres, Yale University Press, 2004, p. 14. Jagdish Bhawati, *In Defense of Globalization*, New York, Oxford University Press, 2004, p. 3. Anne Krueger, *Financial Times*, 16 avril 2004, p. 15. James Roseneau et Ernst-Otto Czempiel éd., *Governance without government : Order and Change in World Politics*, Cambridge, Cambridge University Press, 1992, p. 23, voir aussi 3. Thomas Friedman, cité *in* Franklin Foer, *How Soccer Explains the World : An Unlikely Theory of Globalization*, New York, HarperCollins, 2004, p. 2. Daniel Yergin, Richard Vietor et Peter Evans, « Fettered flight : Globalization and the airline industry », Cambridge, MA, Cambridge Energy Research Associates, 2000, p. 1-2. George Soros, *On Globalization*, New York, Public Affairs, 2002, p. 1 ; trad. fr. *Guide critique de la mondialisation*, Paris, Plon, 2002. Kenichi Ohmae, voir Eckes, « Is

globalization sustainable ? ». William Watson, « Globalization : Resting, but not dead », *Literary Review of Canada*, juin 2004, p. 9.

4. M. Wolf, *op. cit.*, p. 14.

5. Alfred E. Eckes, *loc. cit.*, citant le militant britannique Norman Angel en 1911.

6. Ces chiffres sont tirés de sources très variées, dont Alfred E. Eckes et Thomas W. Zeiler, *Globalization and the American Century*, New York, Cambridge University Press, 2003, Martin Wolf, *op. cit.*, John Gray, *False Dawn : The Delusions of Global Capitalism*, Londres, Granta Books, 1999, des études statistiques du Bundestag allemand, de l'OCDE, de l'UNCTAD et autres.

7. Voir Martin Wolf, *op. cit.*, tableau 8.1. Le chiffre mondial pour la période de la globalisation est 1,33 contre 2,93 pour la période keynésienne. L'Europe occidentale est à 1,78 contre 4,08, le reste de l'Occident à 1,94 contre 2,44.

8. *US News and World Report*, 11 février 2002, p. 41. Eckes, *loc. cit.*

9. Prince Al Hassan ben Talal, *To Be a Muslim : Islam, Peace and Democracy*, Brighton, Sussex Academic Press, 2004, p. 44. Voir le remarquable ouvrage de Joshua Cooper Ramo, *The Beijing Consensus*, Londres, Foreign Policy Centre, 2004, p. 12. Il implique un recentrage radical du point de vue chinois sur les affaires internationales, en particulier économiques.

10. K. Natwar Singh, *Heart to Heart*, New Delhi, Pupa Co., 2004, p. 164.

11. Aga Kahn, discours prononcé lors de la conférence du gouverneur général d'Ottawa, le 19 mai 2004.

12. Vaclav Havel, entretien dans l'*International Herald Tribune*, le 22 octobre 2004, p. 1.

13. Samy Cohen, *Le Monde*, 7 février 2004, p. 8.

CHAPITRE IV
Ce qu'on a oublié de nous dire

1. Iris Origo, *The Merchant of Prato : Francesco Di Marco Datini*, Londres, Penguin Books, 1957, p. 64.

2. George Steiner, *The Idea of Europe*, Tilburg, Nexus Institute, 2004, p. 37 ; trad. fr. *Une idée d'Europe*, Arles, Actes Sud, 2005.

3. « Congress of Vienna, June 9, 1815 », *Major Treaties of Modern History*, 1648-1967, Fred L. Israel éd., New York, Chelsea House Publishers, 1967, vol. 1, p. 519.

4. John Gray, *op. cit.*, p. 23.

5. Voir par exemple Hedley Bull et Adam Watson, *The Expansion of International Society*, Oxford, Clarendon Press, 1984, Ole Waever, « Imperial metaphors », *Geopolitics in Post-Wall Europe : Security, Territory and Identity*, Ola Tunander, Pavel V. Baev, Victoria Ingrid Einagel éd., Thousand Oaks, Calif., Sage Publications, 1997, p. 59-87.

6. « Article VI », congrès de Vienne, 9 juin 1815, *Major Treaties of Modern History*, *op. cit.*, p. 522.
7. Sven Lindqvist, *Exterminate All the Brutes : One Man's Odyssey into the Heart of Darkness and the Origins of European Genocide*, trad. angl. Joan Tate, New York, The New Press, 1996, p. 110-115, 122-123.
8. Primo Levi, *Le Système périodique*, Paris, Albin Michel, 2005.
9. Cité par John Cassidy, *The New Yorker*, 2 août 2004, p. 26.
10. Cette section est fondée sur des explications fournies par le grand spécialiste de Socrate Gregory Vlastos. Voir « Slavery in Plato's thought », *Slavery in Classical Antiquity*, M. I. Finley éd., Cambridge, W. Heffer and Sons Ltd., 1960, p. 289, 303, 291.
11. Joseph E. Stiglitz, *Globalization and Its Discontent*, New York, W. W. Norton, 2003, p. 222 ; trad. fr. *Quand le capitalisme perd la tête*, Paris, Fayard, 2003. Amartya Sen, *Development as Freedom*, New Anchor Books, 2000, p. 240 ; trad. fr. *Un nouveau modèle économique*, Paris, Odile Jacob, 2000.
12. Natwar Singh, *op. cit.*, p. 113.
13. Milton Friedman, discours de réception du prix Nobel, Stockholm, 10 décembre 1976.
14. Voir Lewis Lapham, « Tentacles of rage », *Harper's*, 309, n° 1852, septembre 2004, p. 31-41.
15. Par exemple, John Ruggie, « International regimes, transactions, and change : Embedded liberalism in the postwar economic order », *International Regimes*, Stephen D. Krasner éd., Ithaca, N. Y., Cornell University Press, 1983. Ou encore l'interprétation claire de Timothy Lewis, *In the Long Run We're All Dead : The Canadian Turn to Fiscal Restraint*, Vancouver, UBC Press, 2003, p. 36-38.
16. Voir John Williamson, « What Washington means by policy reform », communication présentée à l'Institute for International Economics Conference, Washington, D. C., novembre 1989 ; « What should the world ban think about the Washington consensus ? », *The World Bank Research Observer*, 15, n° 2, août 2000, p. 251-264 ; « Did the Washington consensus fail ? », discours au Center for Strategic and International Studies, Washington, D. C., 6 novembre 2002.
17. Fareed Zakaria, *Newsweek*, 2 février 2004, p. 41.
18. Alexis de Tocqueville, *La Démocratie en Amérique* (1835), vol. 1, Paris, Gallimard, 1991.

CHAPITRE V
Brève histoire de l'économie érigée en religion

1. Margaret Thatcher, discours au National Press Club, Washington, D. C., 5 novembre 1993. Margaret Thatcher, citée in Fredrik Östman, « Potatis », 12 décembre 2001, http://members.mcnon.com/potatis/Q.Thatcher.html (accès 21 février 2005).
2. R. H. Tawney, *Religion and the Rise of Capitalism*, Londres,

Penguin Books, 1990, p. 44 et p. 45. À l'origine, conférences au Holland Memorial, 1922.

3. Andrew Morrison éd., *Free Trade and Its Reception 1815-1960 : Freedom and Trade*, Londres, Routledge, 1998, p. 3. Voir aussi entre autres P. J. Thomas, *Mercantilism and the East India Trade*, Londres, Frank Cass and Co., 1963, publié à l'origine en 1926 ; H. Martyn, *The Advantages of East-India Trade*, Londres, J. Roberts, 1720.

4. Richard Cobden, *Speeches on Questions of Public Policy by Richard Cobden, M. P.*, John Bright et J. E. Thorold Rogers éd., Londres, T. Fisher Unwin, 1908, p. 187. Publié à l'origine en 1870.

5. Pour une bonne étude, voir Bernard Semmel, *The Rise of Free Trade Imperialism : Classical Political Economy and the Empire of Free Trade and Imperialism, 1750-1850*, Cambridge, Cambridge University Press, 1970, chapitre 7 ; Francis W. Hirst éd., *Free Trade and Other Fundamental Doctrines of the Manchester School*, New York, Augustus M. Kelley, 1968, chapitres 5 et 6 ; G. R. Searle, *Entrepreneurial Politics in Mid-Victorian Britain*, Oxford, Oxford University Press, 1993, chapitre 5 ; Morrison, *op. cit.* Précisément : Cobden, 15 mai 1843 ; Bright, 10 juin 1845 ; Cobden, cité *in* Leone Levi, *History of British Commerce*, Londres, John Murray, 1872, p. 294-295 ; Cobden, Manchester Town Hall, 4 juillet 1845 ; Cobden, 28 septembre 1843.

6. Lettre à mademoiselle Leroyer de Chantepie, 16 janvier 1866.

7. « 17th Ecumenial Council of 1447 », www.catholicism.org/pages/ecumenic (accès le 20 janvier 2005).

8. Peter Marsh, *Bargaining on Europe : Britain and the First Common Market*, 1860-1892, New Haven, Conn., Yale University Press, 1999, p. 208.

9. Gregory Bresiger, « Laissez Faire and Little Englandism », *Journal of Libertarian Studies*, 13, n° 1, été 1997, p. 45-79. Montesquieu, *De l'esprit des lois*, vol. 1.

10. Anna Augustus Whittal Ramsay, *Sir Robert Peel*, Freeport, Books for Libraries Press, 1928, p. 220-221.

11. Pour une analyse fascinante et déprimante, voir Lindqvist, *op. cit*.

12. Concernant le terme d'empire informel, voir Dr C. R. Fray, *Cambridge History of the British Empire*, Cambridge, Cambridge University Press, 1940, II, p. 399 ; John Gallagher et Ronald Robinson, « The imperialism of free trade », *The Economic History Review*, Londres, Cambridge University Press, 1953, deuxième série, 6, n° 1 ; Bernard Semmel, *op. cit*.

13. Semmel, *op. cit.*, p. 4.

14. Jack Beeching, *The Chinese Opium Wars*, Londres, Hutchinson, 1975, p. 39, 162.

15. Alfred E. Eckes, *Opening America's Market : US Foreign Trade Policy since 1776*, Chapel Hill, N. C., University of North Carolina Press, 1995, p. xvii.

16. Edmund Morris, Theodore Rex, New York, Random House, 2001, p. 431.

17. Cet argument doit beaucoup à l'analyse développée par Eckes dans *Opening America's Market*. Voir tout son chapitre 4.

18. Eckes, *ibid.*, p. 137, 139. Susan Strange, citée par Eckes, *ibid.*, p. 137.

19. Friedrich August von Hayek, discours en souvenir d'Alfred Nobel, conférence du prix Nobel, Stockholm, 11 décembre 1974.

20. Francis Fukuyama, *The End of History and the Last Man*, New York, Free Press, 1992, p. 48 ; trad. fr. *La Fin de l'histoire*, Paris, Flammarion, 1993. C'est moi qui souligne.

21. George Steiner, *Errata : An Examined Life*, Londres, Phoenix, 1997, p. 121 ; trad. fr. *Errata, récit d'une pensée*, Paris, Gallimard, 1998.

22. « Economic growth is reducing global poverty », communiqué de presse du National Bureau of Economic Research, octobre 2002, www.nber.org/digest/oct02 (accès le 5 novembre 2004).

23. Xavier Sala-i-Martin, « The World Distribution Income », mai 2002.

24. Paul Krugman, *The Return of Depression Economics*, New York, W. W. Norton, 1999, p. 25 ; trad. fr. *Pourquoi les crises reviennent toujours*, Paris, Le Seuil, 2000. Margaret Thatcher, « The Walter Heller International Finance Lecture », conférence prononcée à la Roosevelt University, Chicago, 22 septembre 1975.

CHAPITRE VI
1971

1. Le groupe de recherches du G8 dirigé par John Kirton à l'Université de Toronto a développé un corpus de grande valeur de recherches à long terme et d'interprétations portant sur la création et la performance du G6-7-8. C'est l'un des rares groupes à se pencher sur la management des crises modernes en termes historiques, mais aussi politiques et économiques. L'autre interprétation classique des crises qui ont conduit au G7 est celle de Robert Putnam et Nicholas Bayne, dans *Hanging Together : Cooperation and Conflict in the Seven-Power Summits*, Cambridge, Mass., Harvard University Press, 1987.

CHAPITRE VII
Le vide

1. Henry A. Kissinger, « The industrial democracies and the future », allocution au Pittsburgh World Affairs Council, Pittsburgh, Pa., 11 novembre 1975, publié in *The Department of State Bulletin*, 73, n° 1901, 1er décembre 1975, p. 758.

2. John Gimbel, *The Origins of the Marshall Plan*, Stanford, Calif., Stanford University Press, 1976, p. 5.

3. Albert Camus, *Actuelles. Écrits politiques*, Paris, Gallimard, 1950, p. 92. Victor Pérez-Diaz, « The underdeveloped duty dimension of the European citizenship », *ASP Research Paper*, vol. 53, n° 6, 2004, p. 1.
4. Henry A. Kissinger, *A World Restored : Metternich, Castlereagh and the Problems of Peace, 1812-1822*, Gloucester, Mass., Peter Smith, 1973, p. 11, 322, 325. Kissinger a tiré sa description de Napoléon, du prince von Hardenberg et de Friedrich von Gentz.
5. Stiglitz, *op. cit.*, p. 216.
6. Friedrich August von Hayek, discours pour le banquet du Nobel, 10 décembre 1974.
7. Richard Cobden, débat parlementaire, 3e série, 134, 784, 27 juin 1854.
8. Voir ma description dans *On Equilibrium*, Toronto, Penguin, 2001 ; trad. fr. *De l'équilibre*, Paris, Payot, 2002, et Amartya Sen, *op. cit.*, p. 63-67.
9. Hugh Corbet, « Commercial diplomacy in an era of confrontation », *In Search of a New World Economic Order*, Hugh Corbet et Robert Jackson éd., Londres, Croom Helm, 1974, p. 23. Gérard Curzon, « Crisis in the international trading system », Corbet et Jackson, *op. cit.*, p. 33-45. Robert Jackson, « Divergent philosophical approaches to foreign policy », Corbet et Jackson, *op. cit.*, p. 48-50.

CHAPITRE VIII
Le fou du roi

1. Business International S. A. et le Centre d'études industrielles, Genève, *Managing the Multinationals : Preparing for Tomorrow*, Londres, George Allen and Unwin Ltd., 1972, p. 28.
2. Les cours se prêtent plus aux ragots et aux anecdotes qu'aux études en profondeur, de sorte que les analyses du phénomène de Davos sont moins nombreuses qu'on pourrait le penser. Deux méritent d'être lues : Jean-Christophe Ganz, « How powerful are transnational elite clubs ? The social myth of the world economic forum », *New Political Economy*, 8, n° 3, novembre 2003 ; Geoffrey Allen Pigman, *Shar-pei or Wolf in Sheep's Clothing ? The World Economic Forum from Le Défi Américain to Bill-Bill Summit*, Centre for International and European Studies, 21 février 2001.

CHAPITRE IX
Enthousiasmes romantiques : anthologie

1. Michael King, *The Penguin History of New Zealand*, Auckland, Penguin, 2003, p. 488-489.
2. Peter Conway, « The New Zealand Experiment », communication présentée au GPN Asia/Pacific Regional Meeting, Bangkok, 2-4 septembre 2002, p. 17.
3. Brian Easton, *Listener*, Nouvelle-Zélande, 17 juillet 2004, p. 38.

Douglas Myers, président du Business Roundtable, *The Dominion*, 26 mars 1997, p. 23. *The Economist*, 19 octobre 1996, p. 19.

4. Margaret Thatcher, discours à l'Australian Institute of Directors, Sidney, 2 octobre 1981.

5. Frank Freidel, *Franklin D. Roosevelt : A Rendezvous with Destiny*, Boston, Little, Brown, and Company, 1990, p. 147. Oakeshott, *op. cit.*, p. 405.

6. Cité in Jane Clifton, « Days of thunder », *Listener*, Nouvelle-Zélande, 24 juillet 2004, p. 21.

7. Polanyi, *op. cit.*, p. 10. Eric Helleiner, « Democratic governance in an era of global finance », *Democracy and Foreign Policy : Canada among Nations*, M. A. Cameron et M. A. Mohot éd., Ottawa, Carleton University Press, 1995, p. 283.

8. John Ruggie, « Embedded liberalism revisited : Institutions and progress in international economic relations », *Progress in Postwar International Relations*, Emanuel Adler et Beverly Crawford éd., New York, Columbia University Press, 1991, p. 215.

9. Voir Helleiner, *loc. cit.*, p. 284-285.

10. Ruggie, *loc. cit.*, p. 215.

11. *Independant*, Londres, 3 juin 1993, p. 29. Bank for International Settlements, *62nd Annual Report*, Bâle, Suisse, BIS, 1992, p. 230.

12. George Williams, *The Airline Industry and the Impact of Deregulation*, Brookfield, Vt., Ashgate, 1993, p. 10, 11. La plupart des analyses sont d'une certaine manière liées aux intérêts du secteur aérien. Les opinions ne divergent presque pas : la dérégulation a été un succès. Voici un choix de ces documents soutenant ce secteur : Robert Andriulaitis, David L. Frank, Tae H. Oum, Michael W. Tretheway, *Deregulation and Airline Employment*, Vancouver, Centre for Transportation Studies, UBC, 1986 ; Steven Morrison et Clifford Winston, *The Economic Effects of Airline Deregulation*, Washington, The Brookings Institute, 1986 ; Nawal K. Taneja, *The International Airline Industry*, Lexington, Mass., Lexington Books, 1988 ; Elizabeth E. Bailey, « Airline deregulation confronting the paradoxes », *Regulation – The Cato Review of Business and Government Perspective*, New York, New York University Press, 1991 ; Aisling J. Reynolds-Feighan, *The Effects of Deregulation on US Air Networks*, New York, Springer-Verlag, 1992 ; « Statistical information on air passenger numbers and characteristics », Parliamentary Office of Science and Technology, RU, octobre 2000.

13. Oakeshott, *op. cit*. p. 405.

14. Paul Bracken, « Engines of Change », *The Politic*, 1, n° 1, printemps 2004, p. 48, 50. Soros, *op. cit.*, p. 1.

15. Bhagwati, *op. cit.*, p. 182. Hedley Bull, *The Anarchical Society*, New York, Columbia University Press, 1977, p. 254-255. Lewis Lapham, « Dungeons and Dragons », *Harper's*, 288, n° 1725, février 1994, p. 9-11. Pour une bonne description du clientélisme romain,

voir Anthony Everitt, *Cicero*, New York, Random House, 2001, p. 30-31.

16. Benito Mussolini, *Fascism : Doctrine and Institution*, Rome, Ardita Publishers, 1935, p. 50.

17. United Nations Development Program, *Making Global Trade Work for People*, Sterling, Va., Earthscan Publications Ltd., 2003, p. 109-112.

CHAPITRE X
Une force qui gagne du terrain

1. Voir Global Economic Prospect 2005, www. worldbank.org.
2. Voir les nombreuses descriptions de ce processus par John Kirton et ses jugements sur les succès et les échecs du G7.
3. Cité in Charles Webster, *The Congress of Vienna 1814-1815*, Londres, Thames and Hudson, 1963, p. 163 ; Harold Nicolson, *The Congress of Vienna, A Study on Allied Unity : 1812-1822*, Londres, Constable, 1948, p. 244 ; Henry Kissinger, « The industrial democracies and the future », p. 763.
4. Octavio Paz, *Le Labyrinthe de la solitude*, Paris, Gallimard, 1992.
5. Eckes, « Is globalization sustainable ? ».
6. M. G. Smith, *Corporations and Society*, Londres, Duckworth, 1974, p. 28 ; Albert Camus, *L'Homme révolté*, Paris, Gallimard, 1951, p. 18.
7. *Financial Times*, Londres, 16 avril 2004, p. 15 ; Lindqvist, *Exterminate All the Brutes*, p. 65.
8. Lawrence Lessig cité sur *Business Week* en ligne, « Lawrence Lessig : The "dinosaurs" are taking over », 13 mai 2002. Voir aussi Lessig, *The Future of Ideas : The Fate of the Commons in a Connected World*, New York, Random House, 2001 ; Lessig, *Code and Other Laws of Cyberspace*, New York, Basic Books, 1999, p. 25.
9. Programme des Nations unies pour le développement, *Making Global Trade Work for People*, 95.

CHAPITRE XI
L'économie de la crucifixion

1. David Malin Roodman, « Ending the debt crisis », State of the World 2001, New York, W. W. Norton, 2001, p. 143-165.
2. Ray Brooks *et al.*, « External Debt Histories of Ten Low-Income Developing Countries : Lessons from Their Experience », A Working Paper of the International Monetary Fund, mai 1998, *www.imf.org/external/pubs/ft/wp/wp9872.pdf* (accès le 25 octobre 2004).
3. Freidel, *Franklin Roosevelt*, p. 164.
4. Roodman, « Ending the debt crisis », p. 150.

5. Margaret Thatcher, discours inaugural du sommet du G7 à Londres, le 8 juin 1984.
6. Joseph Stiglitz, « More Instruments and Broader Goals : Moving Toward the Post-Washington Consensus », WIDER Annual Lectures 2, Helsinki, UNU/WIDER, 1998, p. 6, http://www.wider.unu.edu/publications/annual-lectures/annual-lecture-1998.pdf (accès le 27 novembre 2004).
7. Barry Riley en donne une explication intéressante dans le *Financial Times*, Londres, 29 janvier 1994. Voir aussi John Ralston Saul, *Les Bâtards de Voltaire. La dictature de la raison en Occident*, Paris, Payot, coll. « Petite Bibliothèque Payot », 2000, chapitres 2 et 27 ; *International Herald Tribune*, 2 février 1995, p. 9.
8. *Le Monde*, Paris, 6 janvier 2000, p. 4.
9. Gerard Baker, *Financial Times*, Londres, 25 mars 2004, p. 13.

CHAPITRE XII
La réussite

1. Nicolson, *The Congress of Vienna*, p. 262.
2. Piotr Dutkiewicz, « Asymmetric power, heresy, and post-communism – A few thoughts », *New Europe*, 4, octobre-novembre 2004, p. 42-56 ; voir aussi Shimshon Bichler et Jonathan Nitzan, « New imperialism or new capitalism », décembre 2004, http://bnarchives.yorku.ca/ (accès le 26 décembre 2004).
3. Eckes, « Is globalization sustainable ? » ; Alex Trotman, cité dans la brochure 1997 de la Chambre internationale de commerce, Paris, Chambre internationale de commerce, 1997, p. 1, 3.
4. Margaret Thatcher, discours au Malaysian Institute of Public Administration, Kuala Lumpur, Malaisie, 6 avril 1985.

CHAPITRE XIII
1991

1. Conversation avec Vasa Cubrilovic, Belgrade, 1988.
2. Bernard Kouchner, discours sur Leadership, Diversité et Nationalisme à la Leadership Conference du gouverneur général, Winnipeg, Manitoba, 9 mai 2004 ; Louise Arbour, « The truth to be told », discours aux Canadian Journalists for Free Expression, Toronto, 15 novembre 1999.

CHAPITRE XIV
L'idéologie du progrès

1. *New Patterns of Industrial Globalization : Cross-Border Mergers and Acquisitions and Strategic Alliances*, OCDE, 2001.
2. Graz, « How powerful are transnational elite clubs ? ».
3. *Sidney Morning Herald*, 3 mars 1997, p. 7 ; Henry Carey, cité *in* Semmel, *The Rise of Free Trade Imperialism*, p. 179.

4. John Ruggie, « Trade, protectionism and the future of welfare capitalism », *Journal of International Affairs*, 48, n° 1, été 1994, p. 9.
5. Tobias Jones, *The Dark Heart of Italy : Travels through Time and Space across Italy*, Londres, Faber and Faber, 2003, p. 133.
6. Confucius, *The Analects of Confusius*, trad. angl. Arthur Waley, New York, Vintage Books, 1938, p. 116 ; *The Economist*, 5 novembre 1994, p. 13.
7. *Financial Times*, Londres, 21 juillet 2004, p. 11.
8. Voir par exemple de Chad Hills, « Lotteries in the United States : An overview », *Family.org : A Web Site of Focus on the Family*, 22 janvier 2004, http://www.family.org (accès le 23 août 2004) ; voir aussi « The Stakes Get Higher », *Forbes.com*, 29 avril 2002, http://www.forbes.com (accès le 23 août 2004) et *Financial Times*, Londres, 25 novembre 1999, p. 23.
9. Cobden à la Chambre des Communes, 15 mai 1843 ; Hirst, *Free Trade and Other Fundamental Doctrines of the Manchester School*, p. 159.

CHAPITRE XV
1995

1. *The Economist*, 14 mars 1998, p. 81.
2. Voir Paul Krugman, *Pourquoi les crises reviennent toujours*, Paris, Seuil, 2000.
3. « Income and wealth », Joseph Rowntree Foundation. Voir *The Globe and Mail*, 25 mars 1995, D4.
4. *Times* (Londres), 17 février 1995, p. 12.

CHAPITRE XVI
Un équilibre négatif

1. Voir par exemple Shimshon Bichler et Jonathan Nitzan, « Dominant capital and the new wars », *Journal of World Systems*, 10, n° 2, été 2004, p. 255-327, et « New imperialism or new capitalism », p. 38 et p. 44. Même si mon interprétation diffère à bien des égards de la leur, Bichler et Nitzan sont presque les seuls penseurs économiques – ou, au sens ancien, les seuls penseurs en économie politique – à s'efforcer de comprendre ce qui arrive et pourquoi cela n'a pas l'effet escompté.
2. Alexandre Lamfalussy, directeur général, Bank of International Settlements, « The restructuring of financial industry : A central banking perspective », Conférence SUERF, City University, Londres, 5 mars 1992 ; Paul Krugman, « For richer », *The New York Times Magazine*, 20 octobre 2002, p. 62 ; George Anglade, *Éloge de la pauvreté*, Montréal, Les Éditions ERCE, 1983, p. 17.
3. Jacques Chirac, sommet du G7 à Halifax, 1995, *Le Monde*, Paris, 12 mai 1996, p. 26.

4. Sophocle, *Antigone, Théâtre complet*, Paris, GF, 1964, p. 75, trad. modifiée.
5. Keynes, *Les Conséquences économiques..., op. cit.*, p. 17.
6. Voir Robert Menschel, *Markets, Mobs & Mayhem : A Modern Look at the Madness of Crowds*, New Jersey, John Wiley & Sons, Inc., 2002.
7. John Galt, « Bandana on emigration », *Blackwood's Magazine*, 20, n° 114, septembre 1826, p. 471 ; Kofi Annan, discours au Forum économique mondial, Davos, Suisse, 31 janvier 1999.
8. Statistiques de l'OCDE provenant de diverses sources. Voir *Guardian Weekly*, Londres, 30 juillet 1995, p. 10 ; *Le Monde*, Paris, 21 juillet 1994, p. 19 ; voir aussi les actuels rapports « Economic outlook », ainsi que la version révisée de « Employment and labour markets » d'Andreas Botsch, présenté initialement à la Friedrich Ebert Stiftung International Conference de Bali, Indonésie, les 25-26 novembre 1996, http://www.itcilo.it/actrav/actrav-english/elearn/global/ilo/standard/tuacempl.html (accès le 7 août 2004).
9. Président Clinton, cité in Eckes, *Opening America's Market*, p. 283-284 ; voir *The Economist*, 5 novembre 1994, p. 19.
10. Dr John Martin, cité in *Financial Times*, Londres, 2 mai 1995, p. 4. Voir aussi *The World Health Report 1995*, OMS, Genève.
11. *Financial Times*, Londres, 8 juin 1994, p. 1 ; voir aussi Andrew Glyn et Bob Rowthorn, « West European unemployment : Corporatism and structural change », *AEA Papers and Proceedings*, 78, n° 2, mai 1988, p. 194.
12. Voir préambule de la Constitution de l'OIT.
13. Milton Leitenberg, « Deaths in wars and conflicts between 1945 and 2000 », Centre for International and Security Studies, University of Mariland, révisé le 7 décembre 2004. J'ai suivi ce genre de statistiques depuis des lustres. À l'évidence, ce sont toujours des chiffres minimisés. Mais il y a une cohérence même dans leurs écarts. Ce rapport particulièrement détaillé me semble plus exact que d'autres.
14. Bhagwati, *In Defense of Globalization*, p. 64.

CHAPITRE XVII
Les ONG et Dieu

1. Morris, *Theodore Rex*, p. 500.
2. Singh, *Heart to Heart*, p. 121.
3. B. Kouchner, discours sur « Leadership, diversité et nationalisme ».

CHAPITRE XVIII
Chronologie du déclin

1. *Globe and Mail*, Toronto, 19 septembre 1994, p. B10.
2. *New York Times*, 6 août 1997, p. A18 ; *Observer*, Londres, 28 janvier 1996.
3. Stiglitz, *La Grande Désillusion*, p. 99, 91.
4. Krugman, *Depression Economics*, p. VIII, 85.
5. *The Economist*, 27 septembre 1997, p. 91 ; *The Economist*, 14 mars 1998, p. 81.
6. Richard Gwyn, *Sunday Star*, Toronto, 23 novembre 1997, p. F3.

CHAPITRE XIX
Chronologie du déclin : l'échappée malaisienne

1. *International Herald Tribune*, 5 février 1998, p. 17.
2. Stiglitz, conférence WIDER.
3. Mahathir ben Mohamad, discours à Davos, 1999 ; Al Gore, remarques au Business Summit de l'APEC, Kuala Lumpur, Malaisie, 16 novembre 1998.
4. Discours d'I. J. Macfarlane : sommet économie de l'Asie du Sud-Est, Singapour, 14 octobre 1998 ; International Conference of Banking Supervisors, Sydney, 21 octobre 1998 ; dîner général annuel du CEDA, Melbourne, 25 novembre 1998 ; *Financial Times*, Londres, 31 octobre/1er novembre 1998, p. 2.
5. International Herald Tribune, 1er février 1999, p. 11, 13.
6. Krugman, Depression Economics, p. 158.
7. *Financial Times*, 4 février 2000, p. 5.
8. Joseph Stiglitz, allocution à l'Association économique américaine, Boston, 9 janvier 2000 ; Kofi Annan, Bangkok, 12 février 2000.
9. Financial Times, Londres, 4 février 2000, p. 5.

CHAPITRE XX
La fin de la foi

1. Samuel Taylor Coleridge, chapitre 14 de *Biographia Literaria* (1817), *Selected Poetry and Prose of Coleridge*, Donald A. Stauffer éd., New York, Random House, 1951, p. 264.
2. Sophocle, *Tragédies*, Paris Gallimard, 1973, trad. fr. Paul Mazon, p. 374.
3. Jean-Cyril Spinetta, président d'Air France-KLM, *Le Monde*, Paris, 31 octobre-1er novembre 2004, p. 12.
4. Alfred E. Kahn, « Airline Deregulation », *The Concise Encyclopedia of Economics*, 2001, www.econlib.org/library, accès le 19 juillet 2004 ; Kahn, « Change, challenge, and competition : A review of the Airline Commission Report », *Regulation : The Cato Review of Business & Governement*, 3, 1993, http://www.cato.org/pubs/regulation/reg16n3d.html, accès le 4 juin 2004 ; Rigas

Doganis, *The Airline Business in the 21st Century*, Londres, Routledge, 2001, p. 17, 19 ; George Williams, *The Airline Industry and the Impact of Deregulation*, p. XII, 49, 143, 145.

5. Elizabeth Ire, Discours d'or au Parlement, Londres, 30 novembre 1601.

6. Bhagwati, *In Defense of Globalization*, p. 183.

7. Marcia Angell, *The Truth about the Drug Companies*, New York, Random House, 2004, p. 3, XV-XVIII. Ce livre remarquable présente en grand détail le problème de plus en plus préoccupant que pose l'industrie pharmaceutique.

8. David Kessler, cité in *Guardian Weekly*, Londres, 10-16 avril 2003, p. 23.

9. *Le Monde*, Paris, 17 avril 2003, p. 18.

10. Angell, *The Truth about the Drug Companies*, p. XV-XVII.

11. Joan-Ramon Laporte, « The supposed Advantages of Celecoxi and Rofecoxib : A Scientific Fraud », *Butlleti Groc*, Institut catalan de pharmacologie ; voir *The Guardian Medical Association Journal*, 17 février 2004, et *The Lancet*, 363, n° 9818, 24 avril 2004 ; *International Herald Tribune*, 22 octobre 2004, p. 13 ; David Graham, directeur associé de la science et de la médecine à l'Office of Drug Safety de la FDA, 18 novembre 2004, témoignage devant la Commission des finances du Sénat américain, *USA Today*, 19 novembre 2004, p. 1 ; *The Economist*, 27 novembre 2004, p. 63.

12. *Ibid.*, p. 64.

13. Par exemple, l'étude de 2003 du Forum économique mondial sur trente-six mille personnes dans quarante-sept pays ; *Financial Times*, Londres, 5 février 2003, p. 13.

14. Morris, *Theodore Rex*, p. 507.

15. *Dresden Post*, 8 janvier 2005.

16. Aristote, *Éthique à Nicomaque*.

17. Riva Krut, « Globalization and Civil Society : NGO Influence in International Decision-Making », UN Research Institute for Social Development, avril 1997.

18. Walter van de Vijver, directeur des explorations, à Sir Philip Watts, président. Voir *Guardian Weekly*, Londres, 22-28 avril 2004, p. 11.

19. *New York Times*, 2 septembre 2004, p. A22.

20. Communiqué 1998 du G7.

21. *International Herald Tribune*, 5 juin 1998, p. 17.

22. *Financial Times*, Londres, 22 novembre 2001, p. 6.

23. Conor Cruise O'Brien, *The Great Melody*, p. 365.

24. *New York Times*, 13 avril 2001, p. A26 ; *Financial Times*, Londres, 20 septembre 2004, p. 1 ; *Wall Street Journal*, 27 janvier 2003 ; *Financial Times*, Londres, 9 août 2004, p. 15 ; *Financial Times*, Londres, 5 mai 2003, p. 1 ; Joseph Conrad, *The Arrow of Gold* (1919), New York, Doubleday, Page and Co., 1927, p. 38.

25. « The Profit Motive Goes to War », *Financial Times*, Londres, 17 novembre 2004, p. 19.

26. Global Policy Forum, « Comparison of revenues among states and TNCs », 10 mai 2000, www.globalpolicy.org/socecon/tncs/tncst, accès le 13 décembre 2004.
27. Robert Cooper, *The Breaking of Nations : Order and Chaos in the Twenty-First Century*, New York, Atlantic Monthly Press, 2003, p. 7.
28. *New York Times*, 8 avril 2004, p. A16.
29. *The Economist*, 1er janvier 2005, p. 35.
30. *Ibid.*
31. *Guardian*, Londres, 22 novembre 2000.
32. Voir par exemple le long compte rendu intitulé « Exposed : The Utility Chief Millionaires », dans *The Observer*, Londres, 14 mai 1995 ; *Daily Express*, Londres, 13 juin 2002, p. 12 ; *Financial Times*, Londres, 22 janvier 2005, p. 4.
33. Peter Conway, « The New Zealand Experiment », p. 4 ; *Listener*, Nouvelle-Zélande, 24 juillet 2004, p. 21 ; Stiglitz, WIDER Lecture.
34. Rapport de Ransom Myers et Boris Worm, Dalhousie University, Halifax, 2003 ; voir *Toronto Star*, 17 juillet 2004, p. H5.
35. « Malaysian Recovery Proves Critics Wrong », *Wall Street Journal*, New York, 9 janvier 1999 ; Mahathir ben Mohamad, discours au Sommet économique d'Asie du Sud, Putrajaya, Malaisie, 6 octobre 2002 ; *Financial Times*, Londres, 26 mars 2004, p. 6.
36. I. J. Macfarlane, discours à la Conférence internationale des auditeurs de banque ; *ibid.*, discours au dîner annuel général du CEDA.
37. Harold James, *The End of Globalization : Lessons from the Great Depression*, Cambridge, Mass., Harvard University Press, 2001, p. 222 ; Lamfalussy, « The Restructuring of the Financial Industry » ; Helleiner, « Democratic Governance in an Era of Global Finance », p. 288.
38. Zakaria, *L'Avenir de la liberté*.
39. *New York Times*, 25 mars 2002, p. C1.
40. Extrait d'un discours prononcé le 10 novembre 2004 à Sidney pour le lancement du livre de Michael Keating, *Who Rules : How Government Retains Control of a Privatised Economy*, cité *in The Sidney Institute Quarterly*, 8, n° 3 & 4, décembre 2004, p. 24.
41. Martin Wolf, « Location, Location, Location Equals the Wealth of Nations », *Financial Times*, Londres, 25 septembre 2002, p. 23.

CHAPITRE XXI
L'Inde et la Chine

1. Joseph Stiglitz, *La Grande Désillusion*, Paris, Fayard, 2002.
2. Ramo, *The Beijing Consensus*, p. 4.
3. *Le Monde*, Paris, 26 juin 2004, p. 4.

4. Singh, *Heart to Heart*, p. 164 ; Ramo, *The Beijing Consensus*, p. 37.
5. *Ibid.*, p. 40. Business International, SA, *Managing the Multinationals*, p. 26.

CHAPITRE XXII
La Nouvelle-Zélande fait encore volte-face

1. Helen Clark, discours du Trône, ouverture de la session parlementaire, Wellington, NZ, 21 décembre 1999.
2. Jane Kelsey, *The New Zealand Experiment : A World Model for Structural Adjustment*, Auckland, Auckland University Press, 1995, p. 5.
3. Gray, *False Dawn*, p. 42 ; Graham Kelly, *Economic Apartheid : Growing Poverty in the Nineties*, Wellington, Parliament, 1998, p. 3 ; King, *History of New Zealand*, p. 490.
4. Ruth Richardson, citée in *The Economist*, 19 octobre 1996, p. 19.
5. *The Economist*, 19 octobre 1996, p. 19.
6. Dan Brash, gouverneur de la banque centrale de Nouvelle-Zélande, notes pour la présentation le 13 mars 1997 des *Economic Projections*.
7. King, *History of New Zealand*, p. 513, 507.
8. Jane Clifton, *Listener*, Nouvelle-Zélande, 24 juillet 2004, p. 21.
9. Clark, discours du Trône, 21 décembre 1999.
10. Sénèque, *De la Brièveté de la vie*.
11. Helen Clark, discours budgétaire au Parlement, Wellington, NZ, 16 juin 2000 ; discours sur la dimension sociale de la globalisation devant l'OIT, Genève, Suisse, 8 juin 2004.

CHAPITRE XXIII
Le vide nouveau : un interrègne de symptômes morbides

1. Richard Rorty, *Objectivity, Relativism, and Truth*, Cambridge, Cambridge University Press, 1991, p. 1.
2. OIT, résumé du rapport final de la Commission mondiale sur la dimension sociale de la globalisation, publié sous le titre *A Fair Globalization : Creating Opportunities for All*, Genève, OIT, 2004, p. X ; Immanuel Wallerstein, *The Decline of American Power*, Londres, The New Press, 2004, p. 127 ; Keith Sutter, *Global Order and Global Disorder : Globalization and the Nation-State*, Westport, Conn. ; Praeger, 2003, 2.
3. *Le Monde*, Paris, 4 janvier 2000, p. 6.
4. Kissinger, « Industrial Democracies and the Future », p. 760 ; Camus, *Actuelles*, p. 117 : « De plus, si la peur en elle-même ne peut être considérée comme une science, il n'y a pas de doute qu'elle soit cependant une technique. »

5. Georgi Arbatov, cité par Anthony Sampson, *The Independent*, Londres, 7 août 2004, p. 37.
6. Samuel P. Huntington, *Le Choc des civilisations*, Paris, Odile Jacob, 1997.
7. Transcription de l'interview de l'Aga Kahn par le *Globe and Mail*, Toronto, 30 janvier 2002 ; www.ismaili.net/timeline/2002/200220130trgm.html (accès le 14 mai 2004).
8. Jan Peter Balkenende, discours du Premier ministre néerlandais devant le Parlement européen, Strasbourg, 21 juillet 2004.
9. Voir Graz, « How Powerful Are Transnational Elite Clubs ? », p. 332-337.
10. Colin Powell, remarque devant le Forum économique mondial, Davos, Suisse, 26 janvier 2003.
11. Voir *Financial Times*, Londres, 22 janvier 2005, p. 7.
12. *New York Times*, 29 janvier 2005, p. C4.
13. *International Herald Tribune*, 25 novembre 2000, p. 9.
14. Joseph Conrad, *Nostromo* (1904), ; Aristote, *Éthique à Nicomaque* ; gouverneur Morris, A Diary of French Revolution, vol. 1, Londres, Harrap and Co., 1939, p. 148.
15. *Deutsche Welle*, Bonn, 6 avril 2004, www.dw-world.de/dw/article/ 0,1564,1163753,00.html (accès le 2 novembre 2004).
16. Martin Wolf, *Financial Times*, Londres, 10 mai 2004, p. 11.
17. Ramo, *The Beijing Consensus*, p. 14, 21.
18. Voir étude dans *The Economist*, 27 novembre 2004.
19. Sen, *Un nouveau modèle économique*, *op. cit.*
20. Stiglitz, conférence WIDER ; Tim Hazeldine, cité *in* Kelsey, *The New Zealand Experiment*, p. 361.
21. Nelson Mandela, allocution publique à Trafalgar Square pendant la réunion des ministres des Finances du G7, Londres, 3 février 2005.

CHAPITRE XXIV
Le vide nouveau : l'État-nation est-il de retour ?

1. *Le Monde*, 24 novembre 1959, p. 4.
2. Voir Heinrich August Winkler, « The long shadow of the Reich : Weighing up German history », conférence annuelle de 2001 de l'Institut historique allemand, Londres, The German Historical Institute London, 2002.
3. Heinrich August Winkler, « Europeans of all countries, remember », *Deutschland* E6, n° 3, juin-juillet 2004, p. 19, 16.
4. Karl E. Meyer, *The Dust of Empire : The Race for Mastery in the Asian Heartland*, New York, Century Foundation Book, 2003, p. 4-5.
5. Cité par François Fejtö dans sa remarquable *Histoire de la destruction de l'Autriche-Hongrie. Requiem pour un empire défunt*, Paris, EDIMA/Lieu Commun, 1988, p. 377.
6. *International Herald Tribune*, 22 octobre 2004, p. 1.

7. Gordon Brown, conférence annuelle du Bristish Council, Londres, 7 juin 2004.

8. Jan Zielonka, « Enlargement and the finality of european integration », Jean Monnet Working Paper n° 7/00, symposium : Responses to Joshka Fischer, 2000, http://www.jeanmonnet program.org/papers/00/00f0801.html, accès le 9 septembre 2004 ; Robert Cooper, The Breaking of Nations, p. 60 ; Jan Peter Balkenende, discours au Parlement européen.

9. Jan Zielonka, « How new enlarged borders will reshape the European Union », *Journal of Common Market Studies*, 39, n° 3, septembre 2001, p. 507-508.

10. Aleksander Smolar, conférence NEXUS, Washington, D. C., 18-20 novembre 2004.

11. Joshua Micah Marshall, *The New Yorker*, 2 février 2004, p. 84.

12. *The Economist*, 4 décembre 2004, p. 9.

13. *Financial Times*, 25 janvier 2005, p. 6 ; Michael Lind, « How America became the world's dispensable nation », *Financial Times*, Londres, 25 janvier 2005, p. 17.

14. *Financial Times*, Londres, 18 février 2005, p. 13.

15. Winkler, « Long shadow », p. 21 ; Oskar Lafontaine, cité *in* Winkler, « Long shadow », p. 21.

16. Kouchner, discours sur « Leadership, diversité et nationalisme ».

17. *Sunday Times*, Londres, 16 janvier 2005, p. 7.

18. Richard Rorty, *Achieving Our Country : Leftist Thought in Twentieth-Century America*, Cambridge, Mass., Harvard University Press, 1998, p. 7-8.

19. Liah Greenfeld, *Nationalism : Five Road to Modernity*, Cambridge, Mass., Harvard University Press, 1992, p. 10, 11.

CHAPITRE XXV
Le nationalisme négatif

1. *By Jingo*, d'où *jingoism*, « chauvinisme » (NdT).

2. *The New Science of Giambattista Vico*, traduction complète de la troisième édition (1744), livre I, 120, 121 ; II, 122, trad. angl. Thomas Bergin et Harold Fisch, Ithaca, N. Y., Cornell University Press, 1968, p. 60.

3. Erich Fromm, *The Sane Society*, Londres, Routledge and Kegan Paul, 1963, p. 57 ; James McConica, *Erasmus*, Oxford, Oxford University Press, 1991, p. 33 ; Greenfield, *Nationalism*, p. 12.

4. Richard Rorty, *Achieving Our Country*, p. 37-38.

5. *International Herald Tribune*, 2-3 avril 1994, p. 1.

6. *Le Monde*, Paris, 10 décembre 2003, p. 1.

7. *Le Monde*, Paris, 28 janvier 2005, p. 14.

8. Israel Singer, *in Financial Times*, Londres, 26 janvier 2005, p. 19 ; Kjell Magne Bondevik, discours à la conférence Nexus

consacrée à la « politique des valeurs européennes », La Haye, 7 septembre 2004.

9. *Financial Times*, Londres, 25 janvier 2005, p. 7.

10. Ian Buruma, « The rest is history », *FT Magazine*, 22 janvier 2005, p. 23.

11. Déclaration du secrétaire des Nations unies Kofi Annan, *Globe and Mail*, Toronto, 22 avril 2004 ; Simon Schama, *Guardian Weekly*, 19-25 septembre 2002, p. 6.

12. Richard Rorty, *in* Jürgen Habermas, Richard Rorty et Leszek Kolkowski, *Debating the State of Philosophy*, Jozef Niznik et John T. Sanders éd., Westport, Conn., Praeger, 1996, p. 29.

13. Francis Fukuyama, *State-Building : Governance and World Order in the 21st Century*, Ithaca, N. Y., Cornell University Press, 2004, p. IX, 99, 120 ; Milton Friedman, cité *in* Martin Wolf, *Financial Times*, Londres, 3 novembre 2004, p. 17.

14. Mussolini, *Fascism : Doctrine and Institutions*, p. 50.

15. Jane Kramer, « All he surveys », *The New Yorker*, 10 novembre 2003, p. 95.

16. Arbour, « The truth to be told ».

17. Cooper, *The Breaking of Nations*, p. 103.

18. Samuel P. Huntington, *The Clash of Civilizations and the Remaking of the World*, New York, Simon & Schusters, 1996, p. 20.

19. Aga Khan, discours prononcé à la conférence sur le leadership du gouverneur général.

20. Tim Lahaye et Jerry B. Jenkins, *Left Behind : A Novel of the Earth's Last Days*, Weaton, Ill., Tyndale House Publishers, 1995.

21. *International Herald Tribune*, 22 octobre 2004, p. 8.

22. Voir Nicolson, *Vienna*, p. 253-254.

CHAPITRE XXVI
La normalisation des guerres irrégulières

1. Jack Straw, « Order out of chaos : The challenge of failed states », *Reordering the World*, Mark Leonard éd., Londres, The Foreign Policy Centre, 2002, p. 99.

2. Général Michael Rose, cité in *International Herald Tribune*, 4 août 2004, p. 7.

3. Mahathir ben Mohamad, discours en séance plénière, « Trust and Governance for a New Era », Davos, Suisse, 23 janvier 2003.

4. Pascal Lamy, cité in *International Herald Tribune*, 22 juillet 2003 ; voir Karl E. Meyer, *The Dust of Empire*, p. 205.

5. *The Scarlet Pimpernel*, comédie musicale adaptée du roman de la baronne Emmuska Orczy (1903). Située pendant la Révolution française, elle raconte les aventures de l'insaisissable Ligue du mouron rouge, conduite par Sir Percy Blakeney, qui se consacre, grâce à mille tours et inventions, à sauver les « innocents » frappés par la Terreur (NdT).

6. Xénophon, *Memorabilia Œconomicus*.

7. Voir Jessica Warner, *Craze : Gin and Debauchery in an Age of Reason*, New York, Four Walls Eight Windows, 2002, p. 212.

CHAPITRE XXVII

Le nationalisme positif

1. La distinction de Greenfeld entre plusieurs nationalismes est autre, mais c'est peut-être dû à son fascinant travail de définition plutôt qu'à des différences réelles. Voir aussi Adam Smith, *The Theory of Moral Sentiments*, Indianapolis, Liberty Fund, 1984, p. 235, reprise de la 6e éd. de 1790, 1re éd. 1759, trad. fr. *La Théorie des sentiments moraux*, Paris, PUF, 2003 ; Tocqueville, *De la démocratie en Amérique* ; Rorty, *Achieving Our Country*, p. 5.
2. Foer, *How Soccer Explains the World.*
3. Barack Obama, cité in *Financial Times*, Londres, 31 juillet 2004, p. 7 ; Smith, *Moral Sentiments*, p. 61.
4. Ramo, *The Beijing Consensus*, p. 12, 21.
5. Clark, discours du Trône, séance d'ouverture de la session parlementaire néo-zélandaise.
6. *Globe and Mail*, Toronto, 19 mai 2004, p. B1 ; Association internationale des grands magasins, déclaration sur les principes communs, 43e assemblée générale de l'AIGM, Singapour, octobre 2002.
7. Le plus gros distributeur mondial (NdT).
8. Vaclav Chevchenko, *Poems*, Kiev, Édition « Prime », 2001, p. 119.
9. Éditorial d'ouverture, *Financial Times*, Londres, 5-6 février 2005, p. 6.
10. Pérez-Diaz, « The underdeveloped duty », p. 3.
11. Gordon Brown, conférence annuelle du British Council.
12. Cité *in* Ronald J. Deibert, *Printing and Hypermedia : Communication in World Order Transformation*, New York, Columbia University Press, 1997, p. 214.
13. « Al Hujurāt », 49 :13 ; 'Abdullah Yusuf 'Ali, *The Meaning of the Holy Qu'rān*, 4e éd., Brentwood, Md., Amana Corporation, 1991, p. 1342-1343.
14. Smith, *Moral Sentiments*, p. 231.

INDEX

TABLE

PREMIÈRE PARTIE
Le contexte

DEUXIÈME PARTIE
La montée

TROISIÈME PARTIE

Le plateau

QUATRIÈME PARTIE

La chute

CINQUIÈME PARTIE

Et maintenant ?

Composition et mise en pages : FACOMPO, LISIEUX

Achevé d'imprimer en février 2006
sur les presses de Normandie Roto Impression s.a.s.
à Lonrai (Orne)
N° d'impression : 06-0259
Dépôt légal : février 2006

Imprimé en France